LE MASQUE
Collection de romans d'aventures
créée par
ALBERT PIGASSE

━━━

L'Instinct maternel

Barbara Abel

L'Instinct maternel

LIBRAIRIE DES CHAMPS-ÉLYSÉES

REMERCIEMENT

L'auteur aimerait remercier la Chambre des notaires du Rhône pour la précieuse documentation qu'elle a fournie avec tant de gentillesse et de rapidité.

© BARBARA ABEL ET ÉDITIONS DU MASQUE-HACHETTE LIVRE, 2002.

Tous droits de traduction, reproduction, adaptation, représentation réservés pour tous pays.

Avec tout mon amour...
À Lou, mon petit garçon, qui a fait naître en moi cet instinct maternel.
À son papa, Gérard, pour tout ce temps gagné.

PREMIER MOIS

« Premier mois, premier bilan.
L'embryon mesure cinq millimètres.
Il n'a pas encore figure humaine, il ressemblerait
plutôt à une virgule allongée.
[...] Mais dans ce minuscule embryon, le cœur bat
déjà.
Il ne s'arrêtera qu'avec la mort. »

1

Rang de perles ou rivière de diamants ? Jeanne hésite. D'une main experte, elle accroche une broche scintillante à l'étoffe de sa robe. After-shave. Deux claques sonores sur les joues. Richard redresse son nœud papillon puis vérifie la fermeture de ses boutons de manchette. Jeanne examine l'état de ses bas et opte pour la rivière de diamants, qui illumine le regard. Escarpins vernis. Gants de soie noire. Sac à main dont elle contrôle le contenu d'un rapide coup d'œil : rouge à lèvres, fard à joues, vaporisateur, cigarettes, briquet, vernis à ongles, étui à cartes. Prozac. Richard enfile la veste de son smoking d'un mouvement souple et fluide. Passe une main vigoureuse dans ses cheveux. Jette un regard soucieux à sa montre.

Avant de refermer son sac, Jeanne vérifie son maquillage. Retouche le rouge de ses lèvres, atténue le fard à paupières sous l'arcade sourcilière droite. Dernier coup de laque. Dernier coup d'œil. Richard adresse un sourire confiant au miroir qui lui fait face. Jeanne est prête. Elle saisit sa fourrure et sort de sa chambre. En descendant l'escalier de marbre, elle aperçoit Richard qui l'attend déjà dans le hall. Elle le rejoint sans se presser tandis qu'il fait signe au chauffeur d'avancer la voiture.

Lorsqu'ils arrivent au château, un long cortège d'invités gravit déjà les marches du perron. En ce début de printemps, le temps s'est adouci malgré un vent léger qui joue avec les parures des dames. Chaque couple s'avance élégamment vers la grande entrée, distribuant au passage une suite calculée de saluts et de sourires entendus. Le décor ainsi que l'éclairage ont été soigneusement étudiés pour la noce, alliant parfaitement la délicate harmonie requise par l'événement à la nécessité de voir et d'être vu sans difficulté.

Après avoir monté les cinq marches de l'escalier de pierre, on se doit de présenter discrètement son carton d'invitation, tout en marquant une légère pause à peine perceptible, puis l'on continue d'avancer dignement vers le grand hall de marbre. On perçoit alors le bruit cristallin des verres qui s'entrechoquent avec légèreté, ainsi qu'un mélodieux tango joué en sourdine par un orchestre de trente musiciens. Un épais tapis, dont la couleur rouge semble tracer un chemin de gloire, guide tout naturellement chaque hôte vers la salle de réception. Tout est somptueux. Les majordomes circulent avec aisance et distinction parmi les invités, présentant des plateaux chargés de coupes remplies de champagne et de petits fours aux saveurs exquises. L'honorable assemblée se meut avec grâce, et chacun offre à qui mieux mieux l'image la plus parfaite de la réussite sociale associée à la beauté et au pouvoir.

Ce soir-là, le comte de Valendreux mariait sa fille unique et, pour la circonstance, il avait fait étalage de toutes ses richesses. L'heureux élu était un noble anglais de très bonne famille qui avait mis plus de deux années à obtenir la main de la jeune comtesse. La mariée était vêtue d'une robe dont le faste n'avait d'égal que la blancheur, bien que la signification du ton choisi ne correspondait plus vraiment au sens que certains lui donnaient encore. Toute l'aristocratie française et anglaise avait été conviée, ainsi que les représentants politiques des pays les plus en vue. Le comte affichait l'expression parfaite du père comblé et recevait personnellement aux côtés de son épouse chaque invité du jeune couple.

Richard Tavier appréciait particulièrement les noces et les galas. Il s'y préparait avec grand soin, sachant mieux que quiconque que c'est au cours de ces luxueuses réceptions que les relations et les affaires florissantes naissent ou se consolident. C'était un homme puissant qui avait toujours su tirer parti des situations les plus anodines. Âgé d'une cinquantaine d'année, il poursuivait avec succès une brillante carrière politique qui ne lui laissait que peu de loisirs et encore moins de vie privée. Ce qui, en vérité, ne semblait pas lui peser.

Doté d'un physique avantageux, il portait une épaisse chevelure poivre et sel coiffée vers l'arrière qui lui donnait un charme ravageur auquel peu de femmes restaient insensibles. Il alliait une forme physique quasi irréprochable à une vivacité d'esprit et un brillant à-propos, ce qui faisait de lui un homme respecté autant que redouté. Son regard clair semblait saisir en quelques instants le moindre détail qui aurait pu servir sa cause. Rien ne lui résistait. Rien ne lui avait jamais résisté d'ailleurs, et ce depuis que, vers l'âge de cinq ans déjà, il avait éprouvé pour la première fois l'ivresse du pouvoir, cette étrange sensation qui réchauffe le bas du ventre lorsqu'un sentiment de contrôle absolu se fait jour.

Son père, riche industriel notoire à la tête d'une chaîne de fabriques d'armes, avait cru bon de lui enseigner dès son plus jeune âge les joies de la domination. C'est ainsi que Richard avait été élevé, à coups de préceptes édictés avec force et conviction par un homme qu'aucun doute ne semblait jamais avoir ébranlé.

« Ce que tu ne peux contrôler, détruis-le sans hésitation, tu t'éviteras bien des retours de manivelle. Sois impitoyable envers toi comme envers les autres, la pitié est un sentiment que n'éprouvent que les êtres faibles et influençables. Et la faiblesse est une tare qui engendre la déchéance. » Sous la force de l'autorité paternelle, le jeune Richard avait très tôt appris à avancer dans la vie sans se soucier des conséquences que ses actes pouvaient engendrer autour de lui.

Il n'avait que peu de souvenirs de sa mère : celle-ci, jeune Italienne de dix ans la cadette de son époux, avait disparu un matin, sans plus donner signe de vie. Richard avait alors quatre ans. Croyant à un enlèvement, son père avait mis à pied d'œuvre toutes les forces de police afin de retrouver sa femme, persuadé que des ravisseurs sans scrupule en voulaient à sa fortune. Au bout d'une semaine, aucune demande de rançon n'avait été formulée. Les policiers mirent l'affaire en *stand-by* faute d'éléments nouveaux et Richard Tavier senior engagea une horde de détectives. La dernière fois qu'on la vit, ce fut dans un restaurant de la côte d'Azur en compagnie d'un jeune acteur dont la carrière était en plein essor. Deux jours plus tard, elle périssait noyée au cours d'une randonnée en mer.

La limousine se rangea derrière les autres voitures. Richard en sortit prestement, tandis que François, le chauffeur, ouvrait avec déférence la portière du côté de Jeanne. Une femme au visage fatigué s'extirpa du véhicule, avant de remettre d'un geste machinal une mèche rebelle qui sortait de sa coiffure blonde. Richard la considéra d'un œil torve.

— J'aurais été moins honteux de sortir avec un épouvantail, maugréa-t-il avec dédain.

Jeanne, ayant parfaitement entendu la remarque de son mari, se contenta de hausser les épaules avec indifférence. C'était une femme de taille moyenne, dont l'allure générale laissait entrevoir les vestiges d'une beauté depuis longtemps éteinte. Elle avait dépassé la quarantaine depuis peu, mais elle en paraissait presque cinquante. De petites rides marquaient plus fortement qu'elles n'auraient dû les traits de son visage, tandis que ses yeux sombres étaient soulignés par deux cernes gris qui trahissaient une lassitude latente. Son nez était droit, sa bouche bien dessinée, son visage parfaitement proportionné, mais il émanait d'elle une fatigue intense qui affaiblissait la plupart de ses atouts.

Tout en vérifiant sa tenue dans le reflet de la voiture, Richard tendit distraitement le bras à sa femme, et pendant que François refermait la portière derrière eux, le couple se dirigea vers le grand escalier de pierre.

Cela faisait maintenant vingt longues années que Jeanne et Richard avaient uni leur destinée. Ils s'étaient rencontrés dans une boîte de nuit branchée pour jeunes rentiers en mal d'activités lucratives. Richard venait y dépenser la fortune de son père, Jeanne y travaillait comme hôtesse d'accueil. Elle s'en souvenait comme si c'était hier et aimait se remémorer leur rencontre passionnée : entre eux, ce fut le coup de foudre tel qu'on n'en voit qu'au cinéma. Richard avait immédiatement succombé au charme de cette pétillante jeune fille, dont les grands yeux noirs venaient tout juste de s'ouvrir sur un monde qui avait tout à lui offrir.

À cette époque, elle portait des cheveux coupés court, à la Jean Seberg, coiffant un ravissant visage d'ange dont la fraîcheur faisait chavirer tous les cœurs. Elle avait vu en Richard le rêve se faire réalité, persuadée qu'une destinée hors du commun l'attendait à la sortie de cette boîte pour nantis. Elle comptait sur son joli minois pour faire tous les ravages nécessaires afin de sortir de sa condition car, disait-elle, il n'y a qu'au bras d'un homme vêtu d'un smoking qu'il convient de passer la porte d'un endroit tel que celui-là. Ce bras, elle l'avait trouvé, le même qui, aujourd'hui, se présentait à elle avec un mépris teinté d'indifférence. En définitive, tout avait été trop vite, mais sans vouloir se mentir, en aurait-il été différemment si elle avait pris le temps de réfléchir ? Assurément non. Richard était beau, fortuné, ambitieux, et le ciel s'était dégagé si rapidement devant elle que la lumière du soleil l'avait éblouie. Quand elle y repensait aujourd'hui, elle regrettait presque de ne pas s'être enfuie par l'issue de secours, mais le souvenir des années de misère, celui des fins de mois difficiles qui commencent le 10, des chambres de bonne sordides où l'on suffoque en été et l'on grelotte en hiver, tout cela lui permettait d'endurer la haine et le mépris de son mari.

Elle revoyait cette période de vaches maigres comme un long tunnel sombre dans lequel elle ne cessait de se heurter aux parois rugueuses, tout en essayant vainement d'apercevoir au loin la moindre lueur d'espoir. Elle comparait souvent sa situation d'alors à la douleur de l'enfantement, s'identifiant tantôt à la mère qui souffre le martyre avant la délivrance tant attendue, tantôt à l'enfant, comprimé à l'intérieur de la matrice, qui entame péniblement le voyage vers la lumière dans le tunnel osseux du bassin.

Juste avant de prendre une grande bouffée d'air et de naître enfin à la vie.

Issue d'un milieu où le moindre centime possédait une valeur vitale, Jeanne s'était fait le serment de quitter au plus vite un climat de misère qui l'écœurait et la dégoûtait chaque jour davantage. Elle voulait faire partie de ce monde qui ne connaît ni le manque ni la privation. Dieu lui avait donné tous les avantages physiques pour sortir de sa condition sociale en se servant du mariage, et elle comptait bien s'en servir. Si l'amour venait y mettre son grain de sel, elle n'y voyait aucun inconvénient.

Un soir, une amie lui avait indiqué l'adresse d'un club sélect qui engageait des hôtesses d'accueil, et Jeanne s'était envolée vers son destin.

— Vous êtes tout simplement ravissante, chère Inès. C'est un véritable plaisir de vous voir ici.

Avec sa voix grave et régulière, Richard avait le don précieux de paraître sincère même lorsqu'il débitait des phrases préparées dont il ne pensait pas le moindre mot. Et de fait, Inès de Vitreuil était aussi longue que laide, totalement dépourvue de grâce et d'une niaiserie à vous fendre l'âme. Jeanne afficha un sourire standard signifiant qu'elle partageait entièrement l'avis de son mari. Puis ils continuèrent leur chemin vers le hall d'entrée où Richard avait déjà aperçu Francis Lavallant, attaché au cabinet du ministre de l'Environnement et personnalité particulièrement intéressante à compter parmi ses relations.

Il pressa le pas, obligeant Jeanne à le suivre malgré sa robe étroite qui lui entravait les chevilles, ce qui la déséquilibra dangereusement. Tout en la maintenant fermement à son niveau, il la redressa sans douceur et la contraignit à le suivre au rythme qu'il lui imposait.

— Pour une fois, essaye de ne pas te donner en spectacle, chuchota-t-il haineusement entre ses dents. Si tu tiens absolument à montrer tes jambes, trouve autre chose que de t'étaler devant tout le monde.

Jeanne poussa un gloussement de rancœur.

— Brave toutou ! Je suppose que tu as repéré un gibier de choix à mettre dans ton carnet de chasse. C'est une poule ou c'est un pigeon ?

Sans répondre, il lui jeta un regard plein de mépris. Arrivé à la porte de la salle de réception, Richard prit un air soudainement ouvert et confiant, et se rapprocha de Francis Lavallant tout en maintenant fermement Jeanne à ses côtés. Puis il feignit la surprise et s'avança avec franchise vers sa cible.

— M. Lavallant ! C'est un grand honneur pour moi de vous rencontrer enfin. Je suis Richard Tavier, nous avons eu plusieurs fois l'occasion de nous entretenir au téléphone. Permettez-moi de vous présenter Jeanne, ma femme.

Jeanne salua poliment tout en esquissant un sourire sans joie. Francis Lavallant serra chaleureusement la main de Richard et présenta à son tour son épouse. Côte à côte, les deux hommes s'avancèrent dans la grande salle où ils furent accueillis par le comte et la comtesse, tandis que Mme Lavallant, courtoisement, entamait la conversation avec Jeanne.

— Mon mari me houspille depuis qu'il est rentré du cabinet, persuadé que nous serions en retard. Vous savez comment sont les hommes... C'est à peine si j'ai eu le temps d'embrasser les enfants ! Les pauvres chéris en étaient tout affectés. Vous avez des enfants ?

Une lame acérée transperça le cœur de Jeanne.

— Non... Pas encore, balbutia-t-elle.

— Grand Dieu, quelle chance vous avez ! Vous n'imaginez pas les contraintes qu'engendrent ces petits êtres si pleins d'énergie ! Je disais encore tout à l'heure à Margareth — Margareth est notre nurse anglaise — qu'il ne me serait jamais venu à l'esprit de...

La voix faussement exaspérée de Mme Lavallant s'estompa dans le brouhaha ambiant. Jeanne se mit en pilote automatique et inscrivit sur son visage une expression à la fois ouverte et compatissante qui convenait à toutes les conversations mondaines. À leur tour, les deux femmes saluèrent leurs hôtes, puis elles se dirigèrent à la suite de leurs époux vers le centre de la salle où un opulent buffet attendait les convives. L'orchestre avait attaqué un air de valse enjouée et Richard disparut dans la foule. Mme Lavallant piaillait toujours, sans même se soucier de savoir si on l'écoutait, lorsque Jeanne aperçut la mariée. Elle fut frappée par la candeur de son visage et, soudain, elle se revit au bras de Richard, le jour de leur mariage, si rayonnante de ce bonheur naïf auquel elle avait cru aveuglément. Des enfants ? Mon Dieu, comme elle en avait désiré ! Mais depuis longtemps son ventre maigre et stérile se desséchait en même temps que son esprit, tous deux anesthésiés par des années d'espoirs déçus.

Richard lui avait confié la mission d'assurer sa descendance et elle avait failli à sa tâche. Car les médecins furent formels : elle était l'unique responsable du néant qui, brutalement, s'installa dans leur couche. La disgrâce survint d'un coup sec : tant que l'espoir subsistait, Richard lui témoigna une confiance totale, demeurant à ses côtés pendant les nombreux moments de doute et de découragement.

Après deux années d'essais infructueux, ils se mirent à consulter une suite impressionnante de médecins et de spécialistes afin de recevoir de la science ce que la nature avait refusé de leur accorder. Richard déboursa une véritable fortune en analyses poussées, injections d'hormones, Pregnyl, Humegon, et fécondations *in vitro*. Certaines d'entre elles laissèrent entrevoir un début d'espoir mais aucune ne dépassa le troisième mois. Les déceptions se succédèrent, se faisant ressentir de plus en plus cruellement. Deux autres années passèrent ainsi, durant lesquelles leur passion commune se transforma lentement en affection distante. Un matin enfin, le couperet tomba de façon irrémédiable : Jeanne ne parviendrait jamais à mener une grossesse à terme.

Dès lors, Richard se désintéressa d'elle. Il se mit à passer de plus en plus de temps hors du domicile conjugal, sans se soucier de la prévenir de ses absences. Les premiers temps, la souffrance qui la submergea fut telle qu'elle tenta par deux fois de mettre fin à ses jours. Richard ne parut pas en être touché. Puis le temps passa, et elle s'habitua peu à peu à cette indifférence insupportable, terrorisée à l'idée qu'il pourrait la quitter, car cela signifiait qu'elle serait exclue de ce luxueux univers dans lequel elle évoluait depuis maintenant trop longtemps. La seule pensée de retrouver sa condition première la rejetait dans les affres de l'angoisse.

Mais Richard ne changea rien à leur mode de vie. Il continua de l'emmener aux bals et aux réceptions, et tenait en société le rôle du parfait mari. Jeanne apprit alors à haïr cet homme qu'elle avait adoré, et elle crut réellement y parvenir, en vérité bien plus rapidement qu'elle ne l'aurait imaginé.

Le marché était clair : il lui assurait le luxe et le confort dont elle ne pouvait se passer tandis que, de son côté, elle tiendrait le rôle de l'épouse docile et comblée. La raison en était aussi simple qu'effrayante : aveuglé par l'ambition, Richard s'imposait un parcours professionnel imparable tout au long duquel il ne souffrait aucune fausse note. Ses principes avaient la rigueur et l'inflexibilité d'un pylône dressé en plein désert et l'un d'eux, particulièrement, était sans appel : lorsqu'on fait de la politique, on ne divorce pas.

— ... et c'est pourquoi nous avons choisi une tapisserie dont le motif rappelle étrangement ce tissu anglais qui nous avait tant séduit.

Tout en acquiesçant d'un sourire amène, Jeanne sortit de sa rêverie. Sans chercher à comprendre comment Mme Lavallant en était arrivée à évoquer ses papiers peints, elle commença seulement à se détendre et à profiter du climat d'opulence qui l'entourait et dont elle raffolait par-dessus tout. Elle se servit une coupe de champagne qui passait à sa portée et y trempa les lèvres avec délectation. C'était là le goût de la vie, celui pour lequel elle était destinée depuis sa naissance. Jeanne n'avait jamais douté que l'abondance dans laquelle elle baignait depuis toutes ces années était un dû, un état normal et naturel auquel elle avait droit par décision divine et, aujourd'hui, elle n'était pas loin de penser que Richard n'avait été envoyé sur cette terre que dans le but de lui apporter tout le luxe dont elle avait besoin pour vivre. Qu'importaient les souffrances morales qu'elle devait subir pour pouvoir en jouir...

Elle avait la pauvreté en horreur, tout autant que les miséreux et la horde de malheurs qu'ils affichaient comme autant de médailles sur leur visage. Leur façon d'être la révulsait, cette manie qu'ils avaient de se plaindre et de crier leur infortune à la tête du monde. S'il lui arrivait de jeter un coup d'œil distrait aux informations télévisées, Jeanne se sentait toujours outrée par l'impudence de ces gens qui faisaient ouvertement étalage de leur détresse, sans gêne ni pudeur.

Cela lui rappelait trop le visage de sa mère qu'aucun sourire n'avait jamais éclairé, et cette attitude éternellement courbée sous le poids de l'affliction, avec une détresse dans le regard qui lui ravageait le visage. Sa mère ne parlait pas, non ! Elle se plaignait, constamment, n'évoquant que son infortune et la fatalité de la vie. Mille fois Jeanne avait cru mourir de honte aux côtés de cette femme qui l'exhibait comme l'excuse de sa douleur.

Elle n'avait jamais pu avoir d'amie, aucune connaissance un tant soit peu intime ayant pu combler la trop lourde solitude qu'elle subissait aux côtés de sa mère, et pour cause : personne ne demande à partager de bonne grâce le fardeau d'autrui. À chaque fois, le scénario était le même : lorsqu'elle sympathisait avec une enfant de son âge, Jeanne retardait le plus longtemps possible le moment où, inévitablement, elle serait invitée chez elle car les parents demandaient toujours à rencontrer sa mère — ce qu'ils ne faisaient, en général, qu'une seule et unique fois. Ouvrière dans une usine de textile, seule depuis la naissance de Jeanne, elle avait un don particulier pour dépeindre, à des gens qu'elle voyait pourtant pour la première fois, la noirceur de leur existence, insistant sur leur état de pauvreté et de solitude. Elle s'obstinait particulièrement à raconter certains épisodes de sa vie que personne n'avait envie d'entendre : comment son mari l'avait délaissée le jour même de la naissance de Jeanne pour la simple raison que celle-ci n'était pas un garçon, et également pourquoi elle avait été obligée, à une époque heureusement révolue, de se prostituer afin de subvenir aux besoins de son enfant. Elle usait alors d'un ton qui laissait sous-entendre que malgré tout ce qu'elle avait dû endurer pour sa fille, elle ne lui en voulait pas. Lorsque sa mère abordait ce passage de son récit, Jeanne savait qu'elle ne serait plus invitée chez son amie, que celle-ci viendrait encore moins chez elle, et qu'elle adopterait bientôt une attitude froide et distante.

— Jeanne, mon chou ! Tu es là depuis longtemps ? Je suis désolée d'être en retard mais Robert a dû repasser au bureau pour y récupérer je ne sais quels documents...

Edwige Beaulieu, l'éternelle complice de Jeanne, s'avançait vers elle à grands pas, remuant alentour d'énormes brassées d'air parfumé au Chanel n° 5, comme si elle s'apprêtait à annoncer à l'assemblée générale un cataclysme d'ampleur internationale.

Alors que le véritable cataclysme, c'était elle.

Jeanne poussa un soupir de soulagement à la vue de son amie.

— Je ne suis pas fâchée de te voir, murmura-t-elle à l'oreille d'Edwige tandis qu'elles s'embrassaient bruyamment.

Imposante nature d'une cinquantaine d'années, Edwige cachait sous des allures quelque peu excentriques une personnalité piquante et généreuse. Ce soir-là, par-dessus un large pantalon de flanelle grise, elle portait une blouse de soie rose fuchsia qui laissait entrevoir des dessous de dentelles noires soutenant à bout de baleines une paire de seins monumentaux. Cette gorge généreuse servait de support à une étincelante parure dont le bijou central, un rubis, se perdait dans les replis de sa chair. Un chignon à la Brigitte Bardot *ninety* ballottait dangereusement sur son crâne et menaçait à tout moment de s'effondrer. Une vraie pièce montée ! D'un œil expert, Edwige fit un rapide tour d'horizon tout en s'emparant d'une coupe de champagne qu'un majordome lui présentait de manière affable.

— Qui donc est là ? La volière habituelle, à ce que je vois ! constata-t-elle à haute voix.

— Tais-toi, on va t'entendre !

— Penses-tu ! Ils sont tous bien trop occupés à jacasser et à picorer dans tous les sens pour s'occuper de ce que je peux bien raconter. Regarde-moi ces deux vieilles chouettes qui pérorent en compagnie du vieux corbeau, là-bas... Et toutes ces dindes qui gloussent sans discontinuer à propos des trois jeunes coqs, là, un peu plus loin ! Ce n'est plus une volière, c'est une véritable basse-cour !

— Tu parles comme un charretier ! lui reprocha gentiment Jeanne.

— C'est tellement plus agréable, non ?

Et elle partit d'un éclat de rire sonore et toni-truant qui cloua le bec à leurs plus proches voisins.

Jeanne et Edwige s'étaient connues par l'intermédiaire de leurs maris qui travaillaient, quelques années auparavant, comme secrétaires au ministère des Finances. Par la suite, les deux hommes n'avaient pas approfondi une amitié dont aucun ne voyait l'avantage, mais leurs épouses respectives s'étaient trouvées certaines qualités qu'elles estimaient particulièrement. Edwige appréciait Jeanne pour son côté un peu crédule, cette aptitude qu'elle avait de croire encore aux contes de fées malgré le nombre ahurissant de déconvenues dont elle avait fait les frais jusqu'alors. Elle soupçonnait son amie de garder, au plus profond d'elle-même, l'infime espoir de voir son couple redevenir un jour ce qu'il avait été. Jeanne s'en défendait ardemment, et lorsque Edwige lui faisait parfois remarquer que ses réactions n'étaient pas toutes celles d'une femme qui haïssait définitivement son mari, elle mettait une énergie folle à nier l'évidence.

Jeanne, quant à elle, admirait le côté hors normes d'Edwige qui ne se privait jamais de dire tout haut ce que la plupart pensait tout bas. Il est vrai qu'elle était elle-même issue de cet univers huppé dont elle connaissait les moindres détails, et elle possédait une fortune personnelle importante qui la mettait à l'abri du besoin.

Mais si Jeanne appréciait Edwige, c'était également parce que celle-ci faisait fi des conventions que son milieu social lui imposait, en particulier les règles de maintien ainsi que cette sacro-sainte distinction qu'elle appréciait tant chez les autres, mais qui l'ennuyait lorsqu'elle devait s'y astreindre. Quand elle était en sa compagnie, Jeanne délaissait ses airs de bourgeoise avec un certain soulagement qui faisait ricaner Edwige.

Chaque jeudi après-midi, elles avaient pris l'habitude de se retrouver dans l'intimité du salon andalou d'Edwige. Elles passaient alors quelques heures à se raconter leur semaine, leurs menus tracas, les rencontres qu'elles avaient ou n'avaient pas faites, les potins du moment qui faisaient jaser. Jeanne appréciait particulièrement ces moments durant lesquels elle laissait tomber le masque. C'était des instants précieux car elle avait ainsi la sensation de ne s'être pas totalement vendue, de n'avoir pas totalement enseveli sa personnalité sous les attitudes et le comportement que Richard exigeait d'elle. « Il croit m'avoir achetée comme on s'offre un nouveau costume trois pièces ! se plaisait-elle à dire avec rancœur à Edwige lorsqu'elles abordaient le sujet. Je fais partie de la panoplie du parfait politique au même titre que son portable ou que la pile de dossiers qui s'entasse sur son bureau ! »

Edwige haussait les épaules avec fatalité. « La plupart des hommes délaissent leurs femmes dès qu'elles ont dépassé la quarantaine. Ta situation n'a rien d'extraordinaire, mon chou ! La nature elle-même a imposé sa loi : un homme de quarante ans est à l'apogée de son pouvoir de séduction tandis qu'une femme du même âge peut désormais entamer le chapitre des souvenirs. Regarde Robert Mitchum ! Il n'a jamais été plus craquant qu'à quarante ans ! Veronica Lake, par contre, on ne connaît d'elle que les films qu'elle a faits lorsqu'elle avait dans la vingtaine. »

Edwige était passionnée de cinéma en général et de vieux films noir et blanc en particulier. Elle possédait une collection qui n'avait rien à envier à la plupart des médiathèques du pays. Son plus grand plaisir consistait à s'enfermer des heures entières dans sa salle de projection privée et à se repasser quelques-uns des plus grands chefs-d'œuvre du cinéma. Elle s'était toujours sentie très attirée par

Robert Mitchum qu'elle considérait comme le plus grand acteur de tous les temps et sa mort toute récente l'avait profondément affectée. Elle avait alors passé une semaine entière à revoir tous les films marquants de son idole, surtout *La Nuit du chasseur* dont elle connaissait les dialogues par cœur et *La Griffe du passé* dans lequel elle le trouvait particulièrement séduisant.

— Où est passé ton hypocrite de mari ? Déjà parti à la conquête de l'Europe ?

Jeanne laissa échapper un ricanement hautain.

— Je suppose que oui. Il réapparaîtra lorsqu'il aura besoin de moi.

— Vous êtes pires que Grace Kelly et Steward Granger dans *L'Émeraude tragique* !

— J'ignore de quoi tu parles, mais tant que tu ne me compares pas à Alice Sapritch...

Jeanne acheva son verre d'un coup sec, rejetant la tête vers l'arrière d'un geste large. Lorsqu'elle ramena son visage à la verticale, elle aperçut Richard qui se dirigeait résolument vers elle.

— Aïe ! Voilà Steward Lagrange, murmura-t-elle dans un hoquet légèrement alcoolisé.

— Granger, mon chou ! Steward Granger, un des acteurs les plus séduisants de Hollywood dans les années cinquante — après Robert Mitchum cela va sans dire.

Sans accorder le moindre regard à Edwige, Richard se planta devant Jeanne, la saisit par le bras et l'emmena sans mot dire tout en affichant un visage serein. Docilement, Jeanne se laissa conduire jusqu'au centre de la salle où plusieurs couples évoluaient déjà au son d'une chanson d'amour que l'orchestre interprétait avec solennité. Il lui enlaça la taille et ils se mirent tous deux à danser au rythme langoureux de la musique.

— J'aime quand tu me serres contre toi, susurra

Jeanne d'un ton ironiquement suave à l'oreille de son mari.

— Souris, c'est tout ce qu'on te demande.

Jeanne afficha instantanément un sourire niais et se colla de manière un peu théâtrale contre Richard. Celui-ci soupira ostensiblement tout en rétablissant la distance qu'elle avait franchie. Jeanne sentit son souffle chatouiller le creux de sa nuque et elle en ressentit un léger frisson, ce qui l'irrita plus encore. Ils continuèrent à danser en silence, sans se regarder, et Jeanne observa les convives qui tournoyaient à côté d'eux. Un jeune homme de belle prestance enlaçait tendrement une jolie rouquine qui s'abandonnait avec ravissement contre lui. Elle avait posé sa tête sur l'épaule de son cavalier, et on aurait dit qu'ils ne formaient plus qu'un seul corps, tant leurs mouvements s'accordaient parfaitement les uns aux autres. Jeanne éprouva un étrange pincement au cœur et ne put s'empêcher de se persuader que, dans quelques années, ces deux-là se détesteront avec autant d'intensité que l'amour qu'ils éprouvaient l'un pour l'autre aujourd'hui. Elle détourna les yeux pour échapper au spectacle du bonheur, et aperçut un peu plus loin les deux vieilles chouettes qu'Edwige avait pointées du doigt quelques instants auparavant. Elles étaient confortablement installées dans un canapé Louis XVI et paraissaient étudier chaque invité avec minutie tout en commentant dans le détail le *curriculum vitae* de chacun. Bientôt, Jeanne vit qu'elles regardaient dans sa direction et, instinctivement, posa sa tête sur l'épaule de Richard.

— À quoi tu joues ? murmura-t-il avec agressivité entre ses dents, tout en ayant un mouvement irrité qui força Jeanne à redresser la tête, ce qu'elle fit d'une manière qui aurait pu laisser croire qu'elle agissait de sa propre volonté.

Elle allait lui répondre lorsque l'orchestre interpréta les dernières notes du morceau dans un crescendo romanesque de violons, et la plupart des couples se séparèrent avant de se perdre au milieu des autres invités.

Richard raccompagna Jeanne jusqu'au buffet. Tandis qu'ils s'avançaient parmi la foule, un flash crépitant les éblouit tous deux, immortalisant à jamais l'image du couple uni qu'ils reflétaient aux yeux de tous. Le photographe les remercia poliment avant de disparaître en quête de son prochain cliché. Lorsqu'ils atteignirent le buffet, Richard abandonna Jeanne sans ajouter un mot.

— Qui donc est ce bel homme qui dansait avec tant de tenue avec la dame aux cheveux blonds ? demanda une des deux chouettes à sa voisine.

— Il s'appelle Richard Tavier. Un homme de pouvoir versé dans la politique, et également diplomate à ce que je me suis laissé dire. La personne qui l'accompagnait doit être sa femme, mais je ne la connais pas personnellement.

— Ils forment un bien beau couple, vous ne trouvez pas, chère amie ?

— Et si respectable !

Ils quittèrent la noce aux environs de minuit, ce qui étonna Jeanne car, en général, Richard aimait rester parmi les derniers invités. Sur le chemin du retour, ils ne prononcèrent aucune parole, le regard tourné vers la vitre de leur portière respective. Arrivés devant la porte de l'hôtel particulier qu'ils occupaient en ville, Richard ordonna à François de « déposer madame et de l'emmener ensuite ailleurs ». Comme elle s'apprêtait à sortir de la voiture, Jeanne se tourna vers lui, étonnée, mais n'osa pas la moindre remarque car il n'y avait plus personne pour retenir la haine qu'il lui vouait. Elle sou-

28

pira, sortit du véhicule, et claqua la portière avec dépit. La limousine redémarra sans même attendre qu'elle ait atteint la porte de la vaste demeure.

On ignore toujours à quel moment le destin se penche sur notre existence d'un œil critique et murmure cette phrase fatale : « Quelle poussière, grand Dieu ! Il est temps de remuer tout cela. » Ce n'est qu'ensuite que l'on réalise que ce jour-là, sans le savoir, on vivait les derniers instants d'une vie paisible et ordonnée à laquelle, somme toute, on était attaché. En pianotant le digicode sur le cadran de sécurité, ce soir-là, Jeanne ignorait encore qu'à cette étape de son existence, son destin allait basculer dans un abîme sans fond. Alors que les phares de la limousine s'éloignaient dans la nuit et ne ressemblaient déjà plus qu'à deux minuscules points lumineux, elle franchit le seuil de la lourde porte cochère qui émit un petit grincement discret.

Plus tard, elle désirera de toutes ses forces retenir ce moment, le figer telle une image un peu floue que l'on observe de longues minutes sans en comprendre tous les contours. Rester la prisonnière éternelle d'une seconde immobile qui ne prendra son sens réel que quelques semaines plus tard. Oh oui ! Ne plus vivre, car la vie devient trop douloureuse lorsqu'elle se met à dériver vers des océans inconnus. S'arrêter et s'endormir, sans plus bouger. Et mourir... peut-être.

2

Richard ne rentra au domicile conjugal que trois jours plus tard, et cela déconcerta Jeanne car il n'était jamais resté absent plus de vingt-quatre heures de suite sans du moins emporter quelques affaires de rechange (ce qui signifiait qu'il était en « déplacement »). Elle fut encore plus désorientée lorsque, au bout d'une dizaine de jours, elle commença à remarquer un changement notable dans son comportement. L'indifférence était toujours là, aussi palpable qu'auparavant, mais lorsque les nécessités de la vie quotidienne l'obligeaient à lui adresser la parole, elle sentit bientôt qu'il y avait moins de hargne dans ses propos, moins de mépris et moins de haine. Et peut-être un peu plus de pitié et de gentillesse. Jeanne ne savait si elle devait s'en réjouir. Elle prit du moins cet état de fait comme une sorte de trêve que son mari lui proposait implicitement et décida de l'accepter comme telle, et même de s'en réjouir.

Le jeudi suivant, alors qu'elle retrouvait Edwige pour leur rendez-vous hebdomadaire, elle prit un plaisir non dissimulé à raconter par le menu les changements qu'elle avait remarqués dans le comportement de son mari. Autour d'un verre de bourbon bien servi, les deux femmes fumaient un havane fraîchement rapporté de Cuba. Edwige, qui ne perdait jamais une miette de ce qui se passait chez les autres, écoutait attentivement la somme de détails que Jeanne accumulait dans son récit, preuve incontestable que Richard était à présent fatigué de cette guerre perpétuelle qui rongeait leur couple et que le temps de la paix était peut-être proche.

— C'est comme si la vie à la maison lui était devenue tolérable, expliqua Jeanne tout en trempant avec précaution le bout de son cigare dans son verre. Oh, il n'y a pas d'amour entre nous, Dieu soit loué ! Mais disons que nos rapports commencent à être... supportables. Oui, c'est le mot : nous nous parlons à présent comme deux adultes responsables et civilisés. Et ce n'est pas moi qui ai commencé, je te l'assure ! Non, c'est lui, il y a quelques jours, sans raison précise... Comme si, tout à coup, il s'était réconcilié avec la vie.

— Ne vas pas chercher plus loin, mon chou, il est amoureux !

Un silence mortel se fit soudain : Jeanne eut la sensation qu'on lui broyait le cœur. Elle en fut tellement surprise qu'elle suspendit sa respiration l'espace de quelques secondes. Puis, très vite, elle se reprit et parvint péniblement à déglutir. Un petit rire acerbe se fit entendre et elle réussit à regarder son amie.

— Ne me dis pas que tu n'y avais pas pensé ! s'exclama Edwige en observant Jeanne avec curiosité. Bon sang, ça te pendait au nez depuis des années ! Je m'étonne même que ce ne soit pas arrivé plus tôt.

Jeanne aurait préféré être brûlée vive plutôt que de donner ouvertement raison à Edwige. Comment ne s'en était-elle pas aperçue ? Cela sautait pourtant aux yeux ! Bien qu'elle n'ait jamais voulu en savoir plus, elle savait parfaitement que Richard voyait d'autres femmes. Elle-même n'avait-elle pas connu quelques aventures sans lendemain qui lui avaient redonné, l'espace d'un jour ou deux, la délicieuse sensation d'exister ? Seulement, il n'avait jamais été question d'amour !

Jeanne esquissa un maigre sourire auquel elle ne crut pas elle-même.

— Amoureux, oui... C'est bien possible.

— Tu sais ce que cela signifie ? lui demanda Edwige d'une voix sinistre.

— Qu'il couche avec une autre femme, répondit faiblement Jeanne.

Edwige émit un ricanement condescendant.

— Ça fait des années qu'il couche avec d'autres femmes, mon chou ! À l'instant même où il a cessé de te toucher, il est allé se soulager dans le lit d'une autre, la question n'est pas là ! J'aimerais juste que tu réalises que s'il est tombé amoureux d'une de ses poules, réellement amoureux j'entends, il peut très bien reconsidérer votre petit arrangement et te demander le divorce.

— Le divorce ? Richard ? s'écria Jeanne comme si on venait de lui annoncer la chose la plus absurde qui soit. Jamais il ne fera une chose pareille !

Elle se reprit peu à peu, tant l'idée d'Edwige lui parut inconcevable.

— Tu ne connais pas Richard ! poursuivit-elle. Le divorce est pour lui synonyme d'échec et il craint l'échec comme le choléra ! Non, non... Si nous avions dû divorcer, nous l'aurions fait depuis long-temps.

Edwige observa son amie d'un regard sceptique. Pour jouer la carte de l'assurance, Jeanne se mit à rire grassement puis elle tira sur son cigare en prenant la pose.

— Détrompe-toi, Jeanne. (Edwige était devenue sérieuse. Son visage ainsi que sa voix se firent graves, et le fait d'être interpellée par son prénom plutôt que par un éternel « mon chou ! » força

Jeanne à considérer d'une oreille plus attentive qu'elle ne le souhaitait les arguments d'Edwige.) Détrompe-toi, répéta-t-elle comme pour donner plus de poids à ce qui allait suivre. Richard est un arriviste comme on n'en a plus vu depuis des siècles, ses neurones sont bouffés par l'ambition et l'opportunisme et il a des principes auxquels il tient plus qu'à la peau de ses fesses, tout cela j'en conviens. Mais c'est un homme, ce qui implique certains paramètres immuables auxquels aucun n'a encore dérogé jusqu'à aujourd'hui. Et le premier de ces paramètres est que lorsqu'une femme parvient à leur faire tourner la tête, le monde entier se transforme en un gigantesque *Disney World* : tout à coup, les métros gambadent sur leurs rails, les murs de la ville prennent une merveilleuse teinte rose et lumineuse, les petites vieilles dans la rue leur sourient d'un air béat et leurs caniches miraculeusement cessent de pisser sur leurs chaussures vernies...

» Bref, toutes les données informatiques qui programmaient les circuits de ces merveilleuses machines que sont les hommes ont complètement disjoncté et plus rien ne compte à leurs yeux que le sourire angélique et le battement de cils de leur douce et tendre. Ils sont prêts à toutes les folies pour pouvoir jouir de leurs faveurs. Ce qui, auparavant, était essentiel à leurs yeux, devient plus insignifiant qu'une crotte de fourmi. Crois-moi, Jeanne, si Richard est tombé amoureux d'une jeunette aux fesses rondes et aux seins fermes, je ne donne pas cher de ta situation.

Jeanne était devenue livide. Elle gardait la tête baissée et semblait en proie à de sombres pensées. Elle se revit dans une chambre vétuste au milieu d'un quartier populaire et misérable, les cheveux défaits et secs, laissant apparaître leur teinte naturellement grise faute de soins, obligée de se lever chaque matin à l'aube afin de gagner sa maigre pitance du soir...

— Je refuserai le divorce, murmura-t-elle. Richard devra me payer une pension alimentaire conséquente vu l'état de sa fortune...

— Quelle pension alimentaire ? ricana Edwige. Vous n'avez pas d'enfants ! Quant à un refus éventuel de ta part, tu peux faire une croix dessus : Richard a les moyens de s'offrir les meilleurs avocats de la capitale. Non, mon chou ! Prie le bon Dieu pour qu'il te propose un dédommagement décent et accepte-le sans rechigner.

Jeanne crut qu'elle allait suffoquer. La douce chaleur de la pièce lui parut insupportable et, tout en écrasant distraitement son cigare à peine entamé, elle prit congé d'Edwige.

Lorsqu'elle rentra chez elle, la vaste demeure lui parut étrangement différente, comme si, tout à coup, elle n'y était plus à sa place. Elle resta un long moment au milieu du salon, à contempler chaque meuble, chaque objet qui aménageait cette grande pièce austère. Et elle prit soudain conscience qu'elle n'en avait choisi ni le mobilier, ni la décoration, que cet univers dans lequel elle vivait depuis si longtemps ne reflétait rien de sa personnalité. Jamais elle n'avait ciré ou même balayé le vieux parquet luisant, jamais elle n'avait modifié l'ordre éternel des bibelots qui ornaient l'antique cheminée de pierre, cette petite danseuse de bronze saluant un public imaginaire depuis toujours, et cette pendulette de porcelaine si fine et si fragile...

Jeanne eut la sensation de découvrir pour la première fois ces objets pourtant si familiers. Les épaisses tentures brodées de rayures vertes et or pendaient, inertes, le long des hautes fenêtres aux carreaux polis. Elle les trouva laides, et démodées, et se fit la réflexion que c'était là des tentures qu'une vieille femme aurait choisies. Sur le mur de droite, un grand tableau aux teintes sombres représentait une scène de chasse dans laquelle, au premier plan, trois chiens aux crocs acérés déchiquetaient avec férocité le cou ensanglanté d'une biche agonisante. Derrière eux, deux cavaliers vêtus de rouge sonnaient le cor afin de rassembler leur meute. Un frisson d'horreur la fit tressaillir (elle ressentait presque la morsure des chiens lui broyer la gorge) et, instinctivement, elle porta son regard sur le mur opposé. Une jolie commode ornée de fines moulures servait de support à une petite lampe colorée art déco dont le style tranchait curieusement avec l'ensemble de la pièce. Jeanne se rappela vaguement qu'il s'agissait là d'un cadeau qu'une de leurs relations avait dû leur offrir. À quelle occasion ? Elle n'en gardait aucun souvenir. « *Rien ne t'appartient*, lui souffla une méchante voix sarcastique. *Tu n'as fait qu'usurper une place qui ne te revenait pas.* »

D'un pas résolu, Jeanne se dirigea vers la commode et saisit la poignée d'un des tiroirs. Avant de l'ouvrir, et peut-être afin de se mettre à l'épreuve, elle fit un effort de mémoire pour savoir ce qu'il renfermait. Au bout d'une longue minute, et sans avoir la moindre idée de son contenu, elle ouvrit le tiroir d'un geste sec et irrité. Ce qu'elle vit lui fit l'effet d'une gifle : il était vide, totalement vide. Elle ouvrit un deuxième tiroir : vide lui aussi, puis un troisième, un quatrième.

Elle se retourna et avisa un vaisselier dans le coin de la pièce, juste à côté de la fenêtre. S'y précipitant, elle ouvrit les deux battants de l'armoire et y découvrit le néant, le vide absolu. Les meubles de cette pièce ne contenaient rien ! Aucun objet usuel ou autre, pas même le moindre petit secret à découvrir à l'insu de quelqu'un. Elle s'était efforcée de se remémorer ce que contenait un tiroir vide ! Un sanglot rauque remonta du fond de ses entrailles et elle crut qu'elle allait pleurer. Elle en fut presque soulagée, car cela faisait très longtemps qu'elle n'avait pas versé de larmes, mais la sensation de tristesse la quitta aussitôt sans qu'elle parvienne même à sangloter. L'idée qu'une autre femme faisait battre à nouveau le cœur de son mari lui sembla presque absurde. Elle tenta de se rappeler comment avait été Richard lorsqu'il était amoureux d'elle, juste pour savoir ce qu'une autre, quelque part dans la ville, ressentait en cet instant même.

Et soudain une série d'images disparates se mirent à affluer à une vitesse folle, sans qu'elle réussisse seulement à en maîtriser le flux. Elles revenaient à la surface de sa mémoire comme si, après être restées trop longtemps enfouies dans les gouffres de son inconscient, elles explosaient enfin au grand jour. Mais ces images n'avaient pas de sens précis, et Jeanne avait plutôt la sensation de visiter les souvenirs de quelqu'un d'autre et de braver un interdit. Cela ressemblait à des esquisses, de vagues photos mélangées dont il manque les légendes, que l'on regarde sans comprendre, en tentant vainement de deviner l'identité des personnes que l'on voit, où elles se trouvent et ce qu'elles font.

Soudain, au milieu de tous ces tableaux hétéroclites, elle reconnut Richard, jeune et charmant, en train de lui tendre la main en souriant. Ce fut comme un flash foudroyant qui s'imprima dans sa rétine. Elle s'accrocha de toutes ses forces à cette image, essayant par tous les moyens de l'immobiliser dans son esprit afin de se rappeler son contexte. Il y avait dans son regard cette flamme intense, une lueur qu'elle n'avait plus vue depuis une éternité, dont elle avait presque oublié l'existence. Le décor derrière lui était flou, mais bientôt elle reconnut Venise et ses gondoles, ses vieux immeubles rongés par les canaux, et le clapotis de l'eau qu'elle crut entendre très distinctement. Richard lui saisit tendrement la main et l'attira à lui d'un mouvement souple, presque dansant. Son visage s'approcha alors du sien, lentement, et il l'emporta dans un long baiser langoureux... Jeanne en fut bouleversée. « *Allons*, ricana la méchante voix dans sa tête, *ce n'est que le cliché éculé d'un stupide roman-photo ! Quelle pauvreté d'imagination ! Es-tu seulement certaine de t'être rendue à Venise avec Richard ?* » Jeanne se secoua afin de chasser cette voix insupportable qui la dérangeait. Bien sûr qu'elle avait visité Venise en compagnie de Richard, cela c'était passé quelques semaines après leur première rencontre, à l'occasion de... Un cadeau de Richard, justement, qui avait voulu lui faire découvrir une des plus belles villes du monde... À moins que ce ne fut lors d'un voyage d'affaires, dont ils avaient prolongé le séjour ? Elle se voyait encore avec sa petite coupe de cheveux à la garçonne, juste avant qu'elle ne décide à les laisser pousser.

Jeanne tenta de reprendre la scène au moment du baiser, peut-être juste avant... Elle voyait Richard lui tendre la main, et son cœur se remit à battre, à toute vitesse, exactement comme elle l'avait vécu à cet instant précis. Installés côte à côté au fond d'une gondole, le temps était suspendu à leurs lèvres et l'éternité s'étendait à perte de vue devant eux. Richard était son amant, il l'enlaçait passionnément et la couvrait de baisers. Il lui disait des mots fous, lui promettait de l'aimer toujours, éperdument, et elle, elle lui rendait ses baisers et riait, folle d'extase et d'ivresse. Puis il l'avait emmenée sur la place Saint-Marc, et après avoir dégusté un merveilleux *cappuccino* à la terrasse d'une *trattoria*, il lui avait offert une bague. Une bague de fiançailles, Jeanne s'en souvenait parfaitement. Il s'était agenouillé à ses pieds, devant tout le monde, et l'avait demandée en mariage. Lorsqu'elle avait acquiescé, la terrasse toute entière avait applaudi et le patron leur avait offert le champagne. C'était encore plus beau que dans ses rêves les plus fous, et jamais elle ne s'était sentie plus heureuse qu'à cet instant. Elle se rappelait avoir levé les yeux au ciel dans un geste de gratitude et remercié Dieu de lui donner autant de bonheur. Richard la couvait d'un regard brûlant et, sans ajouter un mot, il l'avait ramenée à leur hôtel où ils s'étaient enfermés deux jours durant. Jeanne se souvenait très distinctement de ce séjour enchanteur, et Richard devait s'en souvenir lui aussi, il était impossible de concevoir que, malgré tout ce qui s'est ensuivi, il ait oublié cet instant passé avec elle à Venise...

Dans un soupir plein de regrets, Jeanne chassa l'image de son esprit et tenta de se remémorer d'autres moments de leur idylle enflammée. Mais ses pensées se mirent une fois de plus à filer dans tous les sens, telle une bande vidéo que l'on passe en accéléré. Cherchant à en ralentir le flot, elle ferma les yeux et se prit la tête entre les mains, espérant que celles-ci parviendraient à bloquer l'allure à laquelle des dizaines d'images désordonnées défilaient dans son esprit. Le sol se mit à tanguer autour d'elle et une émotion intense la submergea, qu'elle ne chercha même pas à dominer. Elle rouvrit les yeux et enfin, comme si elle était soudain délivrée d'un carcan qui l'oppressait depuis trop longtemps, elle laissa échapper un long cri aigu, une plainte déchirante qui s'acheva par un long sanglot libérateur.

Les joues baignées de larmes, Jeanne quitta le salon, lentement, sans jeter un regard de plus à ce décor de carton-pâte qui encombrait son univers depuis tant d'années.

Une fois seule dans sa chambre, elle tenta de faire le point de la situation. Après tout, qu'est-ce qui prouvait réellement que Richard était amoureux d'une autre femme ? C'était Edwige qui avait déclaré cela de manière péremptoire mais, en vérité, elle n'avait aucune preuve tangible que la chose soit vraie. Elle n'avait posé son jugement que sur un unique témoignage et n'avait pu constater *de visu* ce que Jeanne lui avait raconté. Tout cela était très subjectif et ne reposait sur rien de concret. La « gentillesse indifférente » de son mari pouvait aussi bien résulter de tant d'autres faits : une bonne affaire conclue, une promotion, un rival déchu, ou peut-être même le désir ténu de retrouver en elle la femme qu'elle avait été à ses yeux. Pourquoi pas ? Ils s'étaient aimés, follement, et une passion telle que la leur avait laissé des traces même si, pour Richard, celles-ci étaient profondément enfouies sous les couches de l'oubli.

Jeanne, elle, n'avait pas oublié. Les souvenirs étaient là, tout proches, prêts à déferler dans sa mémoire. En y aidant un peu, ils réapparaîtraient, éclatants, comme s'ils reflétaient des faits qui s'étaient produits la veille. Mais elle résistait, inconsciemment, sans véritablement vouloir donner un sens aux sentiments confus qui s'emparaient d'elle. Elle sentait que quelque chose était en train de se réveiller, quelque chose d'éteint depuis longtemps, et lorsqu'elle se regarda dans le miroir, elle put percevoir au fond de ses pupilles noires une lueur dont elle avait presque oublié l'existence.

Elle mit encore une longue semaine avant de trouver l'occasion de parler à Richard. Sans savoir comment elle allait aborder le sujet, ni même si elle allait réellement l'aborder, Jeanne sentait néanmoins qu'il était temps d'agir.

L'occasion se présenta un soir du mois d'avril, trois semaines après le mariage de la jeune comtesse. Le souvenir de la réception avait disparu depuis longtemps et n'était plus, pour elle, qu'une nuit parmi tant d'autres. Ce soir-là, alors qu'elle paressait devant la télévision, Richard rentra plus tôt que de coutume. Après avoir grignoté une tranche de rôti en croûte qu'il ne prit même pas la peine de réchauffer, il apparut dans le salon et s'installa à côté d'elle. C'était un vendredi soir, et les programmes de télévision étaient consternants de bêtise, mais Jeanne semblait ne pas y prendre garde. Richard avait desserré le nœud de sa cravate et sa barbe naissante lui donnait cet air dont elle avait toujours raffolé : celui d'un homme un peu fatigué, légèrement affaibli par une lourde semaine de travail mais dont la puissance et la virilité transparaissent malgré lui. « *Tu refuses de te l'avouer, mais tu donnerais cher pour qu'il te culbute sur le sofa, là, tout de suite.* » La méchante petite voix était revenue sans que Jeanne parvienne à la faire taire.

À présent, elle observe son mari du coin de l'œil et ne peut s'empêcher de le trouver beau. Elle contemple avec émoi la naissance de sa toison qui émerge de sa chemise, dont elle aimerait tant humer l'odeur. Puis elle prend une grande bouffée d'air afin de dominer les images qui recommencent à affluer dans sa tête, mais ses efforts restent vains. Son regard s'arrête sur les puissantes mains de Richard, et une vague de désir l'envahit. Elle brûle de les sentir se promener sur son corps, la dépouiller de sa robe, descendre vers son bassin et lui donner ce plaisir dont elle est privée depuis si longtemps. Jeanne croise les jambes, comme si Richard pouvait deviner le désir qui la submerge de toutes parts.

— Tu as mangé ? lui demande-t-elle d'un ton qu'elle espère indifférent.

— Je viens d'avaler un morceau.

Le regard rivé à l'écran sur lequel trois femmes en paillettes et talons hauts se trémoussent au rythme d'une rengaine populaire, Richard paraît parfaitement détendu. Encouragée par ce semblant de dialogue pourtant tellement anodin, Jeanne renchérit de sa voix monocorde :

— Il reste un peu de gâteau. Tu en veux ?

Richard tourne la tête vers elle, mi-étonné, mi-narquois.

— Pourquoi ? Tu irais m'en chercher ?

— Et pourquoi pas ?

Sa voix s'est radoucie. Elle ose un sourire. Richard pourtant hausse les épaules et détourne le regard en secouant la tête.

— Arrête ton cinéma, Jeanne, ça ne te va pas du tout.

Douche froide. Jeanne se traite mentalement d'idiote mais ne peut s'empêcher de penser qu'elle est sur la bonne voie. Richard l'a rembarrée, c'est vrai, mais sans cette méchanceté haineuse dont il use habituellement pour lui parler. Elle se renfonce légèrement dans le sofa sans pour autant s'avouer vaincue.

— Pourquoi cela ne m'irait-il plus ? risque-t-elle en insistant sur le « plus ». Peux-tu me dire pour quelles raisons nous sommes obligés de nous bouffer le nez à chaque fois que nous nous adressons la parole ? (Elle attend quelques instants une réponse qui n'arrive pas.) Je suis fatiguée de cette guerre sournoise et constante que nous nous faisons, Richard. Pourquoi... Pourquoi ne pas s'entendre, juste de manière courtoise et civile, comme deux adultes responsables ?

Richard éclate de rire. Un rire gras et claquant dans lequel une lame d'ironie la blesse plus douloureusement qu'elle ne l'aurait voulu. Elle a laissé la brèche se fissurer et la cicatrice s'est rouverte. Sa négligence — ou est-ce sa faiblesse ? — l'a mise à la merci de la souffrance.

Jeanne est sur le qui-vive. Elle sait qu'elle devra aller jusqu'au bout si elle ne veut pas revivre les années de tourments qu'elle a connu lorsque Richard l'a délaissée.

— Tu as vraiment tout oublié ? murmure-t-elle imperceptiblement.

— Oublié quoi, bon sang ?

Richard s'impatiente. Il se lève d'un mouvement sec et s'apprête à sortir de la pièce. Jeanne veut le retenir. Il ne faut pas qu'il s'en aille et qu'il disparaisse une fois de plus. Au contraire, il faut qu'elle sache, qu'il lui dise si oui ou non une autre femme a pris sa place. Elle se lève à sa suite et lui emboîte le pas précipitamment, ce qui provoque chez Richard un geste d'agressivité : il se retourne d'un bloc et pointe vers elle un poing menaçant. Jeanne recule et l'implore du regard.

— Edwige dit que tu aimes une autre femme.

Sous le coup de l'étonnement, Richard pile net sur place. Avec curiosité, il scrute le visage de Jeanne qui se tient debout, devant lui, légèrement courbée vers l'avant comme si elle allait s'élancer à sa poursuite. Elle ressemble à ces statues de lave immobiles, figées dans l'action dans laquelle elles ont été surprises, prisonnières à tout jamais d'un feu qui les a consumées jusqu'aux os.

Richard laisse retomber les bras le long du corps et esquisse un sourire moqueur.

— Edwige est perspicace, tu la féliciteras de ma part.

Et, faisant demi-tour, il sort de la pièce.

Jeanne met quelques secondes à assimiler ce qu'elle vient d'entendre. Puis elle se secoue et talonne son mari qui a déjà atteint le hall d'entrée.

— Où vas-tu ? hurle-t-elle comme si son cri allait bâtir un rempart de briques qui l'empêcherait de quitter la maison.

Mais Richard, au lieu de sortir comme elle l'avait cru, se dirige vers l'imposant escalier de marbre qui encercle le hall d'entrée et se met à en gravir les marches d'un pas rapide. Jeanne s'élance à sa suite et le rejoint en deux enjambées.

— Tu n'as pas pu tout oublier, Richard !

Elle grimpe quelques marches de plus, le dépasse et se plante devant lui, lui barrant le passage. Forcé de s'arrêter, Richard pousse ostensiblement un soupir d'exaspération.

— Laisse-moi passer, Jeanne.

— Pas avant de savoir. J'ai le droit de savoir, je suis ta femme !

Goguenard, il laisse échapper un gloussement narquois.

— Ma femme ?

Il y a du dégoût dans sa manière de prononcer le mot « femme ». Jeanne se cramponne à la rampe, prête à résister à un ouragan si d'aventure on tentait de la déloger de là. Elle domine Richard de quelques marches. Tout en inspirant une grande bouffée d'air, elle ferme les yeux quelques instants comme pour recentrer sa volonté.

— Jeanne, laisse-moi passer où je te balance par-dessus la rampe, lui intime Richard sur un ton qui ne laisse aucune porte de sortie.

— Venise ! Tu te souviens de Venise ? demande-t-elle d'un air exalté.

Lorsqu'elle rouvre les yeux, son regard reflète un singulier éclat enflammé.

— Venise ? (Une fois de plus, Richard reste interdit par la question de sa femme.) Ma pauvre Jeanne, tu délires complètement !

— Tu voulais me faire découvrir la plus belle ville du monde. Nous étions tous les deux enlacés dans une gondole, juste avant la place Saint-Marc où tu m'as demandée en mariage. Il y avait les gens qui applaudissaient sur la terrasse et puis nous sommes rentrés à l'hôtel où nous avons fait l'amour pendant deux jours et deux nuits. Tu n'as pas pu oublier ça, Richard !

Après une seconde de silence durant laquelle il l'a dévisage avec attention, il éclate à nouveau de rire et, l'espace d'un instant, elle crut qu'il riait de bon cœur, comme s'il l'avait taquinée depuis le début de leur altercation et qu'il venait de décider de mettre fin à cette plaisanterie douteuse.

— Tu t'en souviens, n'est-ce pas ? demande-t-elle avec espoir.

Mais Richard stoppe net son hilarité railleuse et lui répond, glacial :

— Nous ne sommes jamais allés à Venise ensemble, Jeanne. Et maintenant, vire-toi de là !

Il tente de la repousser, mais elle résiste, plus rigide qu'un bloc de béton.

— C'est faux ! hurle-t-elle en s'agrippant de plus belle à la rampe. Je m'en souviens, moi ! Le garçon de café nous a même offert le champagne quand je t'ai accordé ma main.

— Ta main ? Espèce de folle, je ne t'ai jamais demandé ta main. Et surtout pas à Venise ! Nous avons juste fait un marché lucratif pour l'un comme pour l'autre, et il n'y a rien eu de plus entre nous.

Jeanne le dévisage, les yeux écarquillés.

— Un marché lucratif ? Qu'est-ce que tu racontes ?

— Pauvre tarée ! Tes fantasmes sont en train de te bouffer la cervelle ! Va voir un psy avant de virer complètement cinoque.

Jeanne secoue la tête si violemment qu'on dirait qu'elle va se décrocher.

— Tu mens ! Tu mens ! Tu mens ! psalmodie-t-elle sans reprendre son souffle.

Richard tente de forcer le passage mais il semble qu'elle ait subitement acquis une force herculéenne. C'est à peine s'il parvient à la faire bouger d'un centimètre. À bout de patience, il arrête ses essais infructueux et se met à hurler pour couvrir le son de sa voix qui ne cesse de répéter des « tu mens ! » sans discontinuer.

— Quand je t'ai rencontrée, tu avais juste un beau cul et une gueule abordable. C'est pour cela que je t'ai choisie, mais je n'ai jamais rien éprouvé pour toi. Je t'ai proposé un marché et tu l'as accepté.

Jeanne se calme brusquement et observe Richard d'un regard éteint. On peut lire une immense fatigue sur son visage.

— Qu'est-ce que c'est que cette histoire de marché ? demande-t-elle doucement d'une voix éraillée.

Un peu décontenancé par ce soudain silence, ainsi que par le visage fortement marqué de Jeanne, Richard baisse instinctivement le ton de sa voix.

— Je ne pouvais toucher la première moitié de l'héritage de mon père qu'à la condition d'être marié. La seconde me reviendrait le jour où j'aurais un fils. Je t'ai proposé de profiter de ma richesse et de tout le luxe dont tu aurais envie en échange de ta signature au bas du contrat de mariage et de ta matrice pour concevoir mes propres héritiers, ce dont tu n'as même été capable. J'ai rempli ma part du contrat alors que toi, tu m'as trompé sur l'état de la marchandise ! Rien de ce qu'il y a ici ne t'appartient. Tu aurais donc tout intérêt à adopter un profil bas. Et maintenant, pousse-toi, Jeanne !

Jeanne ne cesse d'observer Richard. Elle reste muette, tant elle paraît à la fois surprise et épuisée. On dirait qu'elle tente de lire dans ses pensées pour savoir si elle doit ou non croire ce qu'elle vient d'entendre. Au bout de quelques instants, Richard relâche la tension et soupire, cette fois de lassitude.

— Comme tu voudras.

Il fait demi-tour et s'apprête à redescendre.

Il lui tourne le dos.

Jeanne se sent perdue, elle ne parvient plus à se raccrocher à quoi que ce soit de concret. Tout lui échappe et Richard lui tourne le dos. Il s'éloigne d'elle, il l'abandonne une nouvelle fois.

Elle sait qu'elle va souffrir terriblement.

Dans une minute, elle sera seule et elle aura mal.

Elle le sait et ne peut rien faire pour endiguer la douleur.

Elle ne le supporte pas. Un cri déchirant monte de ses entrailles, mais se bloque dans sa gorge. Elle ouvre la bouche à s'en décrocher la mâchoire pour projeter son hurlement loin d'elle...

Le cri jaillit alors, terrifiant, animal, tragique. Richard n'a pas le temps de se retourner qu'elle s'est jetée sur lui, les yeux exorbités. D'une main, elle le saisit par les cheveux, se retenant de l'autre à la rampe de l'escalier, et le propulse violemment vers l'avant. Puis, elle le regarde tomber, lourdement, jusqu'en bas.

Richard est mort sur le coup. Sans souffrir. Ce que Jeanne a déploré amèrement.

DEUXIÈME MOIS

« Chaque semaine, vous allez découvrir les merveilles
que réalise votre bébé.
Ses bras et ses jambes poussent,
son visage se forme avec bouche, yeux, oreilles.
[...] La vie avance vite. À la fin de ce deuxième mois,
votre bébé à naître ressemblera vraiment à un bébé
humain.
Pensez sans cesse à ce privilège qui est le vôtre :
vous êtes en train de fabriquer une nouvelle vie. »

3

« Richard est tombé et il est mort. Richard est tombé et il est mort. Richard est tombé et il est mort... »

La voilette repose sur le dossier du fauteuil, surmontée d'un petit chapeau de velours noir. Jeanne se tient debout, devant le grand miroir de sa chambre et observe ses traits avec attention, murmurant sans discontinuer cette phrase à mi-voix. Sa robe, noire également, accentue la blancheur de sont teint et la blondeur de ses cheveux. Elle passe un doigt délicat sur les deux grands cernes qui soulignent son regard couleur ébène, lui donnant ainsi un air désespéré, les yeux en deuil.

Parfait. Elle est parfaite dans son rôle de veuve éplorée dont elle a endossé l'habit avec cette jouissance jubilatoire qu'elle a parfois beaucoup de peine à cacher.

D'un geste souple, elle saisit le chapeau qu'elle pose lentement sur sa tête. La voilette recouvre son regard et met en valeur sa bouche qu'elle a prit soin de ne pas maquiller. On dirait qu'elle a pleuré toute la nuit. Elle recule d'un pas et admire en silence sa silhouette, sa maigreur presque maladive, comme si la souffrance lui avait rongé la chair. « *Pauvre Jeanne !* lui murmure une petite voix qu'elle ne connaît pas encore mais dont elle aime déjà le timbre. *Tu sembles si malheureuse, si faible, on a envie de pleurer tant tu fais peine à voir.* » Elle esquisse un sourire victorieux et la petite lueur se rallume aussitôt au centre de ses pupilles.

Depuis cinq jours on la plaint, on s'apitoie sur son sort, on compatit à son immense malheur. Elle fait l'objet de toutes les sympathies et sa boîte aux lettres croule littéralement sous les condoléances. On l'a invitée en Italie, en Suisse, en Espagne, et même aux États-Unis afin d'oublier son chagrin ou du moins d'en atténuer la douleur. Personne, jamais, n'a douté un seul instant qu'il s'agissait bien d'un accident. Pensez-vous ! Un couple si uni et tellement attaché l'un à l'autre... Jeanne rapproche son visage du miroir et envoie à son reflet un clin d'œil complice.

Voilà donc la récompense à toutes ces années d'offenses et d'humiliation, toutes ces années passées à souffrir en silence, à haïr en secret, sans oser seulement envisager la moindre rébellion ! Richard a trop longtemps profité de ses faiblesses en la maintenant constamment dans la menace du besoin. Mais aujourd'hui, il est mort et elle devient l'unique héritière de son immense fortune.

La vie est devenue merveilleusement ironique : depuis leur mariage, il l'a manipulée comme une marionnette, il s'est servi d'elle afin d'atteindre ses aspirations professionnelles et ses objectifs les plus ambitieux, sans jamais se préoccuper de ses désirs à elle, de ses sentiments ni de ses attentes. Elle a passé des siècles à faire semblant, semblant d'être heureuse, tendre et complice, tandis qu'il lui adressait autant d'injures et de propos haineux entre ses dents affûtées. Et elle, elle souriait, comme s'il venait de lui murmurer discrètement quelques paroles douces et câlines. Elle a enduré son indifférence, ses nombreuses absences sans explication, elle a été moins que son chien ou sa femme de ménage, auxquels il n'avait aucun compte à rendre mais qu'il renseignait plus souvent sur ses déplacements.

Parfois, pourtant, lorsqu'il se sentait seul, il devenait soudainement plus tendre et plus affectueux. Richard avait ce don de pouvoir changer d'attitude suivant les besoins du moment et de paraître d'une sincérité absolue. À chaque fois, Jeanne s'y était laissé prendre. Jamais elle n'a pu résister à cet homme puissant qui, tout à coup, se montrait sous un jour fragile et vulnérable. Elle avait alors l'impression de partager un de ces moments rares et sacrés, parce qu'il lui dévoilait une facette de sa personnalité que peu de gens connaissaient. Il devenait gentil, la faisait rire, l'invitait même quelquefois à dîner dans un restaurant sélect.

Lorsqu'ils rentraient, il se faisait plus tendre, donnait un timbre chaud et rauque à sa voix, s'arrangeait pour parvenir jusqu'à la porte de sa chambre. Il lui demandait de le laisser entrer quelques instants, d'oublier leurs différends et d'être enfin ce que, finalement, ils avaient toujours été : mari et femme. Jeanne succombait alors à ce qu'elle s'était jurée de ne plus jamais faire : elle le laissait entrer, balayant d'un soupir résigné toute sa fierté et sa détermination. Mais le lendemain matin, elle trouvait la place vide à côté d'elle et déjeunait seule, comme toujours.

Jeanne tourne lentement sur elle-même afin de s'assurer que sa tenue est irréprochable. Sans cesser de se contempler dans le miroir, elle allume une cigarette avec volupté et rejette la fumée dans une pose provocante, le buste penché vers l'avant afin de renforcer le relief de sa poitrine. Son reflet lui renvoie à présent l'image d'une femme offerte et totalement libre. Elle sourit encore, tire sur sa cigarette d'une main tandis que de l'autre, elle lisse langoureusement sa robe au niveau de la hanche.

Puis elle cambre ses reins et entrouvre un peu plus son décolleté dans un soupir de bien-être. Quelques secondes plus tard, elle écrase sa cigarette tout en redressant légèrement sa voilette. Reprend son regard accablé juste pour vérifier qu'elle le maîtrise parfaitement...

Elle est prête.

Les funérailles de Richard furent somptueuses. Alors qu'il avait plu sans discontinuer depuis une longue semaine, il fit tout simplement magnifique ce jour-là. Il y eut de nombreux discours déclamés par des hommes importants accompagnés de femmes très élégantes dont la mine semblait trahir une profonde désolation. On loua la force et le charisme du cher disparu, sa grandeur d'âme et son intelligence exceptionnelle, sa gentillesse et sa générosité.

À plusieurs reprises, Jeanne crut s'être trompée d'obsèques et ricana intérieurement sans pour autant se départir de sa mine affligée. Elle profita des multiples oraisons et sermons qui se succédèrent dans un rythme lent et soporifique pour scruter avec soin chaque femme présente dans l'assistance, afin de deviner si l'une d'entre elles avait été plus intimement liée à son défunt mari. Au cours de son examen, elle reconnut au cou d'une femme d'un âge plus avancé un collier de perles que Richard lui avait offert quelque temps avant leur mariage et qu'elle pensait avoir perdu depuis de nombreuses années. Mais en observant celle qui le portait, elle conclut sans l'ombre d'une hésitation qu'il devait s'agir d'une ancienne conquête, ne présentant plus aucun danger depuis longtemps.

Quelques figures féminines plus loin, son regard s'arrêta sur une jeune personne aux cheveux bouclés, mi-longs, une jolie rousse dont les joues étaient parsemées de taches de rousseur et qui paraissait sincèrement touchée par la disparition de Richard. Ses grands yeux verts étaient rougis par les larmes et son regard, perdu dans le vide, exprimait un abattement et une tristesse infinie. C'était exactement l'expression que Jeanne avait tenté de reproduire sur son propre visage lorsqu'elle s'entraînait devant le miroir. Hors la rougeur des yeux qui donnait une dimension tout à fait étonnante au chagrin de la jeune femme, Jeanne était plus ou moins parvenue à reproduire cet état de profonde dépression, mais il y avait chez l'inconnue un accent de vérité inimitable. « *C'est elle*, lui murmura la nouvelle petite voix. *C'est la maîtresse de Richard !* » Elle s'interrogea une nouvelle fois sur le bien-fondé des allégations d'Edwige qui, elle ne cessait de se le répéter, ne reposait sur rien de sérieux. Richard également lui avait fait croire qu'il avait quelqu'un dans sa vie — elle entendait par là quelqu'un qui comptait réellement — mais peut-être (sans doute !) lui avait-il dit cela pour la faire enrager...

Jeanne détailla la jeune rouquine de la tête aux pieds et ressentit un pincement au cœur significatif. Son instinct lui chuchota que Richard n'avait pas pu rester insensible à cette taille élancée, ni à cette poitrine généreuse, encore moins à ces longues jambes qui paraissaient ne jamais avoir connu le moindre gramme de graisse. « Les rousses sont rarement jolies, mais lorsqu'elles se mêlent d'être belles, elles sont vraiment très belles ! » D'un œil critique, Jeanne remonta le long de ce corps parfait pour revenir au visage de la belle. À sa grande surprise, celle-ci la dévisageait sans retenue, et il sembla à Jeanne qu'on pouvait lire à présent sur ses traits une expression proche de la raillerie. Toute la tristesse de son visage avait disparu.

Elle tenta de détourner son attention de la jeune femme, mais quelque chose de plus fort qu'elle l'obligeait presque à affronter les grands yeux verts ironiques et moqueurs. La rousse fixait Jeanne en la narguant et se mit soudain à bouger lascivement, ses deux mains effectuant des caresses sensuelles au niveau du bas-ventre. Fascinée, Jeanne ne parvenait plus à la quitter des yeux. La jeune rouquine passa sa langue sur ses lèvres tandis qu'une de ses mains remontait vers son corsage. Elle balança plusieurs fois son bassin dans un mouvement circulaire tout en adressant à Jeanne des gestes obscènes. Celle-ci parcourut l'assemblée du regard afin de voir si quelqu'un d'autre remarquait le manège de la rousse... Personne ne bronchait. Il semblait qu'elle était seule à assister à ce spectacle choquant et déplacé. Elle ferma les yeux afin de dominer la vague de haine qu'elle sentait monter en elle. Lorsqu'elle les rouvrit, la jolie rousse se tenait droite et digne devant la tombe, et son visage exprimait à nouveau la douleur et le chagrin. À la fois troublée et soulagée, Jeanne détourna les yeux de la jeune beauté et continua de dévisager les représentantes du sexe faible qui se tenaient autour du cercueil.

Une superbe blonde vêtue d'un tailleur noir aussi court que moulant faisait des efforts surhumains pour réprimer ses larmes. « Retiens-toi, ma belle, tu vas gâcher ton maquillage, murmura Jeanne d'un ton narquois. » La somptueuse blonde possédait cette sensualité innée et instinctive, une sorte de lascivité charnelle qui faisait tourner la tête des hommes, avec sa bouche pulpeuse et cette chute de reins qui n'en finissait plus. D'où venait-elle ? Comment Richard l'avait-il connue ? Combien de temps avait-il mis pour la coucher dans son lit ? L'avait-il fait jouir, ou bien s'en était-il juste servi pour assouvir ses pulsions sexuelles ? Elle devait être de celles qui réalisent sans rechigner les fantasmes les moins avouables et qui parviennent même à y trouver leur plaisir.

Jeanne chassa les images vulgaires qui se mettaient une nouvelle fois à affluer dans son esprit à une rapidité affolante, parfaitement consciente que si elle laissait son imagination s'emballer, elle serait capable de commettre un acte déplacé. « *Que t'importe que toutes ces femmes aient couché avec ton mari*, résonna la petite voix d'un ton apaisant. *Elles ne sont que les figurantes sans intérêt d'une histoire achevée, elles appartiennent désormais au passé. Il n'y a que toi qui hériteras de la fortune de Richard. Le reste, c'est de la poésie moderne !* » Jeanne se calma peu à peu et retrouva toute la maîtrise dont elle avait besoin pour vivre cette journée capitale. Tout cela n'avait, en effet, plus aucune importance maintenant que le brave homme n'était plus. Cette femme, si tant est qu'elle existe réellement, n'avait guère d'autre choix que de rester dans l'ombre, pleurer en silence et disparaître à tout jamais.

Le soleil brillait haut dans le ciel et jouait avec les teintes sombres des complets et des toilettes. Chacun se tenait droit, le port altier et la tête haute, paraissant écouter attentivement l'homélie du prêtre tandis que, tout autour, le cimetière étendait sa forêt de croix de pierre, de tombeaux et de monuments funéraires.

Jeanne poussa un long soupir apaisé que sa voisine de gauche prit pour un signe de détresse. Celle-ci lui saisit la main d'un geste compatissant et la serra fort dans la sienne, peut-être afin de lui transmettre toute la force qu'elle jugeait bon de lui communiquer... « Je sais ce que vous ressentez, lui murmura-t-elle d'un ton pontifiant. J'ai moi-même récemment perdu un être cher. Il est des blessures qui prennent un certain temps à cicatriser, et peut-être même ne se referment-elles jamais tout à fait.

Il vous faudra beaucoup de force et de courage pour surmonter cette lourde épreuve. Soyez du moins assurée de tout mon soutien et toute mon amitié. »

Jeanne tourna légèrement la tête pour voir à qui elle avait à faire... Elle reconnut le profil anguleux de l'ancienne secrétaire de Richard qui avait pris sa retraite depuis six mois. Après avoir murmuré un merci larmoyant, elle extirpa sa main de la poigne de sa doctorale voisine, et tenta de se concentrer sur ce qui se passait autour d'elle. Il y eut un petit mouvement de foule et elle s'aperçut que tout le monde se déplaçait lentement vers la tombe, et qu'on attendait respectueusement qu'elle prenne la tête de la procession afin de recevoir les condoléances de chacun. Elle s'avança dignement vers le trou béant dans lequel disparaissait déjà le cercueil et jeta d'un geste tragique une poignée de terre ainsi qu'une rose rouge qu'un des aumôniers lui tendait avec déférence.

Debout devant la fosse, sa longue silhouette sombre surplombant la sépulture de Richard, elle baissa les yeux vers le coffre de bois qui contenait la dépouille de son mari et ne put s'empêcher de lui jeter un regard triomphal. « Mon pauvre Richard, te voilà enfin couché à mes pieds, aussi raide qu'une trique d'adolescent ! » Jeanne pouffa intérieurement du bon mot qu'elle venait de trouver et regretta de ne pouvoir le répéter à personne. Elle chercha autre chose à lui dire mais ne trouva rien de plus méprisant ni de plus moqueur et estima qu'elle avait trouvé l'épitaphe idéale pour prendre congé du cher homme. Elle contourna la fosse et se campa un peu plus loin dans une attitude d'affliction extrême, les yeux baissés vers le sol. Juste à côté d'elle, une corneille vint se poser sur une tombe et croassa d'un ton moqueur.

Jeanne serra des dizaines de mains, gantées, velues, des mains aux doigts vernis, des mains à poigne, des mains molles, des mains moites. Un défilé de gens à la triste mine passèrent devant elle, et le bruit de leurs pas se mêlait à leurs chuchotements dans un rythme obsédant, tel le cortège des fantômes qui avaient traversé une vie à tout jamais disparue. Jeanne les vit se succéder dans un brouillard opaque, sans plus chercher à discerner le sens des formules que chacun prenait soin de lui murmurer à l'oreille avec gravité. Elle eut la sensation étrange qu'ils étaient tous entravés par des chaînes, tels des forçats à l'heure de la promenade, tournant et tournant en rond, le dos voûté, les épaules basses. Et elle, elle hochait la tête, souriait pauvrement, et ravalait les cris de victoire qui cognaient dans sa poitrine.

— Alors, mon chou ! On règle ses problèmes de manière radicale ?

Edwige se tenait devant elle, imposante Madone toute de noire vêtue et se penchait en avant tout en faisant semblant d'adresser à son amie de chaleureuses condoléances. Ce fut comme une décharge électrique, comme si, après avoir passé des heures à regarder un film mal réglé, quelqu'un avait brutalement fait la mise au point de manière parfaite. Jeanne fronça les sourcils dans une moue de totale incompréhension.

— De quoi parles-tu ?

— Pas à moi, Jeanne ! gloussa Edwige en levant les yeux au ciel. Bon Dieu, je n'aurais jamais cru que tu trouverais l'audace de commettre un acte si délibérément gonflé ! Et tout le monde n'y a vu que du feu, bien évidemment. Le pauvre Richard aura tressé lui-même la corde pour se pendre.

— C'est bien la première fois que tu l'appelles le « pauvre Richard », chuchota Jeanne sans se départir de son air désespéré. Mais franchement, je ne vois absolument pas de quoi tu parles !

— On se voit jeudi ? demanda Edwige d'un air

entendu. Nous avons beaucoup de choses à nous raconter.

— Ce ne sera pas possible. Jeudi, j'ai rendez-vous chez le notaire... (Jeanne suspendit sa phrase et plongea son regard dans celui d'Edwige.) ... pour la lecture du testament.

Edwige allait répliquer lorsque, se détournant d'elle afin de la faire taire et de bien lui faire comprendre que leur messe basse devenait terriblement gênante, Jeanne tendit la main vers la personne qui suivait. La grosse dame resta plantée quelques instants sur place, très surprise de l'attitude qu'adoptait son amie, puis s'éloigna en maugréant quelque chose que Jeanne ne discerna pas.

Les condoléances se poursuivirent durant un long moment, tant il y avait de monde, des gens que Jeanne n'avait jamais vu de sa vie, ou seulement entr'aperçu à l'une ou l'autre réception, mais qui tous semblaient avoir personnellement connu le défunt. Vers la fin de la journée, le ciel se couvrit légèrement, voilant le soleil d'un film opaque. Lorsqu'il n'y eut plus de mains à serrer, elle découvrit qu'elle était seule au milieu des monuments funéraires, hormis François, le chauffeur, qui l'attendait un peu plus loin dans la voiture. L'ombre d'une croix vint mourir à ses pieds et, instinctivement, elle fit un pas sur le côté afin d'éviter la découpe géométrique qui marquait le sol.

Lorsqu'elle s'engouffra dans la limousine, Jeanne s'aperçut qu'elle était glacée de la tête aux pieds.

De retour chez elle, elle envoya valdinguer ses souliers dans le hall d'entrée, arracha sa voilette et monta quatre à quatre les escaliers jusqu'à ses appartements, dans lesquels elle s'enferma à double tour. Quelle mascarade ! Quelle pitoyable comédie ! Frénétiquement, elle se déshabilla comme si ses vêtements avaient été infestés de vermine, et se retrouva bientôt nue au milieu de la chambre, les cheveux défaits, le regard égaré. Alors seulement elle éclata de rire. Elle rit de tout son être, pleinement, sans se cacher, en faisant beaucoup de bruit. Elle rit jusqu'au bout de sa jubilation, elle se regarda rire dans le miroir et ça la fit rire plus encore. Elle se tint les côtes en riant, en gloussant, en ricanant. Elle rit jusqu'à ce qu'elle en ait mal au ventre et à la gorge, jusqu'à ce que son rire se transforme en toux rocailleuse et sèche, jusqu'à ce qu'elle ne sache plus reprendre son souffle. Jusqu'à ce que les yeux lui piquent, jusqu'à ce que ses tempes bourdonnent sous la pression d'une quinte incontrôlée.

Jusqu'à ce qu'elle sanglote à chaudes larmes, d'une petite voix enfantine, plaintive et éraillée.

4

— Madame... Madame ? Mme Edwige est en bas, elle demande à vous voir. Elle dit que c'est urgent ! Madame !

Jeanne émergea péniblement d'un sommeil lourd et cotonneux, un sommeil pharmaceutique qui lui laissa une bouche pâteuse et des vertiges dès qu'elle soulevait la tête. Elle gisait par terre, à même le sol, nue et frigorifiée. Une tache sombre et humide maculait le tapis au niveau de sa bouche, signifiant qu'elle avait bavé dans son sommeil. Elle mit un certain temps à trouver la force de répondre, et la voix de la femme de chambre qui ne cessait de l'interpeller de l'autre côté de la porte l'irritait chaque seconde davantage. Rassemblant tout son courage pour mettre fin à cette litanie de « madame » particulièrement irritante, elle parvint à pousser une plainte rauque en espérant que la simple information de sa présence dans la pièce rassurerait la domestique et la ferait taire. Un silence consterné suivit son gémissement auquel succéda un bruit de pas précipités dans le corridor. Jeanne s'apprêtait à sombrer à nouveau dans une somnolence médicamenteuse lorsque, quelques instants plus tard, la voix d'Edwige la fit tressaillir du fond de sa torpeur.

— Jeanne ! Ouvre-moi immédiatement ou j'appelle la police pour enfoncer la porte !

Elle tambourinait furieusement à la porte de la chambre tout en réitérant sa menace sans interruption, et chaque fois qu'elle prononçait le mot « police », Jeanne avait la sensation qu'on la poignardait dans le dos. Au bout de quelques instants, elle parvint à se redresser et à se traîner jusqu'au seuil pour tourner le verrou. Edwige s'engouffra immédiatement dans la pièce.

— Jeanne, bon sang ! À quoi joues-tu ? (Elle découvrit son amie adossée contre le mur, nue, la mine ravagée par le sommeil artificiel duquel elle ne parvenait pas à s'extirper.) Et couvre-toi, pour l'amour du ciel. Richard avait meilleure mine que toi, hier matin !

Elle l'aida à se remettre sur pied et l'entraîna vers un fauteuil tout en l'enveloppant d'un lourd peignoir de bain qui gisait par terre.

— Qu'est-ce que tu cherches à prouver ? Que la mort de Richard t'est insupportable ? Ne t'inquiète pas pour cela, tout le monde n'y a vu que du feu. (Elle parlait d'une voix nerveuse et énergique tout en la frictionnant afin de la réchauffer.) J'ai plutôt le sentiment que tout ne s'est pas exactement déroulé comme tu l'as raconté aux ambulanciers et à la police.

Jeanne se raidit aussitôt. Elle s'arracha brutalement à l'étreinte d'Edwige, ce qui la fit trébucher et s'affaler lamentablement sur le lit.

— C'est faux ! hurla-t-elle, en proie à une crise d'hystérie incontrôlée. Tout s'est passé exactement comme je l'ai raconté. Richard est tombé et il est mort, Richard est tombé et il est mort, Richard est tombé et il est mort...

Edwige se précipita sur le lit pour calmer son amie. Elle la saisit avec force et la maintint contre elle, soutenant sa tête entre ses deux énormes seins tandis que Jeanne ne cessait de s'agiter et de se débattre. Au bout de quelques minutes interminables, elle parvint à l'immobiliser et se mit à la bercer comme une enfant. Jeanne, épuisée, s'abandonna contre la corpulente poitrine d'Edwige, se laissant aller au rythme apaisant que la généreuse femme lui imposait. Elle ressentit une sensation qui lui était totalement étrangère, un mélange de quiétude et de confiance absolue, comme si le monde se réduisait désormais à ces deux épais coussins moelleux qui se soulevaient tranquillement dans un tempo régulier.

Elle se recroquevilla sur elle-même et adopta instinctivement une position fœtale qu'Edwige accentua encore en enlaçant ses jambes repliées sous elle. Les deux femmes restèrent ainsi un long moment et le temps sembla s'être arrêté. Jamais Jeanne ne s'était sentie aussi bien, aussi merveilleusement en sécurité. Et lorsque Edwige voulu l'éloigner d'elle, elle se mit à gémir comme un bébé, s'agrippant de toutes ses forces au buste de son amie.

— Jeanne ! Ce qui s'est passé le jour de la mort de Richard, je m'en contrefiche. J'aurais plutôt tendance à considérer que le destin t'a donné un petit coup de pouce. Mais il vaudrait mieux pour toi que tu me racontes tout. Et s'il s'avère que tu es responsable de son accident, je peux t'assurer que je n'ai absolument pas l'intention de te donner aux flics. Mais pour l'amour du ciel, mon chou, parle-moi !

Jeanne secoua violemment la tête.

— Richard est tombé et il est mort.

— Arrête de répéter constamment la même chose ! Je sais bien qu'il est tombé et qu'il est mort. Ce qui m'intéresse, c'est de savoir comment il est tombé.

Jeanne cessa de secouer la tête et dévisagea Edwige d'un œil soupçonneux. Puis, calmement, elle se détacha d'elle et se leva, toute tremblante de faiblesse, prête à défaillir sous le moindre choc. Saisissant son paquet de cigarettes qui traînait sur le lit, elle en alluma une et tira profondément dessus. On aurait dit qu'elle venait de retrouver ses esprits après un long et pénible voyage intérieur qui l'avait menée au bord de la folie. Elle fuma lentement, sans qu'Edwige chercha à briser cet état de paix retrouvée. Et lorsque Jeanne écrasa son mégot, elle regarda son amie dans le blanc des yeux et articula d'un ton grave :

— J'ai tué Richard. C'est moi qui l'ai poussé du haut des escaliers. J'essaie de me persuader que c'était un accident mais, à présent, je suis sûre que je désirais réellement sa mort.

Edwige accueillit la confession de son amie par un sourire à la fois désolé et plein de regrets.

— Et bien voilà ! Ce n'était pas plus difficile que cela, murmura-t-elle doucement.

Elle se leva et se dirigea vers le téléphone dont elle saisit le combiné. Jeanne la regarda faire sans réagir, reprit une cigarette et marmonna en l'allumant :

— C'est ça, appelle les flics, grosse vache !

Edwige ne broncha pas et composa un numéro sur le clavier. La petite musique synthétique des touches résonnèrent jusqu'aux oreilles de Jeanne qui se contenta de hausser les épaules avec indifférence. Une sonnerie retentit bientôt à l'autre bout du fil, suivie d'une deuxième, puis d'une troisième... Edwige poussa un soupir d'impatience qui se solda par un petit cri exaspéré lorsqu'une voix féminine répondit de l'autre côté de la ligne.

— Constance, enfin ! C'est madame. Préparez la chambre bleue et dites à Mireille de prévoir un couvert de plus à table pour les prochains jours. Je serai de retour dans une heure. Ah ! Et dites également à monsieur que je ne pourrai l'accompagner chez les Chouccroune-Duvillier ce soir, et que j'en suis vraiment désolée.

Elle raccrocha d'un geste net et se tourna vers Jeanne.

— Voilà ! La grosse vache t'invite dans son étable.

Puis elle ouvrit la penderie, saisit un bagage et le posa sur le lit. Elle se mit alors à s'activer dans la chambre, passant de la penderie à la valise qu'elle remplit de vêtements, repassa par la salle de bains dont elle ressortit les bras chargés d'effets de toilette, tout cela en élaborant à haute voix une sorte de stratégie comportementale à la manière d'un plan de guerre qui, selon elle, allait éviter à Jeanne d'aller se trahir auprès de gens moins bien intentionnés qu'elle.

— Il est hors de question que tu restes seule ces jours-ci, tu serais bien capable d'aller raconter tout cela à n'importe qui. Tu vas venir avec moi et rester quelques jours à la maison, le temps de retrouver assez de force et d'esprit pour assumer ton geste. Je te demanderais seulement de n'entretenir aucun contact avec les domestiques, de ne jamais répondre au téléphone et de ne pas chercher à sortir de l'enceinte de la villa. (Suspendant son geste, elle se retourna vers Jeanne.) En fait, je crois que je t'admire ! Cela fait tellement d'années que je rêve de faire ce que tu as fait... Pas envers Robert, non ! Le pauvre homme n'a pas besoin de mourir pour cesser d'exister. Mais ce Richard, je l'avais dans le nez ! Avec ses airs de Don Juan à la noix, je n'ai jamais compris comment une femme digne de ce nom pouvait être assez tarte pour se laisser prendre dans de si pitoyables filets. Et pourtant il en a fait, des victimes ! As-tu vu le nombre de pouliches éplorées qui se pressaient autour du cercueil, hier matin ? Ça en devenait indécent ! Tout ce que je regrette, c'est de ne pas avoir eu l'occasion de lui arracher les couilles avec les dents.

— C'est parce que tu aurais bien voulu qu'il te baise, répliqua Jeanne sans passion aucune.

— Oui, mon chou ! J'ai toujours rêvé de me faire ramoner par Terminator version les « Guignols » ! (Edwige disparut dans la penderie et en ressortit quelques instants plus tard avec un ensemble sobre de couleur anthracite qu'elle déposa sur le lit.) Habille-toi, nous partirons dès que tu seras prête. Je vais renvoyer les domestiques le temps de ton absence.

Docile, Jeanne se leva et défit son peignoir. Puis elle passa son tailleur comme on enfile un pyjama et lorsque Edwige réapparut dans la chambre, elle dut redresser le vêtement afin de lui donner de l'allure.

— Voilà ! Tout le monde plie bagage. J'ai demandé à ta femme de chambre de venir arroser les plantes tous les trois jours. Je pense que ça suffira. Tu n'auras qu'à les recontacter dès que tu rentreras.

Elle jeta un dernier coup d'œil à l'allure de Jeanne, lui remit une mèche d'un geste maternel et hocha la tête, satisfaite. Ensuite elle saisit vigoureusement la valise et se dirigea d'un pas ferme vers la porte de la chambre. Comme Jeanne restait plantée sur place, elle se retourna et l'apostropha :

— Tu ne veux pas que je te porte aussi ?

Il y avait de l'exaspération teintée de lassitude dans la manière dont Edwige l'avait interpellée, et Jeanne crut reconnaître le timbre de la voix de sa mère, ce qui ajouta à son trouble. Elle lui emboîta promptement le pas, presque comme un réflexe d'obéissance dont on a beaucoup de mal à se défaire. Et lorsque Edwige se retourna une nouvelle fois pour s'assurer que Jeanne la suivait bien, celle-ci eut le réflexe de se protéger la tête de ses deux bras. Interloquée, Edwige déposa le bagage et enlaça son amie dans un geste rassurant.

— Cette ordure ! Il te battait, n'est-ce pas ? Je m'en suis toujours doutée !

5

Il était plus de dix heures lorsque Suzanna se réveilla ce matin-là. Elle avait mal dormi, et sans même tourner son regard vers la grande fenêtre qui éclairait sa chambre, elle savait déjà qu'au-dehors il faisait gris et désagréable. Le besoin de soleil se faisait de plus en plus impérieusement ressentir et elle commençait à souffrir physiquement du manque de luminosité. Hormis une ou deux journées ensoleillées qui s'étaient égarées dans la région parisienne, il avait fait franchement maussade depuis bientôt quinze jours. Jamais Suzanna n'avait vu de nébulosités aussi tenaces et persistantes.

Elle poussa un petit grognement dépité tout en enfouissant son visage dans l'oreiller, et referma aussitôt les yeux. Depuis son arrivée en France, elle n'était pas encore parvenue à trouver son rythme, et son tout nouvel état n'arrangeait rien à la situation. Cela faisait bientôt deux mois qu'elle s'était installée dans ce petit appartement de la rue Tesson, dans le onzième, entre Belleville et République, et l'arrondissement en lui-même lui plaisait bien. Elle ne connaissait pas encore grand monde à Paris, à part quelques commerçants de quartier, et il lui tardait de commencer ce travail de secrétaire au consulat du Portugal afin de rencontrer quelques compatriotes avec lesquels elle pourrait se distraire lors de ses moments de liberté. Mais depuis quelque temps, elle avait la sensation que le monde s'était mis à tourner dans tous les sens, sans respecter l'ordre un tant soit peu logique des choses. Elle concevait que les événements ne se déroulaient pas toujours comme on les avait prévus et parvenait même à en tirer son parti, mais tant de bouleversements en si peu de temps l'avaient fragilisée. De plus, la mentalité des Français la laissait perplexe : elle trouvait les Parisiens froids et pressés, agressifs même, et chaque fois qu'elle sortait dans la rue, elle estimait qu'avoir construit des trottoirs aussi étroits pour accueillir autant de monde relevait de la bêtise pure et simple. Ensuite, elle n'était pas encore habituée au taux de pollution et connaissait quelques petits problèmes respiratoires qui lui gâchaient la vie. Enfin, elle s'était rapidement aperçue que son français, qu'elle estimait pourtant assez bon, ne suffisait pas encore pour lui permettre d'assumer la vie sociale dont elle avait rêvé en débarquant en France.

Certains jours, il lui arrivait presque de regretter son Portugal natal, le village où elle était née et où tout le monde la connaissait, ses amis qui la voyaient en contre-plongée et disaient d'elle qu'elle était née pour vivre une destinée hors du commun. Ici, elle n'était qu'une anonyme parmi tant d'autres, personne ne se souciait de savoir ce qu'elle ressentait au fond d'elle-même, et lorsqu'on s'intéressait à elle, c'était presque toujours des hommes qui avaient une idée derrière la tête.

À présent qu'elle vivait à Paris, ce Paris mirifique qui avait fait rêver tant de ses camarades, elle se souvenait avec nostalgie de la douceur de vivre de Porto-Salvo où ses parents avaient acheté une jolie maison blanche qui reflétait le soleil et intensifiait le bleu du ciel. Les couleurs lumineuses du Portugal lui manquaient plus que tout, peut-être même plus que la chaleur ou que la compagnie de ceux qu'elle aimait. Oui ! La lumière et les couleurs, c'était de cela qu'elle avait vraiment besoin et chaque soir, avant de s'endormir, elle revoyait en pensée les tonalités chatoyantes qui avaient bercé son enfance et son adolescence, et dont elle ne doutait même pas qu'il existât au monde un seul endroit qui en fût privé. Comment pouvait-on vivre dans tant de gris ? Elle comprenait à présent pourquoi les Parisiens avaient la moue tombante et le teint fané. Les gens sont comme des plantes, ils ont besoin d'air et de lumière pour grandir et s'épanouir. Porto-Salvo n'était sans doute qu'un petit bled perdu sans intérêt, mais les gens qui y vivaient avaient le sourire simple et le bonjour facile. Elle avait encore à l'oreille le babillage chantant de ses amies, rivalisant d'éclats et de rires...

Suzanna secoua pensivement la tête : à quoi cela rimait-il d'embellir ce qui lui faisait défaut ? Elle savait pertinemment que Porto Salvo n'était pas exactement le paradis qu'elle aimait se représenter maintenant qu'elle en était loin. Combien de fois ne s'était-elle pas ennuyée à mourir en rêvant de toutes ces contrées lointaines qu'elle s'était promis de visiter un jour ? Et la vie qui est si courte !

Elle tentait à présent de se remémorer le nombre d'après-midi qu'elle avait passés à maudire l'étroitesse d'esprit de ses parents, la vulgaire simplicité de ses voisins, tous ces gens qui passaient chaque journée de leur longue et pauvre existence sans avoir la curiosité de connaître le moindre événement qui se déroulait à dix kilomètres de chez eux. « Qu'ils me donnent leur vie au lieu de la gâcher ainsi ! s'écriait-elle souvent, pleine de révolte et d'indignation. Je n'aurai jamais assez de toute ma vie pour faire tout ce que je voudrais faire. » Porto-Salvo n'était pas spécialement beau, mais elle en connaissait chaque recoin, chaque chemin, chaque détour, chaque virage, à tel point qu'elle prenait un plaisir intense à recréer dans sa tête le décor familier de ses douces années. La rue de ses parents surtout lui procurait une sensation de calme et de bonheur dont elle commençait seulement à évaluer le prix. Rua Frenta Igreja. La rue en face de l'église. Elle ne lui connaissait pas d'autre nom, mais chacun savait de quelle rue il s'agissait. En face de chez elle, il y avait la ferme de senhora Cabral, et elle revit le sourire ravageur de Paolo, le fils Cabral, dont elle avait été secrètement amoureuse lorsqu'elle était adolescente...

Suzanna se redressa sur son lit ! Le Paolo de son enfance avait disparu depuis longtemps. Aujourd'hui, c'était devenu un gros Portugais tout velu, marié à une matrone que trois maternités successives avaient rendue énorme ; il trompait sa femme avec des minettes aussi jolies que stupides et passait son temps au café en compagnie de ses copains, à boire des bières qui le rendaient encore plus gros.

Suzanna écarta sa couette d'un geste large et posa les pieds à terre. Son épaisse chevelure noire retomba lourdement sur ses épaules et mangea une partie de son visage, qu'elle dégagea rapidement en la rabattant derrière les oreilles.

Elle était vraiment très jolie : la peau mate et lisse, de grands yeux noirs scintillants, une bouche aux lèvres d'un rouge naturellement lumineux, un petit nez droit qui lui faisait un profil rigoureusement parfait... Elle faisait partie de ces filles qui n'ont guère besoin d'user d'artifices pour attirer le regard des autres. Elle venait d'avoir vingt-cinq ans et était bien décidée à affronter le monde entier afin de réussir sa vie.

Elle se leva d'un bond et passa le gros pull en laine vierge qu'elle avait frileusement quitter la veille avant de se glisser dans son lit. Ce n'est qu'après avoir fait quelques pas vers la kitchenette encastrée dans le mur qu'elle éprouva à nouveau cette sensation nauséeuse qui lui souleva le cœur. Elle s'immobilisa au milieu de la pièce, prête à bondir vers le cabinet de toilette, et attendit quelques instants en serrant les dents. Il fallait qu'elle mange !

Elle se dirigea alors d'un petit pas pressé vers la boîte à pain et l'ouvrit comme on ouvre la trousse des premiers secours à la suite d'un accident. Ce qu'elle vit la consterna : elle était vide ! Plus de baguette, pas même le moindre quignon de pain rassis qui aurait traîné au fond de la boîte. Tout en contemplant ce néant avec désespoir, elle se souvint qu'elle avait achevé les céréales la veille et qu'il n'y avait même plus de yaourt dans le frigo. Un haut-le-cœur plus puissant que le précédent l'envahit jusqu'à la gorge. « *Merda !* » Elle se figea une fois encore en espérant tenir le coup, sachant que si elle craquait, elle en avait pour une demi-heure à se tordre les boyaux par-dessus la cuvette des W.-C. Au bout d'une longue minute, elle parvint à respirer profondément et à revenir vers le lit au pied duquel traînaient ses vêtements. Elle les enfila à la hâte, attacha fébrilement ses cheveux sur sa tête et se précipita dans l'entrée où elle mit son manteau et son écharpe en ouvrant déjà la porte.

Une fois dans le corridor, elle s'aperçut que l'ascenseur était occupé et se mit à dévaler les escaliers de service sans même attendre qu'il se libère. En arrivant dans la rue, elle prit une grande goulée d'air et se dirigea sans traîner vers la boulangerie. Lorsqu'elle entra dans le magasin, les nausées matinales se calmèrent et lui laissèrent, sembla-t-il, un peu de répit.

La boulangère l'accueillit la tête basse. C'était une petite femme rondouillette, jeune et dégourdie, et

Suzanna l'aimait bien car elle avait toujours pour elle un mot aimable et lui faisait volontiers un brin de conversation malgré son maigre français. Parfois, quand la boulangerie était vide, elle prenait même le temps de lui apprendre deux ou trois mots que la jeune étrangère assimilait avec avidité pour l'encourager à continuer ses petits cours improvisés.

Mais aujourd'hui, la commerçante la reçut sans sa jovialité coutumière, et cachait manifestement ses yeux sous un rideau de cheveux défaits. Suzanna ne remarqua rien dans un premier temps, tant elle était concentrée sur son propre malaise. D'une traite, elle commanda une baguette, deux pains au chocolat et deux carrés à la confiture. La boulangère la servit sans mot dire. Ce n'est qu'alors que Suzanna constata une anomalie dans le comportement de la jeune femme, d'ordinaire si gaie et si exubérante. Elle scruta son visage et tenta de rencontrer son regard.

— *Què que passa, senhora ?* Vous... allez bien ?

La commerçante pencha encore la tête, mais Suzanna vit bien qu'elle avait les yeux rouges et gonflés.

— Pourquoi vous pleurez ? insista Suzanna.

Il ne lui en fallut pas plus pour fondre en larmes. Ce fut un véritable torrent de peine qui déferla dans la boulangerie, comme si elle avait gardé en elle toute la tristesse du monde. Elle sanglota éperdument pendant quelques instants, sans parvenir à prononcer le moindre mot, et Suzanna se retrouva coincée de l'autre côté du comptoir, témoin impuissant d'un douloureux spectacle.

Elle ne savait que dire ni que faire, tandis que la jeune commerçante était secouée de spasmes, les épaules voûtées, le visage enfoui dans un énorme mouchoir déjà complètement trempé. Lorsqu'elle parvint à se calmer, elle se mit à parler sans reprendre son souffle, à raconter comment la dispute avait éclaté, ne saisissant pas pourquoi son mari refusait de la comprendre, l'accusait de toutes les tares du monde, avouait avoir déjà été battue, l'insultait et le menaçait en même temps, embraya sur les malheurs de sa sœur qui avait un enfant anormal ainsi que sur sa pauvre mère dont l'état était critique et qui ne passerait peut-être pas Pâques à la maison... Elle parlait, pleurait, se mouchait bruyamment pendant que Suzanna essayait tant bien que mal de suivre ce déluge de paroles dont elle ne saisissait pas la moitié, les yeux rivés sur les pains que la boulangère avait gardés derrière le comptoir.

Les nausées recommencèrent à l'envahir et elle eut de plus en plus de mal à maintenir son attention sur la somme des malheurs qui fusaient dans tous les sens. Un jet de salive amère inonda sa bouche, elle dut faire un effort considérable pour parvenir à l'avaler. N'osant pas interrompre la jeune femme, elle tenta de dominer cette sensation d'écœurement qui affluait déjà dans son ventre et remontait de manière fulgurante jusqu'à sa gorge, afin de maîtriser autant que possible le flot de bile qu'elle savait terriblement douloureux lorsqu'il jaillissait du fond de ses entrailles.

Puis la boulangère enchaîna sur la lâcheté des hommes en général et la couardise du sien en particulier. D'une voix tragique, elle conseilla à Suzanna de ne jamais se marier, lui prédisant l'avenir le plus sombre si elle tombait un jour entre les griffes d'un de ces êtres immondes et cruels... Suzanna eut un haut-le-cœur qu'elle ne parvint pas à contrôler et mit précipitamment sa main devant sa bouche.

La boulangère, sans même s'apercevoir que sa cliente se sentait mal, continuait de vitupérer contre la condition féminine qui, on avait peut-être du mal à l'admettre, n'avait pas autant évolué qu'on voulait bien le laisser croire ! La pauvre Suzanna eut juste le temps de sortir en titubant du magasin et rendit ses boyaux face à la devanture. La commerçante stoppa net son discours revendicateur et se précipita à la suite de sa cliente.

— Eh bien, mon petit ! s'exclama-t-elle en soutenant Suzanna. Il ne faut pas vous laisser impressionner comme ça ! Les hommes sont des monstres, c'est un fait, mais peut-être en existe-t-il certains qui valent le coup... Je n'ai pas voulu vous dégoûter à tout jamais. Et puis, ils ont parfois de bons côtés, si on cherche bien !

6

Jeudi matin. Une pluie mesquine tombe sur Paris, faisant reluire les pavés arrondis d'une petite rue tranquille du dix-huitième arrondissement.

— Tu es sûre que tu veux y aller seule ?

— Oui, ne t'inquiète pas, je vais beaucoup mieux.

Edwige considéra Jeanne d'un œil perplexe avant d'afficher un sourire confiant.

— Je t'attendrai au *Xu*, tu n'auras qu'à m'y rejoindre dès que ce sera fini.

Jeanne hocha la tête en appuyant sur le digicode. Puis, elle embrassa son amie avant de disparaître dans le somptueux patio qui apparut derrière la porte cochère. Celle-ci se referma lourdement et Edwige se retrouva seule face à la luxueuse plaque murale couleur or qui brillait de mille feux et sur laquelle étaient finement gravés ces trois mots ronflants : « Édouard Lombaris. Notaire. »

Jeanne s'engagea dans le patio et contourna la jolie fontaine dallée d'azulejos directement importés du Portugal, qui arrosait un petit bassin dans lequel quelques poissons rouges de belle taille paressaient parmi de jeunes pousses de nénuphars pointant leurs extrémités vers la surface de l'eau. Arrivée au fond de la cour, elle entra directement dans le bâtiment intérieur et se dirigea vers le comptoir d'accueil. Une secrétaire au maintien professionnel lui demanda son nom.

— Je suis Jeanne Tavier, j'ai rendez-vous avec maître Lombaris à onze heures.

Tout en vérifiant son agenda, la secrétaire hocha la tête d'un air entendu et lui demanda de patienter quelques instants. Jeanne eut à peine le temps de s'asseoir que le notaire apparut à la porte du couloir qui menait à son office. Il s'avança vers elle et la reçut chaleureusement.

— Mme Tavier ! Outre le plaisir de vous voir, je déplore sincèrement les circonstances dans lesquelles nous sommes amenés à nous rencontrer. Permettez-moi de vous présenter mes plus sincères condoléances.

Édouard Lombaris était une personne de taille réglementaire dont le visage comportait toutes les caractéristiques de l'homme d'étude : de petites lunettes rondes qui soutenaient un regard abîmé par la lecture et l'instruction, une bouche aux lèvres inexistantes, pincée et tombante sous la pression d'une concentration presque quotidienne, la mine soucieuse et fermée, le teint pâle et la peau maladive spécifique aux gens qui sortent très peu de chez eux.

Jeanne saisit la main que Lombaris lui tendait et eut la désagréable surprise de serrer une poigne molle et moite. Après s'être effacé pour la laisser passer, le notaire la guida à travers un large couloir qui longeait une très belle véranda donnant sur les jardins de l'étude. Un escalier de fer forgé en forme de colimaçon menait jusqu'au bureau qui se tenait en mezzanine, juste sous la véranda. L'endroit respirait le calme et l'opulence.

Édouard Lombaris invita Jeanne à prendre place au bout de l'immense table de verre ovale trônant au milieu de la pièce. Ses gestes étaient nerveux et empruntés, mais Jeanne n'y accorda qu'une attention secondaire, mettant cet embarras tangible sur le fait que le pauvre homme n'avait certainement pas l'habitude de se trouver en tête-à-tête avec une femme. Constatant qu'il était plus mal à l'aise qu'elle, elle se détendit et adopta une attitude résolument plus provocante : elle croisa les jambes en prenant soin de laisser son tailleur remonter jusqu'à mi-cuisses.

— La fumée ne vous dérange pas ? demanda-t-elle en allumant une cigarette.

— Faites, je vous en prie.

Il lui avança un cendrier et s'installa en face d'elle. Puis, s'emparant d'un épais dossier qui se trouvait déjà devant lui :

— Suite au décès de M. Richard Tavier, je vais procéder à l'ouverture ainsi qu'à la lecture du testament. Comme M. Tavier était enfant unique et que ses deux parents sont aujourd'hui décédés, vous représentez, en qualité d'épouse, sa seule et unique famille. Il n'y a donc aucun autre successible connu pour l'instant.

Il ouvrit le dossier et prit une enveloppe fermée qui se trouvait au-dessus d'une pile de papiers officiels et de feuilles volantes. Puis, il referma aussitôt la chemise.

— Je dois vous informer qu'il y a de cela un mois et demi, j'ai reçu des mains de votre mari un courrier dans lequel était jointe cette enveloppe. Il s'agit de son testament olographe, le dernier en date et donc le seul valable.

— Son testament olographe ?

— Oui. Le Code civil stipule qu'un testament peut être olographe, c'est-à-dire entièrement rédigé, daté et signé de la main du testateur.

Sans très bien savoir pourquoi, Jeanne tira plus nerveusement sur sa cigarette.

— Et c'est valable ?

— S'il réunit les trois conditions dont je viens de

vous parler, c'est-à-dire écrit, daté et signé de la main du testateur, le testament est tout à fait valable.

Édouard Lombaris marqua une courte pose durant laquelle il essuya ses verres de lunettes à l'aide d'un mouchoir blanc immaculé tout droit sorti de son veston. Jeanne restait impassible et rien, dans son visage, ne trahissait l'affolement qu'elle sentait naître en elle. « *Calme-toi*, raisonna la petite voix amie. *Pourquoi s'affoler avant même de connaître le contenu de l'enveloppe. Reprends tes esprits et attendons la suite.* »

— ... au moment de son décès.

Tout en décachetant l'enveloppe, maître Lombaris achevait une phrase dont Jeanne n'avait pas entendu le début.

— Pardon ?

— Je disais que vous pouviez, si vous le désirez, déposer une requête en vérification de testament dans le département judiciaire où était domicilié le testateur au moment de son décès.

— C'est gentil à vous de m'en informer mais jusqu'à présent, je n'ai aucune raison de douter de l'authenticité de ce document, lâcha-t-elle sèchement.

— Non, c'est évident. Mais il est de mon devoir de vous informer de vos droits.

L'enveloppe était ouverte et Édouard Lombaris se racla la gorge avant de déplier l'unique feuillet qui était à l'intérieur. Le bruit de la lettre déchira le silence qui s'ensuivit et une goutte de sueur perla sur le front de Jeanne. Lorsque le notaire entama la lecture du testament, Jeanne suspendit son souffle.

« Paris, le dix-sept mars de l'an deux mille deux. Moi, Richard Tavier, sain de corps et d'esprit, lègue tous mes biens à Suzanna Da Costa, née le 13 avril 1975 à Œiras, résidant actuellement à Paris, au numéro dix de la rue Tesson, dans le onzième arrondissement. »

C'était tout. D'une simplicité et d'une cruauté affolante. Édouard Lombaris replia la feuille avec soin et la rangea dans l'enveloppe.

Jeanne ne ressentit rien, car il n'y avait plus rien à ressentir. C'était comme si elle était parvenue au bout d'un long et dangereux périple au cours duquel elle avait traversé des montagnes infranchissables, sillonné des terres inhospitalières, évité la noyade en naviguant sur des mers houleuses, échappé au feu des volcans, conjuré les sortilèges des démons, triomphé des créatures les plus féroces... Comme si elle avait eu cent vingt ans et qu'au loin, elle apercevait enfin l'oasis tant convoitée. Et puis, soudainement, elle trébuchait et faisait une mauvaise chute qui lui ôtait la vie. C'était bête, tout simplement.

Après avoir rangé l'enveloppe dans le dossier, le notaire enchaîna rapidement :

— Les documents joints à cette enveloppe contiennent un inventaire détaillé de tous les biens qui appartenaient à M. Tavier. Il est également de mon devoir de vous informer que dans cette chemise se trouve le testament de M. Richard Tavier senior, le père de votre mari. (Édouard Lombaris parlait d'un ton grave, les yeux baissés sur les papiers qu'il sortait un à un de la chemise, et le débit de sa voix s'accélérait malgré lui.) Une part de cet héritage a déjà été léguée à M. Tavier junior, lors du décès de son père. Mais une seconde partie reste encore aujourd'hui bloquée sur un compte bancaire et ne pourra être libérée qu'au bénéfice de l'héritier mâle de feu votre mari. Si ce dernier venait à disparaître sans laisser d'héritier, j'ai ordre d'attribuer la totalité de cette seconde part à l'armée française. (Il leva enfin la tête et jeta un rapide coup d'œil à

Jeanne.) À ma connaissance, M. Tavier est parti sans laisser d'héritier, mais peut-être...

Jeanne n'avait pas bougé et se tenait droite sur son siège, le regard perdu dans le vide par-dessus l'épaule du notaire. C'est sans doute cette totale absence d'émotion qui alarma Édouard Lombaris.

— Mme Tavier... Vous vous sentez bien ? interrogea-t-il anxieusement.

Dans une immobilité parfaite, et sans même bouger la tête d'un simple millimètre, Jeanne tourna les yeux d'un coup net vers la gauche et rencontra ceux du notaire. Celui-ci eut un frisson glacé en y découvrant une lueur froide et imperturbable.

— Mme Tavier... bégaya-t-il encore, comme pour briser le charme pernicieux qui s'installait dans la pièce.

Jeanne parut sortir d'une profonde rêverie et afficha instantanément un sourire stéréotypé, sans aucune expression. Puis elle décroisa et recroisa les jambes dans l'autre sens. Le tailleur remonta un peu plus haut sur ses cuisses et Édouard Lombaris essuya une nouvelle fois ses lunettes en se raclant la gorge.

— Oui, tout va bien, répondit-elle d'une voix étrangement claire et chantante. Qui est cette Suzanna Da Costa ?

— Heu... Je n'en ai pas la moindre idée.

Jeanne hocha la tête comme si la réponse coulait de source. Puis, elle se leva et tendit la main au notaire.

— Il me semble que je n'ai plus rien à faire ici. Il est de votre devoir de retrouver cette personne, n'est-ce pas ? dit-elle en imitant le ton du notaire.

— Oui... Dès lundi, je prendrai contact avec elle.

Édouard Lombaris ne parvenait pas à soutenir le regard de Jeanne qui, apparemment, en retirait une jouissance un peu aigre dont elle ne se cacha pas.

Il ajouta d'un air penaud, comme s'il était responsable de la situation :

— Vous avez certains recours à votre disposition... La validité de ce document doit être vérifiée auprès de la Cour supérieure. Cette procédure entraîne certains frais mais peut-être...

— Pourquoi voulez-vous que je doute de la validité ou de l'authenticité de ce testament ? Vous l'avez dit vous-même : mon mari vous l'a remis en main propre. Et puis, de vous à moi, je ne suis que moyennement surprise par l'issue de cet entretien. Mon mari était plutôt taquin... à sa manière.

Elle gloussa en dévisageant Édouard Lombaris comme si elle trouvait la prétendue plaisanterie de Richard tout à fait à son goût. Le notaire émit à son tour un rire aussi faux que stupide qui se solda par deux raclements de gorge. Il raccompagna Jeanne jusqu'à la porte de son étude et la regarda partir avec soulagement. Juste avant de disparaître, elle se retourna sur elle-même et lui adressa un petit signe enjôleur, de ces gestes de la main que font les adolescentes à leurs jeunes soupirants en ressentant leurs premiers émois.

Dans la rue, Jeanne marche en regardant droit devant elle. Le bruit de la circulation résonne à ses oreilles, moteurs pétaradants et crissements de freins dans un tourbillon de sons et d'odeurs qui l'écœurent. Elle a la sensation de sentir l'air, le vent, chaque molécule d'oxygène lui ronger la chair et les muscles comme si on venait de lui arracher la peau. Le moindre de ses mouvements lui fait ressentir la violence de la vie, le souffle du monde qui l'environne, impitoyable à l'égard des perdants. Le trafic rugit autour d'elle, les passants l'écorchent, et la pluie fine qui se met à tomber lui perfore la peau comme autant de petites aiguilles acérées dévalant en flèche des cieux ricanants. Au coin de la rue, elle croise un nain bossu qui avance en se dandinant d'un pied sur l'autre, démarche chaotique et saccadée dont la seule silhouette l'agresse malgré elle. Juste derrière lui trottine un chien à trois pattes. Ça la dégoûte, elle ne peut s'empêcher de froncer les sourcils dans une moue de répulsion sans pour autant les quitter des yeux. Elle les regarde passer, baissant la tête sur leur misère infinie. Le petit homme et le chien clopinent en cadence, cahincaha, se balançant de gauche à droite au rythme des aiguilles d'une montre. Tic tac, tic tac...

Un monde se referme sur Jeanne et dispose ses pions sur l'échiquier, insidieusement. Elle qui pensait avoir la main, dominer le jeu de toute sa force et son audace. Richard... Est-ce toi qui persifle en contemplant ton œuvre, cette pauvre créature qui se déplace en aveugle sur cette terre ?

Jeanne n'est plus qu'un être de chair et de sang, elle ressent la laideur du gnome au plus profond de ses entrailles et ne peut s'empêcher de s'identifier à lui. Le chien à trois pattes ralentit à son niveau, museau à terre, reniflant consciencieusement ses chaussures et ses chevilles. Sans même se retourner, le nain émet un sifflement à l'adresse du chien. Le cabot abandonne sans l'ombre d'une hésitation les pieds de Jeanne pour rejoindre son maître.

Un peu plus loin, Jeanne aperçoit une carte à jouer sur le trottoir. Comme elle est tournée du mauvais côté, elle ne peut distinguer la figure qu'elle représente. Elle passe son chemin, ralentit, hésite... s'arrête. C'est idiot ! Elle s'immobilise, l'oreille à l'affût, comme si elle attendait un signe. Elle attend, espère, sans vouloir s'avouer l'irrationalité de ce qu'elle souhaite. Jeanne n'est pas folle, non ! Elle n'est plus que souffrance et tourments, et son corps tout entier rejette la douleur afin de protéger cette misérable matière stérile... Elle attend la petite voix, son timbre rassurant, son chant joyeux et plaisant. Mais au creux de sa tête, le silence résonne et se cogne au vide, à l'infini.

Jeanne fait demi-tour et se plante devant la carte à jouer. Elle n'a qu'un geste à faire pour découvrir le dessin, elle se baisse lentement et saisit le petit rectangle de carton. Puis, sans plus attendre, elle la retourne et la contemple. Un petit sourire apparaît au coin de ses lèvres tandis qu'une dame de pique la salue en penchant la tête sur le côté. Alors, Jeanne glisse la carte dans sa poche et continue son chemin.

Lorsqu'elle entre dans le bar où l'attend Edwige, Jeanne affecte une mine satisfaite et rayonnante.

— Tout s'est bien passé ? s'enquiert Edwige en se levant pour l'accueillir.

— À merveille ! claironne-t-elle d'une voix légèrement exaltée. J'hérite de toute la fortune de Richard !

7

Rien n'est plus sécurisant que d'appartenir à un groupe, faire partie d'un milieu, acquérir une certaine valeur aux yeux des membres de ce groupe et y tenir une place reconnue. Vous vous sentez protégés par une bulle d'ouate, totalement à l'abri du besoin et de la solitude. Chaque jour, la vie vous renvoie cette note de légèreté et d'insouciance que vous ne remarquez même plus tant elle vous paraît acquise. Le temps s'écoule, fluide, évident, transparent.

Mais il suffit que vous soyez rejeté de ce groupe, que le rôle que vous y teniez soit réduit à néant, que vous soyez déchu des vertus qu'on vous attribuaient à l'unanimité, du jour au lendemain, sans raison apparente ou du moins logique et valable...

Il suffit que la déchéance pointe le bout de son nez pour que, soudain, vous preniez conscience de votre propre dénuement. Vous étiez quelqu'un, vous n'êtes plus rien. La vie prend un goût amer et le monde vous paraît cruel et sans merci. Ceux-là mêmes que vous considériez comme vos alliés, parce qu'ils voyaient en vous une personne de qualité, deviennent tout à coup des ennemis potentiels ou du moins des éléments à haute teneur en disgrâce et en mépris. Car nul ne bougera le petit doigt pour tenter de faire comprendre aux autres (ces autres qui vous confortaient jadis dans la belle opinion que chacun avait de vous) qu'aucun argument n'est assez grave que pour vous éjecter ainsi si loin du centre de l'intérêt général. Le téléphone ne sonne plus. Les regards se détournent. Et si d'aventure vous en croisiez un, le sourire qui l'accompagne se teinte aussitôt de compassion mêlée de pitié à peine voilée. Le ciel se couvre, vous privant ainsi de la douce chaleur des rayons du soleil. L'amertume en profite pour prendre possession de vos sentiments et le dépit colore la moindre de vos paroles. C'est fini. Vous devenez *personna non grata* et dès lors, lorsqu'on parlera de vous, on commencera toujours la phrase par un « tu te souviens de... » prononcé sur un ton goguenard et suivi de votre nom.

C'est l'exacte sensation que Jeanne eut lorsque, rentrant chez elle (chez elle ?), elle considéra d'un regard perplexe la vaste demeure parisienne. C'était une ancienne bâtisse de pierres blanches qui datait du début du siècle, entièrement restaurée dans l'esprit architectural de l'époque, qui appartenait depuis trois générations à la famille Tavier. Elle abritait plus de quinze chambres, la plupart inoccupées, se délayant sur trois étages que reliait l'imposant escalier de marbre. La façade se dressait aux abords d'une large avenue bordée de platanes, située dans la périphérie parisienne, et espacée de plusieurs mètres des habitations voisines.

De l'extérieur, elle ne payait pas de mine si on la comparait aux riches propriétés de ce quartier résidentiel, encerclées de jardins et savamment cachées derrière une nature luxuriante. Un simple perron menait à une lourde porte de chêne, munie de deux serrures et d'un système d'alarme des plus sophistiqués. L'inscription de fer forgé qui la surplombait révélait en lettres joyeuses le doux nom « Les Coquelicots ». Derrière, un vaste parc s'étendait sur plusieurs hectares, comprenant un petit étang et se terminant par un sous-bois.

Le grand-père de Richard, Victor Tavier, négociant en vins de profession, l'avait achetée en 1910 et avait aménagé dans les caves une véritable entreprise de mise en bouteilles et d'étiquetage des vins qu'il recevait par tonneaux de certaines régions de France. Les fondements de la maison s'étendaient sur toute la superficie du bâtiment, divisé en plusieurs pièces de différentes dimensions dans lesquelles il rangeait avec ordre et passion le fruit de son labeur.

Mais durant la Seconde Guerre mondiale, Victor Tavier, engagé dans l'infanterie, fut blessé au combat. Il rentra chez lui privé de l'usage d'une jambe et dut se résoudre à ralentir ses activités professionnelles. C'était un homme droit et fier, patriote au fond de l'âme et d'une exigence paroxystique envers lui comme envers autrui. Un orgueil démesuré l'empêchait de déléguer des pouvoirs qu'il se pensait seul à pouvoir mener à bien. Bientôt, les affaires périclitèrent et Victor Tavier se vit dans l'obligation de revendre à bon prix son équipement. Moralement abattu par l'oisiveté forcée à laquelle il se vit soumis, il s'engagea dans la résistance passive, mettant sa demeure à la disposition des maquisards.

Les caves des Coquelicots reprirent du service, devenant bientôt le refuge d'un grand nombre de personnes qui, recherchées par la Gestapo ou cherchant à fuir le régime nazi, s'y succédèrent avant de trouver le moyen de quitter la France. Victor Tavier fit aménager des caches parmi les salles souterraines, pièces dérobées dont le système d'ouverture, dissimulé derrière des étagères fichées dans le mur, ne laissait deviner aucun passage vers une chambre quelconque. Des deux mains, on empoignait les montants verticaux de l'étagère puis on les tirait vers soi. Après avoir entendu un déclic, le pan de mur encerclant l'étagère se déboîtait et remontait à l'horizontal pour laisser place à une percée rectangulaire qui laissait découvrir une entrée libre par laquelle on pénétrait à l'intérieur de la pièce. Cette période compta parmi celles dont il tira le plus fierté, estimant que ses aménagements secrets avaient sauvé la vie d'un grand nombre d'opposants au fascisme.

Quelques années après la guerre, il succomba à un cancer du poumon, laissant sa propriété à son fils, Richard Tavier senior, qui s'y installa avec sa femme. L'année suivante, Richard junior naissait et grandissait dans la vaste demeure parisienne, qu'il quitta à l'âge de douze ans pour entrer au pensionnat. À dix-neuf ans, il entreprit des études de droit et s'installa dans un petit appartement du dixième arrondissement. Ce n'est qu'à la mort de son père qu'il réintégra Les Coquelicots après l'avoir entièrement restaurée, et dont le glorieux passé, bien des années plus tard, lui rendit de fiers services au cours de sa carrière politique.

Jeanne se tenait sur le fil du rasoir, en équilibre précaire entre la fortune et la misère. Elle n'était pas encore bannie de ce milieu doré dans lequel elle s'était vautrée depuis maintenant de trop longues années. Mais elle se tenait trop près de la porte de sortie pour considérer sa situation d'un œil confiant. Nous étions jeudi. Elle avait donc jusqu'au lundi suivant pour agir, date à laquelle le notaire prendrait contact avec cette Suzanna pour lui faire part des dernières volontés de feu son mari.

Après avoir rejoint Edwige au *Xu*, Jeanne lui avait assuré que désormais elle se sentait bien et qu'elle désirait à présent rentrer chez elle, retrouver ses meubles et l'intimité de sa chambre. Edwige avait accédé à sa demande sans émettre la moindre opposition : elle comprenait parfaitement qu'en de pareilles circonstances, on puisse ressentir le besoin d'être seule et de faire le point sur sa situation nouvelle. Elle estimait également que son amie allait beaucoup mieux, qu'elle avait retrouvé la force de caractère nécessaire pour affronter les jours prochains. Du reste, le plus dur était passé. Les deux femmes retournèrent à la villa de Passy et tandis que Jeanne montait les escaliers afin de préparer sa valise, Edwige, toujours très pragmatique, voulut prendre en main les derniers détails pratiques.

— Je me charge de rappeler ton personnel afin qu'il prépare ton retour ! claironna-t-elle en se dirigeant vers le téléphone.

Jeanne n'avait pas d'idée définie du plan qu'elle allait mettre sur pied. Elle ignorait même si elle irait jusqu'à préparer sciemment une action précise qu'elle nommerait ou qu'elle définirait par des images explicites dans son esprit.

Elle savait, elle sentait qu'elle allait commettre un acte grave et définitif, mais elle se refusait à l'énoncer de quelque manière que ce soit. Pourtant, plus elle y pensait, plus elle se rendait à l'évidence : peu de solutions s'offraient à elle. Il lui était inconcevable de retrouver l'état de misère et de pauvreté duquel Richard l'avait sortie et elle ne pouvait décemment laisser son univers revenir à une autre femme. Cette autre femme devait donc disparaître. Et pour cela, elle avait besoin d'être seule.

Complètement seule.

— Ce ne sera pas nécessaire, Edwige. Je m'en occuperai personnellement dès que je serai rentrée. Je ne sais d'ailleurs pas si je vais garder ces gens chez moi... Ils étaient tous plus attachés à Richard que je ne l'aie jamais été.

— Comme tu voudras, mon chou.

Edwige raccompagna son amie jusque chez elle. Comme elle s'apprêtait à sortir également de la voiture, Jeanne l'arrêta d'un geste du bras.

— Laisse, Edwige. J'ai besoin d'être seule lorsque je rentrerai chez moi... (Elle insista légèrement sur la fin de sa phrase sans toutefois y mettre la moindre intention.) Et puis, tu en as déjà tellement fait !

Edwige tapota la main de son amie en hochant la tête, compréhensive.

— Appelle-moi s'il y a quoi que ce soit.

Elles s'embrassèrent chaleureusement. Jeanne sortit du véhicule pendant que le chauffeur d'Edwige rentrait déjà sa valise dans le hall des Coquelicots. Lorsque la voiture redémarra, Jeanne la regarda s'éloigner pensivement. Puis, poussant un soupir fataliste, elle pénétra à l'intérieur de la maison.

8

Vendredi. Jeanne attendit que le soir recouvre la ville d'un voile opaque avant de se mettre en route. La nuit s'annonçait brumeuse et elle n'aurait pu espérer circonstances plus propices à l'organisation de son plan. Elle frissonna légèrement en refermant la porte de la vaste demeure éteinte, puis rabattit le col de sa fourrure contre sa nuque. Lorsqu'elle se mit à marcher d'une allure rapide et rythmée, l'écho de ses pas retentit dans sa poitrine. Jamais elle ne s'était sentie plus vivante qu'à cet instant précis, et la fraîcheur du crépuscule lui piqua les joues (elle décela cette sensation vigoureuse qu'elle n'avait plus connue depuis l'enfance lorsque, après avoir couru dans le froid, les joues en feu prennent cette teinte rose vif qui donne au visage une expression malicieuse).

Jeanne sourit malgré elle, comme si elle partait en voyage d'agrément et que l'avenir lui réservait toutes les douceurs imaginées dans ses souhaits les plus irréels. Les choses étaient si simples à présent, inéluctables, presque fatales. Elles s'étaient succédé dans son esprit avec cette netteté et cette évidence qui n'appartiennent qu'au ciel, prouvant de manière infaillible l'existence des êtres d'un monde parallèle, esprits célestes ou anges gardiens, peu importe le nom que les hommes cherchent à leur donner. La petite voix amie ne s'était plus manifestée depuis le jour de la lecture du testament, lorsqu'elle était sortie de l'étude du notaire, mais une présence plus sensorielle l'avait guidée dans ses pensées et menait à présent ses pas vers la providence.

« Qui es-tu, Suzanna ? De quoi es-tu faite pour me ravir ce que j'ai convoité toute ma vie durant ? L'opulence, le luxe, l'amour et le respect d'un homme... Ton nom est inscrit sur un testament écrit de sa main, lui qui n'a jamais posé le moindre geste physique appuyant une décision aussi grave... Son testament olographe ! Comment écartes-tu les jambes pour qu'il te couche ainsi sur ses dernières volontés, sans hésitation ni ambiguïté ? Tu l'as bien sucé jusqu'à la moelle, mon Richard, pas vrai ? À quatre pattes, en jappant comme la chienne que tu es, tu l'as vidé de sa sève, de sa force, de sa virulence. »

Du coin de l'œil, Jeanne aperçoit un taxi s'approcher à vive allure. Elle lève le bras en faisant face... Le taxi s'arrête.

— Place d'Italie, annonce-t-elle en s'engouffrant dans la voiture.

Le chauffeur enclenche le compteur et redémarre. Après s'être confortablement installée sur le siège arrière, elle récapitule mentalement les différentes étapes de son programme. La seule difficulté à laquelle elle s'est trouvée confrontée fut de dénicher une pelle, ni trop grande pour pouvoir l'emporter sans attirer l'attention, ni trop petite pour perdre un temps précieux en creusant. Il lui restait alors à repérer un itinéraire détourné pour se rendre au cimetière sans que quiconque puisse faire le lien entre son domicile et la dernière demeure de Richard.

Place d'Italie. Après avoir réglé la course (et avoir laissé un pourboire tout à fait raisonnable afin de ne pas se faire remarquer auprès du chauffeur), Jeanne s'engouffre dans le métro. Perd quelques minutes à repérer le couloir qu'elle doit emprunter, grimace d'écœurement lorsqu'elle respire l'odeur putride qui règne en ces lieux sordides, et se force à inhaler par la bouche. Un mendiant crasseux tend la main vers elle...

Jeanne suffoque et rabat contre elle les pans de sa fourrure. Les derniers travailleurs de la journée rentrent chez eux sans prêter la moindre attention à cette femme élégante qui presse le pas dans les galeries souterraines. À son grand soulagement, la rame de métro pénètre dans la station au moment précis où elle débouche sur le quai. Les voitures déversent leur lot de voyageurs au fil des arrêts. Jeanne se colle dans un coin, regrette d'avoir mis sa fourrure. C'est idiot, ce manteau n'est pour elle qu'un simple accessoire quotidien, un vêtement usuel n'ayant aucune marque spécifique d'opulence.

Elle observe du coin de l'œil les passagers dispersés dans la voiture, tels des mannequins figés qui bringuebalent au rythme du roulis. Une ménagère déplumée, le visage terne et le regard éteint. Un ouvrier en bleu de travail, œil fixe, nuque raide, les paluches aussi larges que rondes, recouvertes d'une corne de cambouis, sagement posées sur les genoux. Un peu plus loin, trois lycéennes piaillent de leur voix aiguë, éclats de rire et nombrils à l'air. Personne ne regarde Jeanne, ce qui la rassure, et l'irrite un peu aussi.

Porte de Clichy. Jeanne descend de la rame, se trompe de sortie, s'apprête à demander son chemin puis se ravise. Elle ne doit parler à personne, personne ne doit se souvenir d'elle. Elle débouche du métro en gravissant les marches quatre à quatre et prend instinctivement une grande goulée d'air, comme si elle émergeait des Enfers. Se sent poisseuse et collante, recouverte d'une couche de sueur nauséabonde. Elle a envie de crier, de cracher, d'expulser l'air avarié qui la souille de l'intérieur. Mais elle se contrôle et toussote une ou deux fois en mettant la main devant sa bouche. Puis elle regarde autour d'elle. La nuit est tombée et l'obscurité environnante lui donne la chair de poule.

Jeanne marche encore de longues minutes sur un trottoir étroit et longe les devantures fermées des marchands de fleurs et de pierres tombales. Elle se souvient vaguement de l'arrivée au cimetière : l'entrée ne doit plus être très loin. Mais en arrivant devant les lourdes grilles, Jeanne ne comprend pas : celles-ci sont fermées, impossible d'atteindre les lieux par l'entrée principale. Voilà encore un paramètre auquel elle n'avait pas pensé. Ainsi, les cimetières ferment la nuit ! Dans les films, il semble pourtant si facile de se glisser entre les tombes au clair de lune...

Jeanne se félicite une fois de plus d'être venue repérer les lieux. Qu'aurait-elle fait si elle était arrivée jusqu'ici avec Suzanna et qu'elles avaient dû faire demi-tour, remettre leur visite au lendemain, au grand jour, dans des circonstances totalement improvisées au cours desquelles Jeanne n'aurait rien pu faire ? Il fallait trouver le moyen d'entrer.

Elle longe le haut mur de pierres qui ceinture le cimetière. Au bout d'une centaine de mètres, elle découvre une petite porte de fer rouillé qu'elle tente d'ouvrir... Celle-ci reste close sans laisser le moindre espoir de pivoter sur ses gonds. Jeanne poursuit sa route et fait ainsi le tour du cimetière, sans trouver la plus petite ouverture possible. C'est trop bête ! Une simple porte rouillée se permet de déjouer ses plans ! Elle y retourne au pas de course, se poste devant la récalcitrante, saisit à nouveau la poignée, l'abaisse, pousse, tire... Puis se fige : la porte, toujours fermée, n'a pas bougé d'un pouce.

Mais Jeanne sourit, confiante, presque amusée par l'idée qui lui traverse l'esprit. Elle attrape la poignée et la tourne, non pas vers le bas, comme le veut la logique, mais vers le haut. Un déclic caractéristique lui indique qu'il lui suffit juste de pousser pour pénétrer dans la place. Quelques secondes plus tard, elle serpente enfin entre les sépultures et se dirige vers la tombe de Richard.

Comme prévu, la pierre tombale n'a pas encore été posée. La terre est meuble, ce qui permettra à Jeanne de creuser vite et bien, sans laisser de trace lorsqu'elle recouvrira le cercueil. Personne ne remarquera rien. Elle repère une grosse pierre ronde qu'elle cache à proximité de la tombe, ainsi que sa pelle. Recouvre le tout de quelques branches négligemment jetées de-ci de-là, recule de trois pas et imprime dans sa rétine les moindres détails afin de ne rien laisser au hasard...

« Désolée, Suzanna, mais tu es allée trop loin ! Tu aurais pu n'être qu'une maîtresse parmi les autres, profiter du corps et de l'argent de mon mari sans que j'y trouve à redire. Jouir de ses faveurs, de ses caresses, de sa bouche et de son sexe. Les choses auraient été tellement plus salutaires pour toi, en fin de compte. C'est ma faute, aussi ! Comme une idiote, j'ai travaillé pour toi ! J'ai accompli ce que tu planifiais depuis des semaines. Je t'ai considérablement facilité la tâche, tu n'as même pas dû imaginer l'alibi qu'il te manquait avant de mettre ton plan à exécution ! Car c'est bien ce que tu comptais faire, n'est-ce pas ? Après avoir obtenu la totalité de sa fortune, il te restait juste à attendre quelque temps avant de te débarrasser de lui et d'empocher le magot... Et comble de chance, cette imbécile d'épouse se charge de la partie la plus délicate de l'affaire, comme ça, sans qu'on lui ait rien demandé ! Cette cruche qui pensait hériter, toucher le pactole et qui, en définitive, se retrouve à la rue...

Ça te fait marrer de m'imaginer au milieu de toutes ces richesses et de savoir que j'en serai bientôt privée, seule et totalement démunie, sans même un toit pour m'abriter... Sale petite pute ! Mais tu ne sais rien de moi ! Tu ignores de quoi je suis capable. J'ai tué Richard de mes mains, et ce que j'ai fait une fois, je peux le refaire. Refroidir ton corps de chaude garce, refermer tes yeux figés et rabattre ta bouche d'un claquement sec, et contempler tes membres raidis par le trépas, avec ce faciès glacé, toi qui as toujours dégouliné du vice qui incendie les phallus ! Ou plutôt... Tu le veux, mon Richard ? Tu le veux vraiment ? Je vais te l'offrir, ma salope, pour l'éternité ! Tu vas pouvoir tâter son corps sans craindre que quiconque vous dérange, et lui lécher la face aussi, te blottir tout contre lui et crier tant que tu voudras. Personne ne t'entendra ! »

9

Suzanna commençait à trouver le temps long. Cela faisait presque dix jours qu'elle était sans nouvelle de Richard et la colère qu'elle avait ressenti au début de son absence s'était lentement muée en inquiétude, une angoisse latente due à l'incompréhension d'un silence aussi subit qu'interminable.

Elle s'était ainsi aperçue qu'elle ne savait presque rien de cet homme qu'elle avait suivi avec une confiance aveugle. Elle connaissait son nom de famille, avait une vague idée de ses activités, mais ignorait par exemple l'adresse de son lieu de travail ou même celle de son domicile officiel. Au demeurant, elle n'avait jusqu'ici jamais ressenti le besoin de posséder ce genre de renseignements, Richard ayant toujours été présent pour réaliser le moindre de ses désirs.

Elle n'osait plus sortir de chez elle, de peur de rater son appel ou sa visite et se faisait l'effet d'être un lion en cage. De plus, sans vouloir se l'avouer tant elle craignait d'avoir été son jouet, Richard lui manquait cruellement : son sourire plein de tendresse, les regards fiévreux dont il la couvait, cette douceur enflammée qui animait chacun de ses gestes, chacune de ses paroles... Il avait l'élégance masculine des vrais gentlemen dont toutes femmes rêvent un jour d'être l'objet. Jamais elle n'avait rencontré d'être plus attentionné, plus délicat et plus honnête que celui qui l'avait conquise corps et âme. La différence de langage qui aurait normalement dû être un obstacle n'avait fait qu'accroître l'appétit qu'ils avaient eu l'un pour l'autre, dès le premier jour de leur rencontre.

Richard avait multiplié les attentions à son égard, jouant d'astuce et d'ingéniosité pour communiquer avec elle, pour la conquérir, pour la faire rire, elle, la petite Portugaise sans fortune, sans avenir, sans nom prestigieux. Cela faisait un peu plus de trois mois qu'ils s'étaient rencontrés, sur la plage de Cascais où Richard prenait une journée de repos en compagnie d'un collègue, après deux jours de congrès particulièrement soutenu.

Tout avait commencé de la manière la plus banale qui soit : un après-midi passé à papoter au bord de la mer avec Guida, son amie de toujours. Deux hommes d'âge mûr qui les accostent, les pantalons retroussés jusqu'aux mollets, la cravate desserrée, les chaussures à la main.

Mais lorsqu'elle croisa son regard, il y eut une étincelle, cet infime instant qui change un destin comme on claque des doigts. Il n'y avait plus rien à faire, ils l'avaient su l'un comme l'autre, se laissant griser par une vague d'extase qui les enveloppa malgré eux, instantanément. Puis ils s'étaient tus, de peur de briser le charme du miracle qu'ils vivaient, s'interrogeant sur la réciprocité de leurs sentiments.

Richard avait bien tenté de garder le contrôle avant d'oublier le b. a.-ba de ses principes les plus élémentaires. Ensuite, tout avait été très vite. Il avait dû rentrer en France mais lui avait promis de revenir très vite. Il tint sa promesse. Il la couvrit de cadeaux, l'emmena en voyage, repartit, revint encore... Tout cela, elle ne l'avait pas rêvé, elle l'avait vécu, dans sa chair et dans son cœur. Que se passait-il donc ? Suzanna n'avait rien d'une midinette qu'on emballe pour la nuit... Mais lorsque l'aube se lève, la lumière blafarde du petit matin jette parfois un triste éclairage sur certains événements qu'on voyait couronnés d'une aura féerique. Combien de fois, depuis dix jours, n'avait-elle pas tenté de se remémorer les paroles exactes de Richard lorsqu'il lui avait demandé de le suivre dans son pays et de devenir sa femme ? Elle venait pourtant de l'informer de l'état dans lequel il l'avait mise, persuadée qu'elle mettait ainsi un point final à une histoire aussi courte que passionnée.

Mais le visage de Richard s'était éclairé et, après l'avoir assurée de la sincérité de ses sentiments, il lui avait promis de régler la situation le plus rapidement possible. Depuis, Suzanna vivait dans un rêve. Richard l'aimait, elle le savait, d'un amour ardent dont peu d'amants parviennent à jouir sans se brûler les ailes.

Elle était beaucoup plus jeune que lui et sa jeunesse avait réveillé en lui cette ivresse exaltée que seuls les fous assument la tête haute. Elle l'aimait de toute son âme, et l'enfant qui grandissait en son sein serait l'enfant de l'amour et de la vérité.

Son enfant.

À lui.

Alors pourquoi ne donnait-il pas signe de vie ? Suzanna n'y comprenait rien. Ils ne s'étaient pourtant pas quittés fâchés et rien dans son attitude lors de leur dernière rencontre n'avait laissé entendre qu'il ne reviendrait plus. Qu'avait-elle fait — ou que n'avait-elle pas fait — pour déclencher cette soudaine indifférence ? Et s'il ne revenait plus ?

Elle se sentait soudain terriblement vulnérable, car elle ne connaissait personne à Paris, personne d'assez proche pour l'aider à sortir de cette impasse. Sa présence en France n'était pas encore tout à fait légale et elle comptait sur son mariage pour régulariser sa situation. À son arrivée, Richard l'avait installée dans cet appartement et lui avait donné une carte bancaire dont il réapprovisionnait le compte chaque semaine, ce qui lui permettait de subvenir à ses besoins quotidiens. Mais le compte s'épuisait rapidement et elle n'était pas sûre d'avoir encore assez d'argent pour acheter un billet de retour pour le Portugal. Du reste, elle refusait de songer déjà à de telles extrémités : retourner à Porto-Salvo, avouer l'échec de son aventure que tant de ses amies lui enviaient, reprendre sa petite vie linéaire et sans surprise, admettre qu'elle n'avait été qu'un numéro de série dans le carnet de chasse de ce Français dont tout le village disait qu'il se tenait trop droit pour être vraiment honnête...

Suzanna en avait les larmes aux yeux. Puis elle se reprenait, raisonnant de manière logique et cohérente : pourquoi avoir fait tant de frais, dépenser tant d'argent, son billet d'avion, cet appartement, le compte en banque, sans oublier tout le temps qu'il avait passé auprès d'elle ? Tout cela pour une midinette de passage, une aventure sans lendemain ? Suzanna ne parvenait pas à y croire. Donc elle patientait. Elle rangeait ses doutes au placard et recommençait à attendre que ce téléphone de malheur veuille bien sonner, ou qu'elle entende enfin une clé s'introduire dans la serrure suivi du déclic si familier, si doux, si rassurant de la porte qui s'ouvre.

Elle s'était un jour surprise à hypnotiser le cadran du téléphone afin que, quelque part dans la ville, la main de Richard soit irrésistiblement attirée par le téléphone le plus proche et compose son numéro qu'elle répétait inlassablement dans sa tête. Richard ! Oh Richard, par pitié ! Où es-tu ? Elle allait devenir folle s'il ne se manifestait pas très vite. Mais sans aucune explication, elle était incapable de prendre la moindre décision.

Suzanna se dirigea une fois de plus vers la fenêtre. Une fois de plus, elle colla son front contre la vitre froide et guetta les quelques allées et venues de la rue. Un vertige plus important que les autres lui rappela qu'elle n'avait presque rien avalé de la journée. Elle devait se forcer à manger, au moins pour l'enfant qu'elle portait. À regret, elle quitta son poste d'observation et saisit une pile de publicités éparses qui traînaient sur sa table de nuit. Domicile Pizza offrait des tarifs plus intéressants que ses concurrents, mais elle avait un mauvais souvenir de la quatre fromages. En haussant les épaules, elle décrocha le combiné du téléphone, composa le numéro à la vitesse de l'éclair et attendit impatiemment qu'on décroche à l'autre bout du fil.

Lorsqu'elle entendit la voix de la standardiste débiter d'un ton neutre la formule d'accueil, Suzanna ne lui laissa même pas le temps d'achever sa phrase : elle commanda d'une traite une pizza hawaïenne, suivie de son nom et son adresse. Comme on lui demandait de répéter plus lentement, Suzanna s'exécuta, non sans une certaine exaspération dans la voix. Enfin, elle comprit que toutes ses informations avaient été bien enregistrées et raccrocha précipitamment le combiné, de peur que Richard ne cherche à la joindre à cet instant précis. Puis elle s'affala sur son lit et saisit l'oreiller qu'elle serra fort contre elle.

Ne plus bouger, ne plus émettre le moindre son, écouter le silence afin d'être la première à percevoir chaque bruit de l'immeuble, la porte d'entrée que l'on pousse, l'ascenseur qui se met en marche, deviner l'étage auquel il s'arrêtera par le seul bruit de son mécanisme, reconnaître le pas du voisin d'à côté, un vieux bonhomme qui n'avait certainement jamais souri de toute son existence tant ses traits tombaient et s'effondraient en lambeaux de chair sur un menton sec et aride.

Suzanna se désintègre, se dématérialise, elle devient mur, brique, plancher, ciment, mortier. Elle respire avec l'immeuble, dominant le moindre souffle d'air qu'elle transforme en soupir, telle une lumière qui s'allume quelque part au plus profond de cet organisme de béton. Elle sait identifier chaque son qui parvient jusqu'à elle, le claquement d'une porte, le grincement d'une fenêtre, le gargouillis d'un tuyau, le frôlement d'une pantoufle sur un tapis de fibre synthétique. Si Richard arrivait maintenant, elle déterminerait sa présence à l'instant précis où il poserait sa main sur la porte d'entrée. L'attente lui a poli les nerfs et chaque battement de cœur résonne en elle comme le tic-tac des aiguilles d'une montre.

Lorsqu'elle rouvrit les yeux, Suzanna dû se répéter plusieurs fois de suite que lorsqu'on sonnerait à la porte, ce ne serait que le livreur de pizzas. La moindre déception pouvait déclencher en elle des accès d'accablement qu'elle avait de plus en plus de mal à surmonter. Les questions recommençaient alors à s'entrechoquer dans sa tête, les doutes, l'incertitude, l'angoisse du lendemain et surtout, surtout cette solitude pesante, insupportable, le besoin irrépressible de parler à quelqu'un, d'entendre une voix s'adresser à elle, de voir un visage ami, familier au milieu de cette foule d'étrangers, de figures anonymes, de regards vides et parfois même hostiles.

Suzanna reconnut le livreur de pizzas à sa manière un peu molle de pousser la porte d'entrée d'une main, l'autre étant prise par le large carton chaud qu'il fallait maintenir bien droit. Puis cette hésitation caractéristique qui cherche l'ascenseur tout en vérifiant sur les boîtes aux lettres le numéro de l'étage...

Elle se prépara à ne pas sursauter lorsqu'on sonnerait à sa porte, à ne pas espérer — Richard aurait très bien pu perdre son jeu de clés mais non, décidément ! Cette démarche incertaine ne lui ressemblait en rien. Elle entendit les pas dans le couloir qui se dirigent vers sa porte, ralentissent à son niveau, s'arrêtent, vérifient... On sonne. Suzanna se leva mécaniquement, comme sous l'emprise d'une hypnose. Elle ouvrit le tiroir de sa table de chevet, saisit un billet de vingt euros et marcha jusqu'à l'entrée. Puis, elle ouvrit la porte.

Tout d'abord, elle crut qu'il s'agissait d'une erreur. Cette femme d'un certain âge vêtue d'un manteau de fourrure n'avait rien d'un livreur de pizzas. Du reste, elle ne tenait rien entre ses mains, juste un beau sac de cuir qu'elle portait en bandoulière. Il y eut un court silence et les deux femmes se regardèrent.

— Vous êtes Suzanna Da Costa, je présume ?

Suzanna discerna immédiatement l'intonation légèrement hautaine pointant dans la voix qui l'apostrophait.

— *Si*... répondit-elle d'une voix atone.

— Je suis Jeanne Tavier, la femme de Richard.

Suzanna ne perçut qu'un seul mot : « Richard. » Elle eut la sensation qu'on lui infligeait une décharge électrique dans tout le corps. Son cœur se mit à cogner violemment dans sa poitrine et un flux de sang fut propulsé dans ses veines.

— *Si* ?

Cette fois, ce fut un cri qui jaillit du fond de ses entrailles. En voyant l'émoi que provoquait la seule mention du nom de son mari, Jeanne leva les yeux au ciel en poussant un soupir exaspéré.

— Je peux entrer ? demanda-t-elle en avançant d'un pas.

Suzanna s'effaça instantanément pour la laisser passer.

— *Si, si !*

Alors qu'elle entrait, Jeanne se retourna sur elle et la dévisagea.

— Vous parlez français ?

— Un peu, répondit Suzanna en esquissant un maigre sourire encourageant.

— Le charme de la Méditerranée ! grommela Jeanne entre ses dents. Vous êtes quoi, espagnole, italienne ?

— Portugal !

— Portugaise... maugréa-t-elle comme s'il s'agissait d'une absurdité. Ça nous manquait !

Lorsque Suzanna referma la porte, elle s'approcha de sa visiteuse et l'observa intensément. Jeanne fit le tour de l'appartement d'un œil critique.

— C'est Richard qui vous a offert cette adorable garçonnière ?

— Ricardo ? interrogea Suzanna avec empressement.

Jeanne se retourna.

— Oui, Richard ! J'ignore ce qu'il représentait réellement pour vous bien qu'il ne soit pas très compliqué de se faire une idée de la nature de vos relations... (Jeanne plongea son regard dans celui de Suzanna.) Vous êtes jolie, c'est indéniable, sans être vraiment le genre de Richard. (Elle se tut quelques secondes avant de s'apercevoir que Suzanna ne réagissait pas.) Vous comprenez ce que je dis ?

— *Eu não percebo*... Difficile pour moi !

Pas autant que pour moi, ma belle, grommela-t-elle encore en détaillant la jeune fille de la tête aux pieds.

— Ricardo... OK ?

Jeanne observa attentivement les traits de Suzanna comme si celle-ci se moquait d'elle.

— Ma parole ! On dirait que tu n'es même pas au courant ! C'est pour cela que je ne t'ai pas vue au cimetière l'autre jour, grommela-t-elle... Où donc Richard a-t-il bien pu te dénicher, toi ?

Suzanna fit un geste impuissant qui signifiait qu'elle ne comprenait pas ce que sa visiteuse lui disait.

— Non, pas OK ! reprit Jeanne tout haut. Pas OK du tout, ton Ricardo ! Mort, enterré, couic !

ajouta-t-elle en mimant d'un mouvement sec de la main une gorge que l'on tranche.

Suzanna écarquilla les yeux.

— Ricardo ! *Ele morreu ? Não è possivel !* Ricardo où ? commença-t-elle, affolée.

— Oh ! Oh ! Oh ! Du calme !

Suzanna avait déjà les larmes aux yeux et tremblait de tout son corps. Jeanne crut que la jeune femme allait céder à une crise d'hystérie et en fut décontenancée. Elle n'avait pas prévu une réaction aussi spontanée, totalement dépourvue de ruse et de malice comme elle avait l'habitude d'en affronter lorsqu'elle se trouvait en présence d'une rivale. Suzanna paraissait bouleversée et réellement perturbée par ce qu'elle venait d'apprendre. Jeanne lui saisit le bras et la força à s'asseoir sur le lit.

— Qu'est-ce que c'est que cette histoire ? D'où sors-tu, à la fin ? Ça fait presque une semaine qu'il est enterré, et toi, tu reviens de Pontoise !

Suzanna se mit à sangloter éperdument, sans plus chercher à comprendre ce qu'on lui voulait. La soupape atteignait son seuil critique et les nerfs lâchaient. Elle percevait inconsciemment que sa longue attente touchait à sa fin et, tout à coup, elle n'était plus très sûre de vouloir savoir. Le doute lui laissait au moins l'espoir, un sursis dans l'appréhension de la catastrophe. Car l'univers fragile dans lequel elle évoluait depuis deux mois révolus n'avait de raison d'être qu'à travers l'existence de Richard. Sa disparition entraînait avec elle l'effondrement des fondations sur lesquelles, tant bien que mal, elle tentait de reconstruire sa vie. Dans cette ville, dans ce pays étranger, Suzanna était déracinée et le seul lien qui l'attachait à une structure sécurisante était sur le point de se briser.

Jeanne restait là, sans rien dire, à contempler cette jeune étrangère totalement désemparée qui se recroquevillait sur elle-même. Tout cela n'était pas prévu au programme. Elle avait plutôt imaginé devoir faire face à une femme arrogante qui l'examinerait d'une manière hautaine, instaurant dès les premières secondes de leur entrevue un rapport de force. Elle avait alors prévu d'amener sa rivale à considérer sa victoire sous un œil plus clément et comptait, par des paroles et une attitude humble, la persuader d'aller ensemble sur la tombe de Richard lui rendre un dernier hommage.

Elle ne douta pas un instant qu'elle trouverait les mots adéquats, arguant par exemple qu'elle avait droit à un dernier contact sans mensonge ni faux-fuyant. Elle prévoyait ensuite de promettre à son ennemie qu'elle se retirerait du jeu et, puisque c'était là les dernières volontés de Richard, qu'elle lui laisserait la place, sans chercher à lui nuire ni à la discréditer aux yeux de son entourage, fort puissant comme elle devait ne pas l'ignorer.

Une fois devant la tombe du cher disparu, il ne lui resterait qu'à assommer l'impudente avec une pierre, creuser jusqu'au cercueil de Richard, y balancer le corps inerte (mais toujours vivant), et reboucher le trou.

Jeanne aimait particulièrement imaginer la garce se réveillant aux côtés de son amant et comprenant que leur destin était désormais scellé à tout jamais. Après tout, c'est exactement ce qu'elle avait désiré, n'est-ce pas ?

Mais à présent qu'elle se trouvait confrontée à la garce en question, Jeanne ne savait pas très bien par quel bout la prendre. Elle avait tablé sur le caractère méprisant et intéressé, sur l'arrogance et sur l'insolence de sa rivale pour justifier son geste. Cette petite chose démunie, secouée de spasmes et de chagrin la laissait sans arme.

— Ne me dis pas que tu l'aimais vraiment, murmura-t-elle avec une prévenance dont elle fut elle-même étonnée.

105

Surprise par la douceur du ton, Suzanna releva la tête.

— Qui vous être ?

Jeanne fut frappée par la profonde détresse qu'elle lut dans le regard de la jeune femme. Elle se rembrunit et, après avoir hésité quelques secondes, répondit d'une voix chaude :

— Une amie.

Suzanna hocha la tête sans parvenir à sortir le moindre son et ses pleurs redoublèrent. Même si elle n'avait jamais vu cette « amie », et si Richard ne lui en avait même jamais parlé, la simple évocation de ce mot occasionna en elle un déluge de chaleur qui produisit un bouleversement proche du choc de deux continents. Une amie ! Elle s'effondra dans les bras de Jeanne et s'y agrippa de toute la force de sa douleur. Désemparée, Jeanne n'eut pas le cœur de la rejeter.

Quelques instants plus tard, elle refermait les bras autour de Suzanna et lui caressait la tête d'un geste tendre.

C'est le coup de sonnette qui brisa le charme. Suzanna sursauta, tous les sens aux aguets. Elle s'arracha des bras de Jeanne et se précipita vers l'entrée, submergée par une bouffée d'espoir irrationnel. C'était absurde ! On aurait dit que, suite au néant annoncé, une infime bouffée d'air, presque un soupir, avait exhalé son souffle d'espoir, faisant rougeoyer la maigre lueur d'illusions qui agonisait encore dans son cœur.

Les quelques pas qui l'entraînèrent jusqu'au hall d'entrée lui parurent de véritables lieues infranchissables. Quelqu'un se tenait derrière la porte, quelqu'un qui venait du monde extérieur et peut-être même était-ce Richard...

La femme au manteau de fourrure avait disparu de son souvenir et Suzanna redevenait la jeune fille amoureuse, celle qui attend l'être aimé pleinement, chaque centimètre de sa peau en éveil, avec cette chose qui bat à tout rompre au fond de sa poitrine, et ce sang rouge qui bouillonne dans ses veines. La vie n'était que saveurs, bruits, odeurs, merveilleuse et terrifiante à la fois. La seconde suivante, Suzanna volait vers la porte d'entrée, légère, folle, vaporeuse. La matière n'existait plus et l'air qui remplissait ses poumons lui brûla la gorge, et l'embrasa de mille flammèches picotantes...

Lorsqu'elle ouvrit la porte, elle se figea sous le coup de l'étonnement.

— Pour la pizza hawaïenne, c'est ici ?

Un jeune homme se tenait devant elle, les mains encombrées d'un sac isotherme aux couleurs italiennes. Devant le visage stupéfait de Suzanna, il tendit vers elle un bon de commande tout en y vérifiant l'adresse indiquée.

— Rue Tesson, numéro dix... Da Costa... (Il s'interrompit, tant l'expression de la jeune femme le perturba.) ... Quelqu'un a commandé une pizza... Je...

Suzanna mit quelques secondes avant de comprendre ce qu'on lui voulait. Elle dévisagea le livreur de pizzas comme s'il atterrissait tout droit d'une autre planète. Le jeune homme rougit et baissa les yeux. Ensuite, et puisqu'il n'y avait rien d'autre à faire, il ouvrit le sac et en extirpa un large carton plat qu'il tendit vers Suzanna. Celle-ci essuya ses larmes d'un revers de main et acquiesça sans mot dire. Elle fouilla ses poches, retrouva le billet qu'elle avait préparé quelques instants plus tôt et le déposa sur le carton. Puis, elle referma simplement la porte.

Derrière une porte close, un jeune homme se tenait cloué sur place, tenant à la main une pizza hawaïenne dans un carton chaud sur lequel était posé un billet de vingt euros, sans très bien savoir si le trouble qu'il ressentait était dû à la jeune fille qu'il

107

venait de voir ou à la situation. Il lui fallut quelques instants avant de pousser un soupir résigné.

Lorsque Suzanna réapparut dans la salle de séjour, Jeanne se tenait toujours sur le lit, dans la même position que celle dans laquelle elle l'avait laissée un peu plus tôt. À la vue de la femme au manteau de fourrure, la jeune étrangère ressentit un immense vide l'envahir, prendre possession de son corps et de son esprit. C'était comme un cauchemar dont on tente vainement de se débarrasser et que l'on retrouve immanquablement dès que l'on ferme les yeux.

Jeanne se tenait droite, figée sur le lit, à la manière de ces mannequins de plastique que l'on voit dans les vitrines des magasins, les membres raidis dans une position semi-réaliste, la peau un peu luisante et le regard fixe, posé sur nulle part. Dans un soubresaut de révolte, Suzanna eut envie de se jeter sur elle et de la griffer au visage, juste pour s'assurer que cette femme était bien réelle, faite de chair et de sang. Mais ses membres ne réagirent plus et elle baissa la tête. Le souvenir de Richard lui revint en mémoire, son regard doux et heureux qui l'enveloppait amoureusement, et aussi cette expression brûlante qu'il avait lorsqu'il avançait la main vers elle et lui caressait tendrement la joue, comme si elle était le trésor le plus précieux de l'univers...

Suzanna avait l'impression qu'elle était brutalement rejetée du paradis, que ce monde de douceur et d'extase lui était désormais interdit et que, jamais plus, elle n'aurait le droit d'y revenir. La vie avait perdu ce goût d'éternité et le monde lui parut cruel et sans merci. Elle releva la tête et son regard croisa celui de Jeanne. L'espace d'un instant, il y eut un éclat, infime et tellement court qu'il resta gravé dans leur mémoire comme un vague souvenir ténu sur lequel on ne peut mettre de mot : les deux femmes se comprirent pleinement, elles furent sœurs dans la détresse, si proches l'une de l'autre qu'elles auraient pu se connaître depuis toujours.

Puis Jeanne détourna les yeux et poussa un soupir exaspéré un peu trop théâtral pour être réellement sincère.

— Bon ! On ne va pas rester plantées là pendant des heures à se lamenter sur notre sort, s'exclama-t-elle à haute voix. (Puis elle ajouta comme pour elle-même :) Finalement, les choses vont être beaucoup plus faciles que je ne l'imaginais.

D'un mouvement ferme et décidé, elle se leva et se dirigea vers l'entrée. Là, elle saisit le manteau de Suzanna et le lui tendit avec autorité.

— On va rendre une petite visite au prince charmant si vous le voulez bien. Après tout, vous n'êtes pas obligée de me croire sur parole, ajouta-t-elle avec ironie.

Suzanna endossa son manteau sans rechigner ni poser de question. Que pouvait-elle faire d'autre que suivre cette femme tombée du ciel qui semblait désormais vouloir prendre les choses en mains ? Elle n'avait plus aucune force en elle, plus la moindre parcelle de lucidité pour réagir de manière clairvoyante et perspicace. Du reste, elle s'en fichait royalement.

Jeanne la considéra avec agacement : cette petite garce avait l'air plus morte que vive, et l'idée de se débarrasser de quelqu'un déjà mort lui parut soudain fade et sans intérêt. À présent, elle avait la sensation qu'elle devait s'acquitter d'une corvée encombrante. Contrariée, Jeanne saisit Suzanna par la main, et ouvrit la porte de l'appartement. En débouchant dans le couloir, elle faillit trébucher sur un carton de pizza posé sur le pas de la porte. Jeanne perdit patience et d'un coup de pied rageur, elle envoya valdinguer le carton à l'autre bout du couloir. Puis, elle se dirigea vers l'ascenseur.

Suzanna lui emboîta le pas sans résistance.

10

Jeanne se rendit directement à la petite porte dérobée. Les deux femmes n'avaient pas échangé une seule parole durant tout le trajet et Suzanna s'était contentée de suivre Jeanne comme un petit animal docile et soumis. Lorsqu'elle comprit qu'elles se rendaient au cimetière, elle se mit à pleurer doucement, en silence, la tête baissée avec résignation, sans chercher à retenir ses larmes ni même à faire bonne figure.

Elle marchait derrière le manteau de fourrure d'un pas traînant, ce qui obligeait Jeanne, dont l'exaspération ne fit qu'accroître, à la tirer constamment par le bras. Cette dernière ne cherchait même plus à composer une attitude qui aurait normalement dû servir son plan et endormir la méfiance de sa rivale... Elle avait juste hâte d'en finir, de se débarrasser de cette gourde qui ne cessait de pleurnicher et de geindre et qui ne comprenait rien à rien.

Enfin elles pénétrèrent dans le cimetière. La brume s'était levée et une grosse lune ronde apparaissait de temps à autre, entre deux colonnes de nuages dont la teinte rosée se découpait nettement dans le ciel. Jeanne serpenta entre les sépultures et les monuments funéraires et, sans aucune hésitation, conduisit Suzanna devant la tombe de

Richard. Puis elle empoigna la jeune fille et la poussa sans douceur devant elle.

— Voilà, c'est ici.

Suzanna se tourna vers elle et lui lança un regard perdu et contrit, comme si elle avait oublié ce qu'on attendait d'elle. Jeanne pointa l'amas de terre du doigt :

— Ricardo.

Les yeux baignés de larmes, Suzanna contempla la tombe tout en secouant la tête dans un signe de contestation. Elle se tenait debout devant le rectangle de terre retournée, les bras ballants le long du corps, inerte et sans vie si ce n'est qu'elle reniflait bruyamment à intervalles réguliers. Rien ne prouvait qu'il s'agissait bien de la tombe de Richard, mais Suzanna ne parvenait pas à douter de ce qu'avançait la dame au manteau de fourrure. Après tout, le trépas n'était-il pas l'unique explication plausible au silence prolongé de Richard ? Seule la mort était assez puissante pour parvenir à séparer les deux amants !

Suzanna tenta de puiser au plus profond d'elle-même assez de force pour maîtriser la nausée qu'elle sentait monter en elle. Voilà donc tout ce qu'il restait de l'amour de sa vie, celui qui avait donné un sens à son existence, l'homme qui lui avait ouvert les portes du monde et l'avait arrachée à l'avenir mesquin auquel elle était destinée... L'homme auquel elle devait tout !

Le sol se mit à tanguer dangereusement sous ses pieds et elle tomba à genoux devant la tombe. Elle se ramassa sur elle-même, s'étreignant la taille de ses deux bras repliés et tout son corps fut secoué de convulsions incontrôlées tandis qu'une longue plainte libératrice jaillit du fond de ses entrailles. Elle n'était plus que douleur et souffrance, le cœur à vif, chacun de ses traits crispés en un rictus qui traduisait un calvaire insupportable.

Une fois de plus, Jeanne se sentit profondément troublée par la réaction de Suzanna. Elle ne pouvait s'empêcher de s'identifier à la jeune femme, de reconnaître la détresse à laquelle elle était en proie, ce déchirement quasi physique qu'elle tentait d'expulser par tous les pores de sa peau. Oui ! Elle la comprenait, elle savait ce que pouvait être cette blessure mortelle qui la frappait en plein cœur...

Jeanne se secoua. Ce n'était pas le moment de se laisser attendrir. Les sanglots déchirants de Suzanna n'y changeaient rien, elle devait agir maintenant, sans traîner. C'était sa seule chance, l'unique occasion qui lui serait donnée de garder ce qui lui appartenait. D'un coup d'œil furtif, elle s'assura que la pierre et la pelle étaient à leur place.

Suzanna se tenait toujours à genoux, balançant son corps d'avant en arrière comme si, épuisée, elle essayait encore de se débarrasser du mal qui la consumait. Elle gémissait d'une voix rauque et encombrée, proférant des mots épars dans sa langue natale, dont Jeanne ne saisissait pas le moindre sens. Celle-ci se dirigea discrètement du côté où elle avait rangé ses outils. Elle s'empara de la pierre et revint se placer derrière Suzanna, la surplombant de toute sa hauteur. La jeune fille ne se retourna même pas. Elle était seule au monde, seule avec le souvenir de Richard, seule avec son désespoir et sa souffrance.

Jeanne inspira une grande bouffée d'oxygène et s'apprêta à brandir la pierre. Elle bloqua l'air dans ses poumons et ferma les yeux... Puis, elle se sentit défaillir. Lorsqu'elle avait poussé Richard du haut de l'escalier, elle avait succombé à la force d'une impulsion, un élan révolté qui avait pris possession de ses pensées et avait guidé ses gestes, la dépouillant de toute responsabilité future. Elle n'avait pas prémédité de tuer Richard. Jeanne palpa fiévreusement la pierre, comme si elle cherchait à la pétrir, à la ramollir pour en atténuer la rigidité. Suzanna ne cessait de se balancer. Elle avait ramené ses bras au niveau de son ventre qu'elle caressait avec frénésie, faisant aller et venir dans un mouvement circulaire la paume de ses mains ouvertes et tendues, crispées sur toute la surface de son bas-ventre. À présent, elle parlait, elle débitait d'une voix meurtrie de longues phrases dénuées de sens.

Jeanne ne put s'empêcher de contempler la jeune femme, détaillant chaque centimètre de ce dos recroquevillé, secoué de spasmes maladifs. Elle admira encore l'épaisse chevelure, lourde et brillante qui recouvrait ces pauvres épaules repliées sur elles-mêmes et puisa dans l'injustice de cet atout la haine qui lui faisait défaut. Elle expulsa violemment l'air de ses poumons. À quoi bon prolonger l'agonie d'un moment aussi fatal qu'inéluctable ? Suzanna était très belle, et c'est uniquement à cause de cela qu'elle, Jeanne Tavier, allait bientôt se trouver ruinée et démunie. Elle respira une nouvelle fois avec force et, d'un mouvement puissant, souleva la pierre au-dessus de sa tête.

Suzanna pleurait et parlait. L'accablement avait fait place à la fureur et elle paraissait s'adresser directement à Richard, le questionnant avec rage, puis semblait lui faire part d'une suite interminable d'états d'âme et d'émotions plus intenses les unes que les autres. Des sons chantants et gutturaux vinrent frapper l'oreille de Jeanne, se succédant à toute vitesse, et leur musicalité dansa autour d'elle, rythmant ses pulsions cardiaques, ainsi que la force avec laquelle elle brandissait la grosse pierre ronde, tel le décompte final dont elle avait besoin pour accomplir son geste. Elle se tendit toute entière vers le ciel, soulevant son arme à bout de bras, et rassembla en quelques secondes toute l'aversion, toute la haine, toute l'amertume qui l'avait rongée depuis tant d'années. Pour le mépris qu'elle avait enduré... Jeanne accentua encore son élan. Pour les nombreuses frustrations qu'elle avait enfouies au fond d'elle-même...

Elle banda ses muscles afin d'accroître encore la force qu'elle ne cessait de soutirer de sa rancune. Pour la solitude, pour la peur, pour la tristesse de sa jeunesse perdue, pour les rides trop marquées qui avaient flétri sa figure, pour cette bouche autrefois généreuse dont les coins retombaient aujourd'hui, pour ce visage terne et éteint qui ne supportait plus la comparaison avec certaines femmes de plusieurs années son aînée, pour tout ce temps qu'elle avait attendu avec une patience infinie, persuadée que le monde est bon et qu'il s'ouvrira un jour réellement devant elle, pour les injures et les insultes, pour les regards dédaigneux auxquels elle avait dû sourire, pour les nuits de cauchemar et d'angoisse, pour ce cœur gorgé de haine, brisé depuis si longtemps...

Dieu sait qu'elle avait aimé Richard, qu'elle aurait tout donné pour un geste tendre, ou seulement un regard amical ! Pour tout cela, Suzanna ne pouvait vivre, pleurer son amour perdu et endosser innocemment l'habit de la veuve légitime aux yeux du monde.

Jeanne, tendue à l'extrême, étira une ultime fois ses bras vers la voûte céleste, hissant au paroxysme de l'élan l'arme qu'elle s'apprêtait à abattre sur la jeune fille, compta mentalement jusqu'à trois... Puis se figea, foudroyée par ce qu'elle venait d'entendre.

Suzanna pleurait toujours, mais à présent elle gémissait doucement en murmurant avec une infinie tristesse deux mots, deux pauvres mots qu'elle répétait sans cesse. « *Meu bebe, meu bebe, meu bebe...* » Et pour ne laisser aucun doute sur le sens qu'elle entendait donner à sa litanie, elle caressait son ventre en y joignant un geste d'offrande,

comme si elle cherchait à remettre ce qu'il contenait à l'homme étendu six pieds sous terre.

Jeanne sentit son sang se congeler dans ses
veines. Sous le coup de la stupeur, elle suspendit
son geste et crut que ses bras allaient se démem-
brer, les muscles raidis, lourds et paralysés, la gorge
totalement asséchée. De peur de se laisser entraî-
ner par le poids de la pierre, elle baissa lentement
les mains au niveau de sa taille puis reposa le pavé
sur le sol et resta là un long moment, tremblante et
sans ressource.

Suzanna poursuivit sa plainte quelques instants
encore, d'une voix de plus en plus faible, puis les
deux mots s'espacèrent, se découpèrent et se
hachèrent avant de mourir dans un dernier sanglot.

Il y eut un long silence durant lequel les deux
femmes parurent retrouver quelques forces.
Suzanna respirait doucement, vide et épuisée, tandis que Jeanne tentait de reprendre ses esprits. Peu
à peu, les images s'organisèrent dans sa tête : elles
cessèrent de se chevaucher dans un chaos indéchif-
frable, surimpression confuse et dénuée de toute
logique, du moins apparente... Bientôt, certaines
figures se firent jour, et des semblants de pensées
émergèrent du désarroi dans lequel elle se trouvait.

Un bébé !

Le bébé de Richard... En vérité, cela changeait
tout ! Jeanne était trop désorientée pour percevoir
cette nouvelle donnée à sa juste valeur et l'inclure
dans le contexte adéquat. Mais elle savait de façon
précise et définitive que tout avait basculé. Le
visage hagard, elle considéra Suzanna qui se tenait
toujours de dos, à genoux, molle et sans aucune
énergie.

Jeanne sentit qu'il lui fallait trouver très vite une
suite aux événements si elle ne voulait pas que la
jeune femme lui échappe. Elle devait donner
l'impression de maîtriser totalement la situation et

pourtant n'en ressentait ni l'envie, ni le courage. Richard allait avoir un enfant... Dès qu'il l'avait su, il avait fait modifier son testament afin de toucher l'héritage de son défunt père. Sans doute comptait-il s'installer avec la jeune étrangère, l'épouser et vivre la vie de famille à laquelle il avait toujours rêvé. Et elle, Jeanne, quelle place tenait-elle dans ce tableau idyllique ? La réponse, trop évidente, tardait à prendre la forme de mots déterminés et explicites. C'était comme si son esprit remettait constamment à la seconde suivante la vérité d'une situation qu'elle refusait encore et toujours d'admettre, malgré les évidences flagrantes qui ne laissaient pourtant aucun doute sur la réalité des circonstances.

Jeanne déglutit puis se racla machinalement la gorge. Elle posa la main sur l'épaule de Suzanna qui tressaillit imperceptiblement. La jeune femme tourna la tête et la leva vers elle, puis la regarda gravement, les yeux cernés de peine. Jeanne eut le plus grand mal à soutenir son regard mais parvint néanmoins à ne pas baisser les yeux. Elle attendit quelques instants puis saisit Suzanna par le coude et la força à se relever. Celle-ci se laissa redresser sans protester. Au prix d'un immense effort, Jeanne lui adressa un sourire qu'elle espéra confiant et chaleureux.

— Venez, ne restons pas là, dit-elle en lui saisissant le coude pour l'emmener vers la sortie du cimetière.

Suzanna hésita. Elle ne parvenait pas à y voir clair, à analyser sa situation de manière avisée et pouvoir ainsi appréhender la suite des événements avec lucidité. Qui était réellement cette femme riche et élégante qui avait surgi dans son univers paradisiaque pour la précipiter sans autre forme de procès dans l'enfer de la réalité ? Richard n'avait jamais évoqué cette « amie » subitement tombée du ciel... Pouvait-elle lui faire confiance ? Mais avait-elle vraiment le choix ? Qu'allait-elle devenir, maintenant que plus personne n'approvisionnait le compte en banque ? Comment allait-elle payer le loyer, la nourriture, les produits de première nécessité, comment allait-elle vivre dans cette ville, dans ce pays où elle ne connaissait personne, et dont elle ne parlait même pas la langue, ou si peu ? Suzanna dut rapidement se rendre à l'évidence : elle n'avait guère d'autre issue que de suivre la femme au manteau de fourrure et lui faire confiance. Avec résignation, elle lui fit comprendre d'un hochement de tête qu'elle la suivait mais se dégagea de la poigne de Jeanne.

— Où aller nous ? demanda-t-elle presque par principe.

Jeanne mit quelques secondes avant de répondre. En vérité, elle ne le savait pas elle-même. Très peu de solutions se présentaient à elle, sans compter que le « problème Suzanna » subsistait toujours : l'unique héritière des biens de Richard et à présent de ceux du père... L'existence de cet enfant lui donnait droit à l'entièreté du patrimoine des Tavier qui, sans faire partie des plus grosses fortunes de France, était néanmoins considérable.

Jeanne sentit la tête lui tourner. Elle avait une vague idée du nombre de zéros qui s'aligneraient sur le compte en banque de la jeune femme et lui assureraient une confortable rente à vie. D'un autre côté, si elle la tuait, elle gâchait la seule possibilité qui lui était offerte de récupérer la seconde partie de l'héritage du père Tavier. Le notaire avait été clair à ce sujet : si Richard disparaissait sans laisser d'héritier mâle, cette coquette somme reviendrait alors dans sa totalité à l'armée française.

Jeanne frissonna... L'esquisse d'un plan se dessina lentement dans sa tête, ou plutôt une vague idée totalement saugrenue, absurde, insensée...

Rien de concret, rien de rationnel ni de réalisable...
Juste la conviction intime qu'elle avait besoin de
Suzanna autant que celle-ci avait besoin d'elle.

— Où aller-nous ? répéta Suzanna sans quitter
Jeanne d'une semelle.

— Vous avez des amis, de la famille à Paris ?

Elles étaient arrivées devant la petite porte dérobée et s'apprêtaient à quitter le cimetière. Jeanne se
retourna vers la jeune étrangère et attendit la
réponse à sa question. Suzanna secoua négative-
ment la tête.

— Parfait ! murmura-t-elle avant de se remettre
en route.

Suzanna lui emboîta le pas.

— *Posso ir consingo ?* Heu... Moi, aller avec
vous ?

Tout en regardant droit devant elle, Jeanne ébaucha un sourire froid.

— Bien sûr que tu viens avec moi, ma belle ! À
partir de maintenant, on ne se quitte plus d'une
semelle !

11

Edwige n'avait plus eu de nouvelles de Jeanne depuis le jeudi précédent, jour de la lecture du testament. Et Jeanne ne répondait pas au téléphone. Edwige refusait de s'inquiéter outre mesure mais estimait que son amie aurait tout aussi bien pu donner signe de vie, juste pour dire que tout allait bien. Elle n'avait aucune envie de jouer les mères tourmentées, mais « après tout ce qu'elle avait fait pour elle »...

C'est pourquoi, lorsque Jeanne se manifesta spontanément, Edwige accueillit la voix de son amie à l'autre bout du fil avec véhémence.

— Bon sang, Jeanne ! Qu'est-ce qui te prend de disparaître comme ça sans prévenir personne ? Tu sais que...

— Edwige... Oh Edwige, il faut absolument que je te voie ! l'interrompit Jeanne d'un ton exalté. Il m'arrive quelque chose de tout à fait surprenant, et je ne peux en parler qu'à toi... Du moins pour l'instant. Viens vite, je t'attends !

Un signal discontinu indiqua qu'elle avait coupé la communication.

— Jeanne ?

Edwige raccrocha à son tour en jurant entre ses dents.

« Je rêve ! Elle va me rendre dingue ! Qu'est-ce qui se passe encore dans la tête de cette folle ? »

Puis elle sonna sa femme de chambre et annonça qu'elle sortait. Edwige se mit elle-même au volant de sa BMW Z3, petit caprice qu'elle s'était offert deux semaines auparavant, et traversa la capitale à vive allure sans vouloir s'avouer qu'elle était rongée par la curiosité. Arrivée devant la porte de l'hôtel particulier, elle descendit de sa voiture et s'étonna déjà que personne ne vint la recevoir et lui prendre les clés afin de garer son petit bijou à l'abri du commun des mortels. Pas de portier empressé, pas de personnel d'accueil...

Edwige fronça les sourcils et s'avança jusqu'au perron. Elle sonna deux coups puis attendit qu'on vienne lui ouvrir. Comme personne ne se manifestait assez rapidement à son goût, elle commença à s'impatienter. « Que se passe-t-il encore ? s'interrogea-t-elle. Ne peut-elle pas tout simplement reprendre une vie normale au lieu de jouer les cachottières ? Cette histoire commence sérieusement à m'épuiser ! Et si elle s'évertue à... »

Edwige interrompit le fil de ses réflexions lorsqu'elle entendit qu'on introduisait une clé dans la serrure intérieure de la porte d'entrée et vit que celle-ci s'entrebâillait faiblement.

— Jeanne ? Jeanne ! C'est moi, Edwige ! Pour l'amour du ciel, ouvre !

Tout d'abord, elle n'aperçut dans l'interstice de l'ouverture qu'un regard curieux et légèrement inquiet, puis elle reconnut son amie. Plaçant précipitamment son pied dans le jour de l'entrée, elle passa son bras afin de forcer le passage et ouvrit complètement la porte.

— Dieu soit loué, c'est toi ! s'exclama Jeanne en poussant un soupir de soulagement à la vue de son amie.

— Bien sûr que c'est moi, qui veux-tu que ce soit !

Jeanne referma rapidement la porte derrière elle et lui adressa un sourire apaisé.

— Viens, ne restons pas là, ajouta-t-elle en entraînant promptement Edwige vers la salle de séjour.

— Peux-tu m'expliquer à quoi riment tous ces mystères ? Qu'as-tu fait pendant toute cette semaine ? Tu aurais au moins pu me passer un coup de fil ! Et pourquoi n'y a-t-il aucun domestique dans cette maison ? Jeanne, j'ignore ce qui se passe ici, mais sincèrement...

— Chuuut ! Ne dis rien. Il m'arrive quelque chose de tout simplement impensable ! Moi-même, j'ai encore beaucoup de mal à réaliser... Il m'a fallu un jour ou deux avant de prendre la décision qui s'imposait. Tu ne peux pas imaginer à quel point la vie peut être ironique ! Mais à présent, tout va aller parfaitement bien, et je t'assure que je mettrai tout en œuvre pour...

Jeanne parlait avec empressement sans se soucier de la cohérence de ses propos. De plus en plus intriguée, Edwige la suivit jusqu'au salon tout en essayant de comprendre ce qui se passait.

— Installe-toi dans le fauteuil et ne bouge pas ! lui intima Jeanne sur un ton dont l'intransigeance étonna Edwige.

— Mais enfin, mon chou...

— Et surtout, ne dis rien !

Elle sortit de la pièce en laissant son amie seule, passablement intriguée. Quelques instants plus tard, elle reparut d'un pas nerveux, le visage emprunt d'une étrange expression à la fois très excitée et pourtant légèrement inquiète. Elle tenait quelque chose serré dans son poing, qu'elle prenait soin de cacher à la vue d'Edwige.

— J'ignore si ce que je fais est bien, si c'est hono-

rable, concevable ou tout simplement réaliste...
Dieu m'est témoin que j'y ai beaucoup réfléchi ces
derniers jours, mais...

— Laisse Dieu en dehors de tout cela et crache
le morceau, Jeanne ! Tu vas m'user les nerfs à force
de me laisser imaginer tout et n'importe quoi...

— D'accord, d'accord... Mais d'abord, il faut que
tu saches que personne d'autre n'est au courant.

— Au courant de quoi, bon sang ?

Jeanne prit place dans le fauteuil qui faisait face
à celui d'Edwige et plongea son regard dans le sien.
Elle attendit quelques secondes qui parurent durer
une éternité, puis reprit la parole sur ce ton exalté
qu'Edwige ne lui connaissait que trop et dont elle
se méfiait par-dessus tout.

— Par où commencer ? Tout cela est tellement
incroyable... Tu connaissais la nature de mes relations avec Richard, n'est-ce pas ?

— Oui, répondit la grosse dame littéralement au
supplice.

— Tu sais donc que ce n'était pas spécialement
la parfaite entente entre nous ?

— Abrège, tu veux !

— D'accord, d'accord... Néanmoins, certains
soirs, il arrivait à Richard d'être... comment dire...
plus affectueux que d'habitude. Il devenait alors
plus tendre et parfois même, il me proposait de passer la soirée avec lui. Jusque-là, tu me suis ?

— Qu'est-ce que tu cherches à me dire, mon
chou ? Que ton mari n'était pas l'immonde crapule
que nous avons toujours connue, toi et moi ?

— Non ! Je ne cherche pas à lui trouver des circonstances atténuantes... Je veux seulement t'informer que parfois, rarement en vérité, mais parfois
tout de même, j'ai pu avoir des rapports plus...
agréables avec lui.

— Plus agréables ?

— Oui... Des relations que chaque mari et femme

122

entretiennent tout naturellement... Tu vois ce que je veux dire ?

— Tu couchais avec ce monstre ? s'écria Edwige les yeux écarquillés par la surprise.

— Eh bien oui, répondit Jeanne, un peu vexée par la réaction de son amie. Il m'est arrivé, ces derniers temps, de... de coucher avec Richard.

Puis elle ajouta, plus froidement :

— Je sais qu'il y a longtemps que ce genre de choses ne t'est plus arrivé, et que Robert ne représente à tes yeux qu'un pantin insignifiant qui te sert de carton d'invitation dans un certain milieu, mais...

— Robert n'a rien d'un homme et il n'y a que son prénom qui me séduise encore. Mais je te rassure tout de suite, mon chou, la bagatelle est loin de me manquer et j'écarte les jambes plus souvent qu'à mon tour. Maintenant, ce que j'aimerais savoir, c'est où tu veux en venir avec tout ce débordement de confidences mièvres et gluantes...

Jeanne foudroya son amie du regard et prit un air outragé qui provoqua l'hilarité d'Edwige.

— Mon Dieu ! Cesse de tirer une tête pareille, on dirait que tu viens d'être éclaboussée par le pus du monde ! (Elle gloussa en sourdine pour décontracter l'atmosphère et prit le parti de faire la paix.) Désolée, mon chou, je n'ai pas voulu être vexante. Allons... Qu'est-ce qui t'arrive de si extraordinaire ?

Jeanne fit un effort de maîtrise afin de ne pas entériner une dispute qui n'aurait fait que perturber le déroulement de ses projets. Elle reprit, parvenant avec peine à desserrer les dents :

— Bref... Il y a de cela environ trois mois, j'ai... J'ai passé la nuit avec Richard et...

Edwige leva les yeux au ciel dans une moue légèrement dégoûtée. Jeanne s'interrompit, prête à éclater.

— Et ? interrogea Edwige de son air le plus innocent, encourageant son amie à poursuivre son récit.

Jeanne hésita quelques instants entre l'explosion totale, affronter Edwige tant celle-ci lui mettait les nerfs en boule, ou passer par-dessus les sarcasmes de son amie et poursuivre le but qu'elle s'était fixé trois jours auparavant. Il y eut un court silence durant lequel le regard amusé d'Edwige fut sur le point d'avoir raison de sa maîtrise. Mais Edwige dut percevoir qu'il se passait quelque chose de beaucoup plus sérieux qu'elle ne l'imaginait et effaça instantanément l'expression narquoise de son visage. Jeanne parvint à étouffer l'irritation qui la rongeait et reprit, le plus calmement possible :

— Depuis quelque temps, je ressens d'étranges sensations. Je me sens constamment fatiguée, comme à bout de force. J'ai tout le temps envie de dormir... Au début, j'ai mis cela sur le compte de... de la mort de Richard. J'avais l'impression de faire une légère dépression et... Bref, tu sais ce qui est réellement arrivé, les choses ne sont pas toujours faciles à assumer. Puis, il y a eu d'autres symptômes qui m'ont intriguée. Par exemple...

Jeanne s'interrompit, constatant avec satisfaction qu'Edwige était littéralement suspendue à ses lèvres.

— Continue, lui intima celle-ci dans un souffle.

— Par exemple, j'avais fréquemment envie de vomir le matin, en me levant. Et parfois, pendant la journée, je ressentais des sortes de chutes de tension. Et surtout...

— Surtout ?

— Surtout, j'avais mal à la poitrine, quelque chose d'assez intolérable. D'ailleurs, tu peux le constater, j'ai attrapé une sacré paire de seins !

— Que caches-tu dans ta main, Jeanne ? demanda lentement Edwige, comme si elle avait peur de la réponse.

Jeanne se contenta d'ouvrir le poing. Celui-ci contenait un accessoire de plastique blanc qui avait plus ou moins la forme et la taille d'un thermomètre. Au milieu, une fenêtre transparente découvrait deux petits hublots dont le centre de chacun était traversé par une ligne rose. Edwige resta sans voix durant quelques longues secondes. Jeanne, en vérité particulièrement ravie de l'effet qu'elle produisait, feignit le désarroi le plus total et ajouta d'un ton sentencieux :

— Je suis enceinte, Edwige !

Celle-ci hocha pensivement la tête, les yeux rivés sur le test de grossesse que Jeanne tenait à la main. Jeanne observa son amie et eut beaucoup de mal à contenir le sentiment de triomphe qui cognait dans sa poitrine. Edwige ne semblait pas mettre une seconde en doute ce qu'elle venait d'apprendre ! Edwige la croyait, elle considérait qu'il était possible que Jeanne fut enceinte de Richard !

Et si Edwige était prête à donner le moindre crédit à cette nouvelle fracassante, tout le monde le croirait.

TROISIÈME MOIS

*« Le cœur de l'embryon est autonome par rapport à
celui de la mère.*
*Il bat à son propre rythme bien que soumis à l'état
nerveux de la mère.*
*Quand celle-ci se trouve dans un état de stress, grosse
émotion ou colère,*
*son sang se charge d'adrénaline qui traverse le
placenta*
et influence le rythme cardiaque du bébé.
*C'est pourquoi, il est important que la mère ait une
vie calme. »*

12

« *Bien cher Maître,*
Je me permets de vous écrire afin de vous informer d'un nouvel élément de première importance intervenant dans la succession de mon défunt mari Richard Tavier. Malgré l'immense chagrin provoqué par sa disparition, cette nouvelle donnée apporte à ma triste destinée une toute autre dimension dont je me dois de vous faire part sans plus attendre. »

Le miroir reflète la silhouette d'une maigre femme. Regard inquiet, main fébrile dont la paume recherche avec avidité l'existence du moindre relief... Droite et tendue, Jeanne contemple son profil d'un regard soucieux. Concentrant toute son attention sur la forme de son bas-ventre qu'elle rentre et qu'elle sort avec application, elle tente péniblement de maintenir le ridicule arrondi de son giron inexistant, puis le relâche brutalement dans un soupir de désespoir. Une femme enceinte de trois mois est-elle censée avoir du ventre ? Les formes plantureuses de Suzanna l'inciteraient à répondre par l'affirmative, mais la jeune étrangère arbore naturellement un galbe généreux. Dès lors, que faut-il attribuer à la grossesse et que peut-on mettre sur le compte de la gourmandise ou de la coquetterie ?

« J'ai en effet l'immense bonheur de vous annoncer mon nouvel état de femme enceinte. En vérité, ma
grossesse date déjà de trois mois, mais depuis le
récent décès de mon mari, je n'ai guère eu le temps
ni la tête de m'enquérir des différents changements
qui s'opéraient en moi. C'est pourquoi je me trouvais
encore dans l'ignorance de mon état lors de la lecture
de son testament en votre étude le mois dernier. »

Jeanne caresse son ventre avec tendresse. Longuement. Du bout des doigts, elle effleure le pourtour de son nombril, puis remonte dans un frisson
jusqu'à ses seins qu'elle palpe fiévreusement. Quelle
est cette brûlure étrange qui submerge sa poitrine
et s'élève comme une onde jusqu'à la gorge ?

Jeanne ferme les yeux et tente de percevoir le flux
de chaleur qui envahit sa matrice. Cette petite créature qui se construit lentement au creux de son être,
que cherche-t-il à lui dire ? Une vague de tendresse
l'innonde alors, et lorsqu'elle ouvre les yeux, elle
contemple avec amour le reflet d'une femme qui se
tient devant elle, gracieux écho orné par le montant
du miroir.

Elle tient un enfant dans ses bras, un bébé rose
et gracile qui tête avidement son sein gonflé de lait.
Avec une infinie tendresse, elle caresse la joue ronde
du petit et, devant le sourire béat qu'il lui adresse,
son cœur se liquéfie instantanément comme fond
la neige au soleil.

L'enfant la regarde avec amour et reconnais-
sance, et Jeanne ne parvient plus à maîtriser son
émoi, une lame d'émotion intense qui déferle en
vrac jusqu'au plus profond de ses entrailles. Car
dans les yeux du nourrisson, elle reconnaît l'éclat
brûlant de Richard, le regard du temps béni des
passions partagées, celui dont elle se sentait enve-
loppée lorsqu'elle se donnait à lui et qu'il accueillait

l'offrande avec bonheur et gratitude. De quoi a-t-elle le plus souffert lors des trop longues années de discorde ? De ne pas recevoir, ou bien de ne rien pouvoir donner ?

Jeanne contemple la minuscule boule rose lovée entre ses bras. Il est si petit, si fragile, si dépendant d'elle, de son affection et de son corps... Et elle a tant d'amour en elle qu'elle se sent étouffer sous la charge de sentiments depuis trop longtemps réprimés.

« Je ne suis pas sans ignorer que l'arrivée prochaine d'un petit héritier change considérablement la suite des événements, puisqu'une partie de la fortune des Tavier lui revient de droit. Je sollicite donc un nouvel entretien avec vous et me tiens, dès à présent, à votre entière disposition.

Veuillez agréer, très cher Maître, l'expression de mes sentiments les plus distingués.

Jeanne Tavier. »

Quelques secondes se sont écoulées. La maigre Jeanne reprend ses esprits et observe avec étonnement son image dans le miroir. Son corps décharné lui fait honte, ce ventre aride, ces bras squelettiques, ces côtes saillantes, ces jambes trop maigres...

Elle aimerait chasser cette femme de son univers, de sa vue, de sa mémoire, retrouver la femme au bébé et se glisser dans sa peau à tout jamais. Les larmes au bord des yeux, elle détourne le regard de son reflet et enfile à toute vitesse un large pull en laine vierge et une ample jupe de toile écrue. Sa maigreur ainsi cachée, elle maquille son visage de teintes pastel qui adoucissent ses traits émaciés. Puis elle se coiffe rapidement à la sauvageonne, et cela ajoute un soupçon de mystère à son allure où souffrance, fragilité et passion se côtoient étrangement.

Quelques instants plus tard, elle descend les marches du grand escalier de marbre d'un pas retenu et prudent, comme si le moindre choc allait la briser irrémédiablement. Et tandis que le téléphone sonne depuis deux longues minutes déjà, Jeanne passe devant l'appareil sans esquisser le moindre geste pour le décrocher.

Il est temps d'agir, de s'organiser. Elle se dirige d'un pas rapide vers la cuisine dans laquelle elle s'enferme à double tour, comme si elle allait y commettre un acte délictueux. Une fois dans la pièce, elle contemple avec désarroi le monceau de victuailles en tous genres qui jonche l'établi.

Une alimentation équilibrée, voilà ce qu'il convient à une future mère : de la viande, du poisson et des œufs pour les protéines. Des laitages pour le calcium, des féculents pour les glucides ainsi que des fruits et des légumes pour les vitamines. Plusieurs bouquins de diététique et de recettes gisent sur la table, certains ouverts, d'autres encore empaquetés dans leur emballage de Cellophane.

Il s'agit de soigner Suzanna.

Pour Jeanne, cet enfant sera le sien, la jeune étrangère ne jouant que le rôle d'enveloppe nourricière, et elle fera tout ce qui est en son pouvoir pour qu'il ne subisse aucun traumatisme malgré la situation critique vécue par le corps qui l'entretient. Elle a lu dans un livre qu'à trois mois de grossesse, le rythme du cœur du fœtus est soumis à l'état nerveux de la mère. Lorsque celle-ci se trouve confrontée à une grosse émotion, son sang se charge d'adrénaline qui traverse le placenta et influence ainsi le rythme cardiaque du bébé. La future maman a donc besoin, plus que quiconque, de mener une vie calme et paisible.

Cette information a fortement contrarié Jeanne, car elle sent bien que Suzanna n'est pas satisfaite de son sort. Et cela l'agace profondément. Cette ingrate devrait plutôt la remercier, lui être reconnaissante d'être ainsi prise en charge. Finalement, il s'en est fallu de peu qu'elle ne termine sa pitoyable existence dans la tombe de Richard, à six pieds sous terre... Au lieu de cela, on lui offre le gîte, le couvert, tout le confort auquel elle n'aurait pu prétendre si Jeanne n'était pas venue la chercher dans son minable appartement de la rue Tesson. On ne lui demande pourtant pas grand-chose, juste de se reposer, manger et couver. Mais non ! C'est encore trop... Ou peut-être n'est-ce pas assez ?

Jeanne enrage devant son impuissance. Elle ne peut pourtant pas forcer Suzanna à être heureuse si celle-ci n'y met pas un peu du sien. Comme tout cela est ironique : « Sois heureuse, c'est un ordre, je le veux ! » A-t-on déjà prononcer phrase plus absurde ?

Mais Jeanne n'a pas dit son dernier mot. Cet enfant sera le sien, et rien ni personne n'a le droit de lui porter préjudice. C'est pourquoi, il est important qu'elle compense le manque de sérénité vécu par l'étui vital qui renferme son bébé par une hygiène de vie irréprochable.

« Très chère Madame Tavier,

Permettez-moi de vous féliciter pour l'heureux événement dont vous m'annoncez l'attente dans votre dernier courrier en date. Je dois pourtant vous informer que cette nouvelle, aussi inattendue que surprenante, ne modifie en rien les termes du testament de feu votre mari, M. Richard Tavier junior. La naissance prochaine d'un petit héritier interviendrait plutôt dans la succession de M. Richard Tavier senior, père de votre défunt mari. Comme je vous l'expliquais lors de notre dernier entretien, la seconde partie de son héritage se trouve aujourd'hui bloquée sur un compte bancaire, destinée au descendant direct, de sexe masculin, de M. Richard Tavier junior. Les dernières volontés de M. Tavier senior sont très claires à ce sujet : l'enfant doit être du sexe masculin. C'est pourquoi, je vous propose de ne prendre rendez-vous que lorsque vous connaîtrez le sexe de votre enfant, dans le cas où celui-ci serait un garçon. J'agis ici dans votre unique intérêt, afin de vous éviter une perte de temps ainsi qu'un déplacement inutile. Je vous suggère donc d'attendre les résultats probants d'une échographie qui nous renseignerait sur la condition exigée par votre défunt beau-père. Je vous souhaite, quant à moi, tout le bonheur que vous êtes en droit d'attendre de cet heureux événement.

Bien à vous,   *Édouard Lombaris.* »

Dans un accès de rage, Jeanne a déchiré la lettre du notaire. Comment a-t-elle pu oublier cette donnée ? Le père Tavier était plus mysogine que les femmes entre elles, et il aurait préféré se faire griller vif plutôt que de léguer son argent à l'une d'elles, fût-ce sa petite-fille.

Jeanne n'a jamais compris pourquoi cet homme si dur et impitoyable avait un jour fait le choix de se marier. Il n'avait jamais éprouvé que mépris et dégoût à l'égard de la gent féminine. Sans doute était-ce dans l'unique but d'avoir un fils, un descendant qui perpétuerait son nom...

Lorsqu'elle se trouvait en société en compagnie de Richard, elle se plaisait souvent à évoquer à demi-mot — sur le mode de la plaisanterie, bien évidemment — la possible homosexualité de son beau-père, ce dont elle était d'ailleurs bien plus convaincue qu'elle ne le laissait croire. Mais aujourd'hui, le caractère tyrannique de son ex-beau-père ne la faisait plus sourire du tout.

Quand pourra-t-on connaître le sexe du bébé ?

Jeanne s'empare nerveusement du guide de grossesse dont elle a fait l'achat et qu'elle dévore littéralement depuis quelques jours. Dans l'index des termes clés, elle cherche le mot « sexe » qui la renvoit à différentes pages. Elle y apprend que les voies génitales du bébé sont déjà bien présentes au troisième mois de grossesse, mais qu'il lui faudra attendre le sixième mois avant de pouvoir déterminer avec certitude si le bébé est une fille ou un garçon.

Jeanne soupire en refermant le livre. Trois mois ! Trois longs mois d'attente sans être véritablement convaincue de l'utilité de son acte. Encore douze semaines avant de savoir si elle est définitivement sortie des ennuis matériels dans lesquels Richard l'a délibérément plongée.

On dirait que, même mort, ce chien véreux s'acharne à la torturer, qu'il s'amuse encore à agiter sous son nez la carotte tant convoitée sans avoir l'intention de lui accorder le moindre centime de son immense fortune. Oui, tout cela ressemble bien à la famille Tavier ! Être enceinte, c'est très bien, c'est très joli... Encore faut-il attendre un garçon ! Parce qu'une fille, ça ne vaut rien, c'est juste un détail gênant, une poupée encombrante qui s'est égarée dans le fief Tavier.

Et puis Jeanne se raidit. Une échographie... Cela veut donc dire qu'elle va devoir emmener Suzanna à une consultation gynécologique ! Cela veut également dire que cette petite garce va avoir toute latitude pour donner l'alarme et prévenir quelqu'un de sa situation...

Cela, Jeanne ne peut en prendre le risque. Mais comment éviter une sortie aussi indispensable que risquée ? Une fois dehors, il sera aisé à Suzanna de tromper la vigilance de sa geôlière et de lui fausser compagnie à la première occasion. Sauf peut-être si Jeanne la menace discrètement d'une arme à feu et lui promet de l'abattre si elle esquisse le moindre mouvement suspect. Il suffirait alors de lui faire comprendre qu'il est dans son intérêt de se tenir tranquille car, n'ayant dès lors plus rien à perdre, Jeanne se fichera bien de ce qu'il adviendra d'elle...

Elle peut éventuellement lui faire entendre qu'il lui est bien égal de la tuer aujourd'hui ou dans six mois, l'important pour elle étant d'avoir l'enfant. Mais n'est-ce pas donner à Suzanna la possibilité de prendre le dessus, en s'apercevant qu'elle détient en elle ce que Jeanne convoite plus que tout au monde ? De plus, elle craint que ce ne soit une grosse erreur de stratégie, car si Suzanna apprenait que Jeanne a l'intention de la tuer dès qu'elle aura mit l'enfant au monde, il se peut qu'elle sombre dans un désespoir très nuisible à l'enfant, ce que Jeanne ne veut en aucun cas risquer.

Et une fois dans le cabinet du médecin ? Aura-t-elle d'ailleurs la permission d'assister à la consultation de la jeune étrangère ? Elle pourra toujours prétexter que, Suzanna ne sachant pas s'exprimer en français, il est indispensable qu'elle soit présente pour servir de traductrice... Sauf qu'elle ne connaît pas un traître mot de portugais et qu'il ne faudra pas trois secondes au médecin pour s'apercevoir que sa présence est totalement inutile.

Jeanne tourne et retourne le problème dans sa tête. Peut-être est-il plus sage de faire croire au notaire qu'elle a fait le choix de vouloir ignorer le sexe de son bébé jusqu'à l'accouchement et d'attendre la délivrance avant de savoir si l'enfant est une fille ou un garçon ? Dans ce cas, il ne lui reste plus qu'à prendre son mal en patience et préparer un siège de plusieurs mois afin d'éviter que Suzanna n'ait le moindre contact avec l'extérieur...

Jeanne feuillette distraitement quelques livres de diététique puis opte pour un livre de recettes familiales dont la publicité vante la rapidité et la simplicité. Que faire ? Cela fait tellement longtemps qu'elle n'a plus approché un fourneau... Une soupe ? Une escalope de poulet ? Une omelette ? En quelle quantité ? Suzanna doit-elle manger pour deux, comme le prétendent certains ?

Mon Dieu, elle aurait tant besoin d'aide et de conseils, mais elle ne peut décemment se rendre chez un gynécologue et lui prétendre qu'elle est enceinte. Non, Jeanne doit se débrouiller seule, s'en référer aux livres et faire confiance à son instinct. Ce soir, elle confectionnera un plat tout simple, une salade par exemple. Procéder par étape, voilà ce qu'il convient de faire... Une salade, oui. Que peut-elle y mettre ? Et tandis que Jeanne tourne nerveusement les pages du livre de cuisine, elle ressent tout au fond de son être une force étrange et inconnue s'emparer d'elle. Son vœu le plus cher serait-il réellement en train de se réaliser ?

Un enfant...

Un fils ! Car le doute n'est pas permis, ce sera un garçon ! Jeanne ne peut concevoir qu'elle s'apprête à prendre autant de risques pour donner vie à une fille.

Tout cela, Suzanna l'ignore, comme elle ignore encore pourquoi elle se trouve ainsi enfermée dans cette chambre sans pouvoir en sortir. Jeanne a bien tenté de lui expliquer qu'il était dans son intérêt de rester bien sagement dans la maison, Suzanna n'a pas semblé saisir l'importance de cette condition. Lorsqu'elle a fait mine de vouloir sortir, Jeanne a calmement repris ses explications.

— Tu ne dois pas sortir, ma belle. Si tu es encore en vie à l'heure qu'il est, c'est à la condition *sine qua non* que tu restes à l'intérieur de cette maison.

Suzanna a gentiment secoué la tête, indiquant par là qu'elle ne comprenait pas ce que Jeanne lui disait. Puis elle a fait un geste signifiant qu'elle désirait passer un coup de téléphone.

— Qui veux-tu appeler ? a demandé Jeanne, méfiante.

— *Familia* ! Moi téléphoncr ma *familia, si* ?

— C'est hors de question, chérie. Tu comprends bien que personne ne doit savoir que tu es ici ! Je me doute que ça ne va pas forcément te plaire, mais je n'ai pas le choix ! Alors, ne complique pas les choses. Soit tu fais ce que je te dis, soit je vais être obligée de revenir à mes premières intentions, c'est compris ?

Suzanna a considéré Jeanne d'un air interdit, pas vraiment certaine de saisir ce que cette femme étrange tentait de lui faire comprendre. Puis elle s'est résolument dirigée vers le téléphone, s'est emparée du combiné et, d'un geste déterminé, s'est mise à composer un numéro sur le cadran. Calmement, Jeanne l'a rejointe en quelques pas et a simplement coupé la communication d'un doigt impassible.

Suzanna a lentement relevé la tête. Il y avait dans son regard autant d'incompréhention que de défiance. D'une voix sombre, elle a prononcé quelques paroles qui ressemblaient à une menace. Puis, comme Jeanne ne bougeait pas, elle a laissé tomber le combiné et, faisant demi-tour, s'est rapidement dirigée vers la porte de la chambre.

Jeanne n'a eu que le temps de bondir et de l'atteindre avant elle. Faisant rcmpart de son corps, elle empêche fermement la jeune fille d'ouvrir la porte.

— Tu ne me facilites pas la tâche, Suzanna ! Il est dans notre intérêt à toutes les deux de nous entendre et de faire ce que j'ai décidé. Pense à ton bébé... Je n'hésiterai pas à t'abattre si tu m'y obligeais.

Jeanne tremblait en prononçant ces mots, mais il y avait dans le ton de sa voix une détermination qui, l'espace de quelques instants, perturba la jeune étrangère. Cette dernière se figea sur place, puis se mit à invectiver son hôtesse, agressive et sauvage. Il y eut une déferlante de paroles virulentes et menaçantes durant laquelle Jeanne ne broncha pas. Elle restait plantée devant la porte, imperturbable, indélogeable, inébranlable.

Suzanna perdit patience devant tant de froide assurance et la gifle partit presque malgré elle, violemment, marbrant de rouge la marque de ses doigts sur la joue de Jeanne.

Après cela, il y eut un lourd silence durant lequel les deux femmes se dévisagèrent. La jeune fille retint son souffle. On eut dit qu'elle était elle-même étonnée de ce qu'elle venait de faire. Jeanne porta la main à sa joue meurtrie. Puis, brutalement, elle saisit Suzanna par les cheveux et la tira vers le bas, la forçant à s'agenouiller afin de ne pas tomber. Immobilisée dans cette fâcheuse posture, le visage coincé vers l'arrière, Suzanna sentit la bouche sèche et froide de Jeanne s'approcher tout près de son oreille. Un chuchotement glacé la fit frissonner de la tête aux pieds.

— Écoute-moi bien, sale petite garce. Je vais être très claire avec toi : ou tu restes bien sagement dans cette pièce sans bouger, ou je t'étripe sans l'ombre d'une hésitation. Je n'ai plus rien à perdre, tu comprends ça ? J'ai déjà tué une fois, je suis capable de recommencer si tu m'y forçais. Le marché est simple : tu restes ici, tu couves ton œuf sans m'emmerder et tu auras peut-être une chance de t'en sortir vivante. C'est bien compris ?

Suzanna ne répondit pas, trop absorbée à maintenir l'équilibre précaire dans lequel elle était fermement maintenue. Son silence exacerba plus encore la fureur de Jeanne qui, d'un geste brutal, tira sauvagement sur la lourde chevelure de la Portugaise.

— Tu réponds quand je te pose une question ?

Dans un cri de douleur, Suzanna tenta de se redresser, mais Jeanne devança son geste en brandissant un poing menaçant au niveau du ventre de la jeune fille. Ses yeux étaient comme fous, et le sang battait à tout rompre dans ses tempes.

— Tu bouges encore le petit doigt et je fais remonter le gosse jusqu'à ta glotte.

Suzanna s'immobilisa instantanément.

— Tu vois que que tu comprends ce qu'on te dit quand tu veux...

Jeanne resta encore ainsi une longue minute puis, sentant que Suzanna ne tenterait plus rien pour se libérer, elle la projetta sauvagement vers l'avant. Dans sa chute, la jeune fille eut juste le temps de protéger son ventre de ses deux mains. Quelques secondes plus tard, elle entendit la porte se refermer dans un claquement sec et le bruit d'une clé que l'on tourne deux fois dans la serrure. Lorsqu'elle se redressa, elle constata avec désespoir que Jeanne avait pensé à reprendre le poste de téléphone avant de s'en aller.

Jeanne garde de cette pénible scène un souvenir amer. Elle ne voulait pas en arriver là, mais cette gourde ne lui a pas laissé le choix. Elle espère juste que le fœtus n'a pas trop souffert de l'agressivité ambiante, ni de l'angoisse que doit à présent ressentir Suzanna.

Jeanne pousse un soupir contrit et secoue la tête avec regret. Une salade, donc. De quoi a-t-elle besoin ? D'une laitue, de tomates, d'œufs, un peu de maïs, quelques dés de fromage, une demi-pomme coupée en cubes... Elle peut également y ajouter des lardons cuits, des croutons, un avocat, et mélanger le tout avec une bonne vinaigrette. Ce sera parfait.

Reprenant confiance, Jeanne se met gaiement à l'ouvrage, nettoie la salade et les tomates, cuit les œufs et les lardons, coupe la demi-pomme, le fromage et l'avocat. Elle a ainsi la sensation de participer à la formation de son bébé, d'effectuer les gestes maternels adéquats, de veiller tendrement sur la santé de son petit. Comme ce sera merveilleux lorsqu'il sera là ! Elle se voit déjà avec l'enfant entre ses bras, lui donnant le biberon. Puis, plus tard, l'aidant à faire ses premiers pas, lui apprenant ses premiers mots, riant et jouant avec lui. La petite tête souriante la couvre de baisers mouillés et lui apporte enfin tout l'amour qu'elle attend depuis si longtemps.

Jeanne se sent pleine d'exaltation à la seule pensée de serrer dans ses bras un petit corps vivant, un être qui ne la rejettera pas, qui répondra à sa tendresse par quelques marques d'affection... Quel bonheur ! Elle a la sensation que sa vie prend enfin un sens concret, que les événements de ces dernières semaines se mettent lentement en place pour changer son destin et lui apporter une valeur dont elle cherchait la trace depuis trop longtemps. L'avenir ressemble à présent à un lever de soleil rougeoyant succédant à une longue nuit froide durant laquelle elle a été en proie à la solitude et à la peur. La lumière apporte avec elle chaleur et réconfort, et même si elle envisage les prochains mois avec une certaine appréhension, elle sent au fond d'elle-même que les choses sont en train de changer, et que sa longue période de jeûne affectif touche enfin à sa fin.

Dans le hall d'entrée, le téléphone s'est remis à sonner, dans le vide, sans que Jeanne paraisse seulement l'entendre.

13

La chambre ressemble à une chambre d'hôtel. Impersonnelle. Il y a un lit à baldaquin un peu vieillot, recouvert d'une couette dont la housse bleu ciel détonne avec le caractère du meuble et qui semble n'avoir jamais servi. Deux petites tables de nuit dépareillées sont disposées de part et d'autre du lit, comme deux sentinelles issues d'une pantalonnade de mauvais goût.

En face du lit se trouve une antique commode en bois de chêne, sur laquelle est posé un miroir ancien dont la glace a perdu en certains endroits son effet réfléchissant. Juste à côté se dresse une imposante garde-robe, en bois également, neutre, sans cachet.

Au sol, c'est de la moquette, épaisse, laide et onéreuse, dans les teintes beiges mouchetée de noir, et les murs sont recouverts d'un papier peint couleur coquille d'œuf, orné de petites fleurs de myosotis imprimées en relief.

À gauche de la porte d'entrée, il y a un cabinet de toilette muni d'une douche, d'un évier et d'un W-C. La chambre est pourvue de deux petites fenêtres qui donnent sur les jardins intérieurs, sans aucun vis-à-vis. Située au deuxième étage, elles ne laissent à Suzanna aucun espoir d'évasion, du moins pas sans prendre le risque certain de se rompre les os une dizaine de mètres plus bas.

Que fait-elle ici ? Qui est cette névrosée qui l'a séquestrée sans aucune raison apparente ? Et pourquoi la maintient-on dans cet endroit sinistre, sans pouvoir prévenir ses proches ?

Suzanna tourne en rond, tente de maîtriser la vague de panique qui manque s'emparer d'elle. Son cœur bat à tout rompre dans sa poitrine et une grosse boule pèse insupportablement dans son ventre. Il faut qu'elle se calme car tout cela est très nocif pour le fœtus. Ces derniers jours, elle s'est terriblement négligée, trop préoccupée par l'absence inexpliquée de Richard. Mais à présent qu'elle sait qu'il est mort, elle ne veut en aucun cas prendre le moindre risque de perdre l'enfant. Ce bébé, c'est tout ce qui lui reste de son amant, l'unique témoin de la merveilleuse histoire qu'ils ont vécu ensemble. C'est l'enfant de Richard.

Suzanna palpe son ventre avec désespoir, fébrilement. Bientôt, elle sent les larmes lui couler des yeux, sans qu'elle parvienne à en contrôler le flux, et cela lui fait du bien. Que lui veut-on ? La laissera-t-on partir ? Et si oui, quand ? Pourquoi lui fait-on du mal ? Pourquoi... Trop de questions sans réponse. Trop d'incertitudes sans espoir.

Quelques heures après les violentes menaces de Jeanne, celle-ci est revenue dans la chambre avec une valise que Suzanna reconnut aussitôt. C'était sa propre valise, que Jeanne avait sans doute été chercher chez elle, et qui contenait son linge, ses affaires de toilettes, ainsi que quelques objets personnels : un livre de lecture, son passeport, son journal intime qui se trouvait dans le tiroir de sa table de nuit, et quelques bijoux que Richard lui avait offerts.

La nuit allait bientôt tomber et la femme au manteau de fourrure, après avoir fouillé dans sa valise, jeta sur le lit un large T-shirt dont elle se servait habituellement comme chemise de nuit lorsqu'elle dormait seule. Suzanna, encore passablement effrayée par la malveillance de Jeanne, enfila le T-shirt sans dire un mot et attendit avec résignation, debout à côté du lit, comme on attend la mort. Jeanne non plus n'avait pas prononcé un mot, ce qui ne fit qu'accentuer la tension palpable qui régnait dans la pièce.

Puis, subitement, elle lui adressa la parole, gentiment, comme si elles avaient été les meilleures amies du monde. Suzanna reconnut des mots comme « bébé », « manger », ou encore « heureuse ». Trop surprise par ce changement radical de comportement, elle ne sut que répondre et se tut.

Jeanne s'approcha d'elle tout en continuant de lui parler avec bienveillance, comme pour l'apaiser, ce qui en vérité n'avait rien de rassurant. Avec une infinie douceur, elle lui fit signe de s'asseoir à côté d'elle, sur le lit. Suzanna s'exécuta, méfiante. Les deux femmes restèrent ainsi quelques instants, côte à côte, sans que Jeanne ne cesse de lui parler en souriant avec chaleur. Bientôt, elle sortit de sa poche un objet métallique dont Suzanna ne perçut pas tout de suite la nature. Lentement, Jeanne s'empara du poignet de la jeune étrangère, et, toujours avec une grande douceur, approcha l'instrument qu'elle tenait dans l'autre main. C'est alors que Suzanna reconnut l'objet : c'était une paire de menottes, on aurait presque dit un jouet d'enfant mais au toucher, elles étaient dures et froides.

Suzanna ne s'y trompa pas. Elle bondit sur ses pieds mais fut instantanément retenue par une poigne ferme qui la plaqua violemment contre le montant du lit. Le choc la laissa quelques instants sans souffle, pendant lesquels elle sentit la matière glacée du métal s'enserrer avec brutalité autour de

144

son poignet. En deux secondes, elle était menottée au lit.

Lorsqu'elle se fut assurée que Suzanna ne pouvait se libérer, Jeanne la dévisagea d'un air contrit et reprit son monologue doucereux. On aurait dit qu'elle s'excusait de ce qu'elle venait de faire et paraissait lui expliquer quelque chose de grave, la voix teintée de pitié et de regrets. Bientôt, Jeanne se tut et la considéra, le regard pensif. Puis elle lui sourit. Et il y avait tant d'amour dans ce sourire que Suzanna en fut bouleversée. Quelques instants plus tard, Jeanne se leva. Sans rien ajouter de plus, elle fit demi-tour et sortit de la chambre.

Lorsque la porte se fut refermée, Suzanna éclata en sanglots.

Après une semaine, la jeune Portugaise crut qu'elle ne pourrait rien vivre de plus éprouvant.

Il n'en fut rien.

Nuit et jour, elle gardait en mémoire le visage halluciné de Jeanne lorsqu'elle l'avait violement rudoyée, son regard égaré, et cette force herculéenne contre laquelle elle s'était sentie totalement désarmée. Elle, Suzanna la sauvage, Suzanna la rebelle, celle qu'au village on appelait gentiment la « lionne » à cause de sa belle et lourde chevelure qui tombait en cascade sur ses épaules, et aussi parce que rien ne lui avait jamais résisté.

Avant, elle pouvait courir, sauter, grimper là où bon lui semblait, aucun endroit ne lui paraissait hors d'atteinte, et lorsqu'on se mettait en travers de son chemin, elle prenait instantanément cette allure fauve et féroce qui faisait reculer les plus téméraires.

Mais là, enfermée à double tour dans cette affreuse chambre, plus rien n'était comme avant. Son corps ne savait plus rien faire de cette force primitive qui la rendait autrefois invincible. Son corps ne lui appartenait plus : il renfermait un joyau plus précieux qu'un trésor scintillant et plus fragile qu'une coquille d'œuf. Dès lors le moindre choc, la moindre agression mettait en péril le petit être qui se formait lentement en elle. Avant, elle aurait sauté à la gorge de Jeanne, lui aurait arraché la tête, l'aurait griffée et frappée de toute la force de sa rage. Avant, elle aurait retourné la situation en un clin d'œil car aucun être, aussi fort soit-il, ne serait parvenu à la mettre à genoux, à la brutaliser comme cette dégénérée s'était permise de le faire. Subitement Suzanna s'était trouvée impuissante : elle n'avait pas osé déployer toute la violence dont elle était habituellement capable. Elle avait eu peur, peur d'abîmer, de blesser, ou même de tuer le petit œuf qui avait trouvé refuge au sein de ses entrailles.

Elle devait se rendre à l'évidence : désormais, elle ne pourrait plus agir en fonction de ses envies, de ses pulsions ou de ses instincts. Elle était déjà mère... Neuf mois avant la naissance de son enfant, elle en était déjà responsable. Suzanna fit ce douloureux constat : cet enfant qu'elle aimait déjà plus que tout au monde la rendait faible, à la merci de la folie du monde, de sa cruauté et de son inhumanité.

De plus, alors qu'habituellement les nausées disparaissent au troisième mois, Suzanna eut la sensation que celles-ci redoublaient d'intensité. Chaque matin, lorsqu'elle ouvrait les yeux, elle sentait monter en elle l'écœurement caractéristique qui la menait invariablement à se tordre les boyaux pardessus la cuvette des W-C. Son ventre encore vide la faisait gémir sous la force des spasmes dont elle ne parvenait pas à contrôler l'intensité. C'était une véritable torture, d'autant plus qu'elle pouvait prévoir le moment exact où les haut-le-cœur allaient déclencher les vomissements tout en sachant parfaitement qu'elle ne pourrait rien faire pour l'empêcher. L'appréhension de la douleur l'épouvantait, sans doute autant que la douleur elle-même.

Suzanna supportait difficilement ces pénibles convulsions : elle avait la sensation que son bébé, trop malheureux au sein de ce corps en souffrance quasi perpétuelle, cherchait par tous les moyens à se glisser parmi ses viscères afin de trouver le chemin de la délivrance. Et elle en éprouvait une énorme culpabilité. Elle ne pouvait s'empêcher de penser que les femmes dont la grossesse se passe sans anicroche, dans le calme et la sérénité, ne ressentaient aucun des désagréments que l'on attribue d'ordinaire à cet état. Elle-même avait commencé à ressentir ces insoutenables nausées lorsqu'elle était restée sans nouvelle de Richard et qu'elle en avait éprouvé de l'angoisse. Et depuis, cela n'avait fait qu'empirer...

Toutes ces incommodités n'étaient-elles pas le signal d'un bébé en souffrance ? Suzanna n'acceptait pas l'idée de faire du tort à son petit, mais elle avait beau se raisonner, tenter d'éprouver un semblant de bien-être, ou du moins l'absence de tourment et d'anxiété, la boule d'angoisse, de malaise et de crainte était là, omniprésente, du matin au soir, dès le réveil et même durant son sommeil.

Mais ce qui la rendait folle par-dessus tout, c'était d'être ainsi recluse entre quatre murs et menottée à un lit, elle qui avait toujours eu l'habitude des grands espaces, de la lumière vive et chaude du soleil, de la brise du vent maritime et de la voûte céleste au-dessus de sa tête. La grisaille parisienne des dernières semaines l'avait déjà passablement démoralisée, lui laissant le goût amer du gâchis et du non-sens. À quoi bon vivre dans un endroit où le temps, le paysage et les gens font grise mine ? Et où trouver une raison de se lever le matin ?

Suzanna n'avait jamais connu cette sensation de vide, d'absence quasi totale d'espoir et de confiance, alors qu'elle aurait normalement dû se sentir pleine, pleine de joie et de cet amour inné et intense qui l'avait submergée lorsqu'elle avait appris qu'elle attendait l'enfant de Richard. L'amertume s'ajoutait à son mal-être, car elle estimait que la dingue au manteau de fourrure anéantissait le bonheur dû à son état. Combien de fois n'avait-elle pas entendu qu'être enceinte était un moment privilégié, une période extraordinaire dans la vie d'une femme ? Et pourtant, elle vivait les pires heures de son existence, un calvaire de chaque minute, se remémorant avec détresse le temps béni où elle allait et venait là où bon lui semblait.

Elle se sentait profondément seule, épuisée d'avoir trop pleuré, et aussi totalement démunie devant tant de malveillance et de cruauté gratuite. Elle avait la sensation que des pans entiers de son univers s'effondraient implacablement, méthodiquement, sans qu'elle puisse rien faire pour endiguer l'hémorragie.

À certains moments, elle avait envie de se coucher dans le lit et de n'en plus bouger, étrangère à tout ce qui se déroulerait autour d'elle, et d'attendre là sans penser à rien jusqu'à s'endormir à tout jamais.

Chaque jour, Jeanne lui apportait des quantités de nourriture. Le matin, un copieux petit déjeuner lui était servi à huit heures précises, se composant de pain complet beurré qu'elle pouvait tartiner de confiture ou de miel biologique suivant son goût, de céréales, de yaourts, d'une salade de fruits, d'un jus d'orange frais et d'une tasse de thé.

Suzanna détestait le thé, et avait l'habitude de boire du café le matin. Elle avait tenté de le faire comprendre à Jeanne, mais celle-ci estimait que la caféine était mauvaise pour le fœtus.

Jeanne arrivait toujours dans la chambre en lui adressant un grand sourire chaleureux, telle une mère qui s'apprête à réveiller son enfant pour passer avec lui une magnifique journée de vacances. Elle lui parlait continuellement, d'une voix légère et enjouée, lui racontant apparemment une foule de choses joyeuses et agréables, et cela malgré le fait que Suzanna ne lui répondait jamais, d'abord parce qu'elle ne comprenait pas ce qu'on lui disait, ensuite parce qu'elle refusait d'accorder la moindre marque de sympathie à cette demeurée qui la privait de sa liberté. Jeanne s'approchait du lit, déposait le plateau sur la table de nuit, puis sortait des plis de son vêtement une deuxième paire de menottes avec lesquelles elle entravait une des cheville de Suzanna au pied du lit. Ensuite seulement, elle libérait la main attachée de la jeune étrangère et faisait glisser le plateau jusqu'à elle afin qu'elle puisse manger « en toute liberté ». Puis elle sortait de la pièce en lui faisant un petit geste de la main, en signe de parfaite amitié.

Jeanne revenait une heure plus tard pour faire la toilette de sa captive. Elle menottait alors les chevilles de Suzanna l'une à l'autre, puis elle l'enlaçait d'un bras sous l'aisselle tandis que, de l'autre bras, elle la maintenait par la taille et se dirigeait ainsi prudemment vers le cabinet de toilette dans lequel elle s'enfermait à double tour.

Jeanne déshabillait la jeune fille pour la mettre ensuite sous la douche. À chaque fois, elle ne pouvait s'empêcher d'admirer la grande beauté de Suzanna, sa peau soyeuse et douce au teint mat et uni, ainsi que ses formes parfaites, galbées et arrondies dont la silhouette enchantait l'œil. Voilà donc le corps parfait que Richard avait longuement pétri entre ses mains vigoureuses, dans lequel il s'était perdu, abandonné à la volupté de ses sens, et au sein duquel il avait jouit, éructant sa semence virile, son sexe dressé en elle... Mon Dieu, quelles délices charnelles ils avaient dû connaître l'un et l'autre, enlacés, blottis dans l'étreinte passionnée de leurs désirs, nus et tendus de plaisir !

La tête de Jeanne lui tournait légèrement lorsqu'elle les imaginait en train de faire l'amour, et elle devait se faire violence pour ne pas tendre la main vers la peau de Suzanna, comme pour toucher du bout des doigts la délectation qui lui avait toujours été refusée. Elle n'avait jamais ressenti de désir pour une femme, mais Suzanna était différente. Elle avait la sensation d'atteindre Richard à travers la jeune fille et, même si elle refusait de se l'avouer, elle aspirait à connaître de manière tangible la saveur de la passion. Ce corps qui renfermait l'enfant de Richard lui faisait follement envie et, chaque jour davantage, Jeanne brûlait d'en connaître l'odeur, la matière et le goût.

Lorsque Suzanna sortait de la douche, Jeanne la frictionnait vigoureusement, comme pour empêcher toute tentation d'effectuer des gestes trop doux. Puis elle la rhabillait, la plupart du temps d'une large chemise de nuit sans forme. Jeanne pensait qu'ainsi vêtue, Suzanna éprouverait encore moins l'envie de s'enfuir.

Les autres repas se déroulaient de la même façon, et lorsque la nuit tombait, Jeanne prenait soin de laisser sur la table de nuit une petite collation, un fruit ou une barre de céréale, ainsi qu'une bouteille d'eau minérale afin de prévenir les petites envies nocturnes de Suzanna.

La jeune fille vivait ces rituels quotidiens sans broncher. Les jours passant, elle ressemblait de plus en plus à une « real doll », ces poupées faites de silicone et d'acier qui se rapprochent de manière hallucinante des vraies femmes et que certains Américains s'offrent afin de réaliser leurs fantasmes les plus inavouables. Elle s'était éteinte presque instantanément, le jour même où elle avait compris que la moindre résistance qu'elle opposerait à Jeanne mettrait en péril l'enfant qu'elle portait.

Cet enfant était désormais devenu l'ultime sens qu'elle se pensait capable de donner à sa vie. Dès lors, à quoi bon espérer s'évader ? La moindre tentative demandait un minimum d'efforts physiques, il lui faudrait affronter la dingue, et même si elle parvenait à déjouer la prudence de Jeanne et à lui fausser compagnie, elle devrait sans doute courir de toutes ses forces vers la sortie, et même encore dans la rue... Autant de mouvements qui risquait de tuer le fœtus. Et que lui servait d'être libre si elle perdait son bébé ?

Sans le savoir, Suzanna était devenue ce que Jeanne voulait qu'elle soit : une enveloppe, un nid, un abri doublé d'un garde-manger pour le petit homme qui germait en elle. Ingérer tout ce qu'on lui apportait et dormir le reste du temps afin de nourrir et de soigner son bébé, c'était tout ce qui importait désormais à Suzanna. Le reste n'avait plus d'intérêt.

14

La petite voix amie est revenue.

Jeanne s'est réveillée un matin en l'entendant chanter dans son oreille. Délicieuse sensation de n'être plus seule et d'avoir à ses côtés une alliée pour la guider et empêcher qu'elle ne se perde.

Jeanne se mit aussitôt à lui relater les derniers événements en date, sa rencontre avec Suzanna, leur visite au cimetière et surtout l'état de la jeune fille. Elle lui raconta d'une voix tendue la décision grave qu'elle prit alors, à l'instant même où elle s'apprêtait à tuer la jeune étrangère : la ramener chez elle et la séquestrer afin de veiller sur le bébé. Il ne lui restait plus qu'à faire croire à son entourage qu'elle était enceinte de Richard, ce que tout le monde avait accepté sans trop de difficultés.

— *Et que comptes-tu faire de Suzanna lorsqu'elle aura accouché ?* interrogea la petite voix, intriguée.

— La tuer, évidemment ! Que veux-tu que j'en fasse ?

— *Je crois en effet que tu n'as pas le choix. Une mère, c'est plus collant qu'un vieux chewing gum plaqué à la semelle d'une chaussure. Tant qu'elle aura un souffle de vie, elle fera tout pour récupérer son gosse.*

— De toute façon, c'est ce qui était prévu. Son état n'a fait que retarder de quelques mois l'inévitable. Ensuite, je récupère l'héritage du père Tavier ainsi que celui de Richard.

— *Comment vas-tu faire pour toucher l'héritage de Richard puisque tu n'es pas reprise dans son testament ?*

— Quand ils verront que Suzanna a disparu de la circulation, il faudra bien qu'ils remettent la totalité des biens à quelqu'un... Et je suis la seule famille officielle qui lui reste.

— *N'en sois pas si sûre. Il existe des règles et des lois à ce sujet. Tu ferais bien de te renseigner avant de crier victoire...*

— Garde tes mauvaises ondes pour toi. Cet argent me revient de droit et rien ni personne ne m'empêchera d'en disposer. En somme, je ne fais que récupérer ce que Richard m'a volé : la richesse, l'amour et... l'enfant.

— *Tu as raison, Jeanne. On n'a que le bien qu'on se donne*, rétorqua la voix d'un ton calme et posé.

Jeanne attendit quelques instants avant d'évoquer ce qui lui tenait à cœur.

— Tu sais, il y a cette femme que j'ai vue un matin devant moi... La femme au bébé. C'est bizarre, j'avais l'impression de la connaître intimement, comme une sœur. Je percevais ce qu'elle ressentait, et lorsqu'elle était là, en face de moi, je me sentais merveilleusement bien. Jamais je n'ai connu cela avec quelqu'un, on aurait dit que depuis toujours, le seul but de notre existence était de nous découvrir l'une à l'autre. Tu ne trouves pas cela tout à fait étrange ?

— *Non. Dis-moi, comment était-elle, physiquement ?*

— Elle me ressemblait un peu, mais elle était plus jeune et plus jolie. Son bébé surtout était étonnant. J'avais la conviction qu'il ressemblait à Richard. Je dois te paraître ridicule... Peut-être suis-je en train de perdre les pédales...

— *Détrompe-toi, tu vas très bien. Cette femme, c'était toi, Jeanne. Il ne tient qu'à toi d'être ce qu'elle est. Elle t'appartient, elle est là pour toi. Et son bébé n'est autre que le tien, celui que tu attends depuis toujours.*

— Tu crois ? Tu crois vraiment ? demanda Jeanne, les yeux débordant de larmes et d'espoir.

— *J'en suis certaine*, répondit la petite voix d'un ton convaincu.

Elle se tut quelques instants avant de reprendre.

— *La grossesse te va magnifiquement, Jeanne ! Et ces nouvelles rondeurs te rajeunissent de dix ans.*

Jeanne s'approcha du grand miroir et contempla l'image qui lui faisait face. La femme au bébé se tenait à nouveau devant elle, épanouie et rayonnante. Elle était nue et on pouvait contempler avec ravissement les formes radieuses qui donnaient à sa silhouette ce sentiment de plénitude caractéristique à son état. Le bébé avait disparu, mais sa présence était indéniable, si puissante et si forte qu'on pouvait presque sentir son odeur.

— *Tu es enceinte de combien de mois à présent ?*

— Trois mois, d'après mes calculs.

— *Tu le sens déjà bouger ?*

— Pas encore, répondit Jeanne avec une pointe de regret surjoué dans la voix. Il faut attendre le cinquième mois avant de sentir quoi que ce soit.

— *C'est long !*

Jeanne poussa un petit soupir forcé puis se détourna du miroir. En vérité, un sourire béat se lisait sur ses lèvres, et son visage était illuminé de bonheur. Elle passa à la salle de bains et fit sa toilette avec grand soin. Ensuite elle s'habilla, choisissant des vêtements clairs et colorés, se maquilla délicatement, puis s'empara du téléphone et composa un numéro après l'avoir chercher dans son carnet d'adresses qu'elle sortit de son sac à main.

— Bonjour, c'est Mme Tavier... Très bien et vous-même ?... J'appelais pour prendre rendez-vous... Le plus rapidement possible... Aujourd'hui ?... C'est encore mieux ! Oh, quelque chose de plus frais, de plus moderne, une coupe jeune, vous voyez ce que je veux dire ?... Vers seize heures, ce sera parfait. À tout à l'heure, alors.

Jeanne raccrocha, satisfaite. Elle prit ensuite rendez-vous chez l'esthéticienne, ainsi que chez quelques couturiers de sa connaissance chez qui elle n'était plus retournée depuis plusieurs semaines. Elle les assura de sa bonne santé et passa commande. Une demi-heure plus tard, sa journée était bouclée.

Lorsqu'elle rangea son agenda dans son sac, un feuillet en glissa et atterrit en voletant sur le tapis de sa chambre. Jeanne se baissa pour ramasser ce qu'elle pensait être un bout de papier. Elle reconnut alors la carte à jouer qu'elle avait trouvée sur le trottoir en sortant de l'étude du notaire, le jour de la lecture du testament. La dame en noir. La dame de pique.

— Pique et pique et colégram, murmura-t-elle en chantonnant.

Elle tenait la carte entre ses mains, le regard vissé sur le profil de la figurine, paraissant y lire mille et mille choses passionnantes.

— Papa pique et maman cœur, continua-t-elle de plus en plus bas.

Jeanne ferma les yeux. Puis, dans un souffle :

— Am stram gram.

Silence.

Elle sourit. Rouvrit les yeux et rangea la carte à jouer dans son sac à main. Et, comme si on venait de lui donner le signal du départ, sortit précipitamment dans le corridor.

D'un pas rapide, elle se dirigea vers la cuisine où elle prépara le petit déjeuner de Suzanna en chantonnant d'une voix claire. Sur le plateau, elle ajouta quelques sandwichs pour la journée et porta le tout au deuxième étage. Lorsqu'elle rentra dans la chambre, Suzanna dormait encore. Sans bruit, elle déposa le tout sur la table de nuit, libéra le poignet de la jeune fille et lui entrava les chevilles l'une à l'autre.

Puis elle sortit de la chambre à pas de loup.

15

Il était presque dix-neuf heures lorsque Suzanna entendit du remue-ménage dans la maison. Elle était restée seule toute la journée et ne s'en était pas plainte. Les sandwichs que Jeanne avait ajoutés sur son plateau lui avaient fait comprendre qu'il se passait quelque chose d'inhabituel mais la raison de son absence la laissait parfaitement indifférente. Toutefois, lorsqu'elle vit la femme au manteau de fourrure entrer dans la chambre, elle ne put s'empêcher d'ouvrir de grands yeux étonnés. En vérité, il lui fallut quelques secondes avant de la reconnaître, tant celle-ci était métamorphosée.

Elle portait une nouvelle coupe de cheveux, à la manière de Louise Brooks, coiffure qui, avec ses cheveux blonds filasses, formait une sorte de casque romain autour de son visage émacié. Elle accentuait encore son côté fragile tout en lui donnant un brin d'extravagance, ce qui provoquait une sympathie indulgente à son égard. Pour être tout à fait franche, Suzanna trouvait que cette nouvelle coupe lui allait comme un coup de poing dans la figure, mais Jeanne la portait avec tant de fierté qu'on ne pouvait s'empêcher d'admettre qu'elle lui donnait une grâce un peu étrange. Jeanne, qui d'ordinaire s'habillait de teintes sombres et neutres, portait cette fois un ensemble de velour, couleur fuchsia, aussi tapageur que vulgaire. Les manches étaient faites de tulle et laissait entrevoir la peau de ses bras décharnés, très blanche et tachetée d'une myriade de grains de beauté. À cette toilette colorée, elle avait associé une paire de chaussures à talons hauts, faites de fines lanières de bakélite qui remontaient jusqu'à la cheville, fuchsia également mais plus foncé que la robe. Elle ressemblait à présent à ces personnes qui sont accoutrées de manière tellement excentrique qu'on ne remarque même plus à quel point elles sont ridicules.

Suzanna n'en croyait pas ses yeux : cette femme habituellement si sombre, si taciturne, si tourmentée, montrait un nouveau visage, encore inconnu, qui se voulait sans doute plus avenant et qui pourtant, sans qu'elle sache vraiment expliquer pourquoi, était plus inquiétant encore.

Jeanne tournoya deux ou trois fois devant la jeune fille, exhibant avec une fierté difficilement contenue son nouveau look. Elle avait les bras chargés de sacs qu'elle déposa sur le lit en faisant quelques pas de danse et faillit se fouler la cheville du haut de ses talons aiguilles. Puis, s'efforçant de retrouver un peu de dignité, elle s'approcha de Suzanna d'un pas prudent, la tête haute. Elle s'installa en face d'elle et afficha instantanément son air maternel, dont la gentillesse outrancière donnait la nausée à la jeune Portugaise.

— J'ai une surprise pour toi, lui chuchota-t-elle comme s'il fallait garder un secret et qu'elles n'étaient pas seules dans la pièce.

Suzanna ne put s'empêcher de la questionner du regard.

— Une merveilleuse surprise ! reprit Jeanne d'un ton exalté. Je suis sûre que ça va te plaire... Regarde.

Elle s'empara de deux des sacs qu'elle avait déposés au pied du lit et les vida fébrilement devant la jeune fille. Une robe de velour couleur fuchsia ainsi qu'une boîte en carton atterrirent sur l'édredon bleu ciel. La robe était la même que celle que portait Jeanne, et lorsqu'elle ouvrit la boîte, Suzanna put y voir une paire de chaussures en tous points semblable à celle de son hôtesse. Intriguée, la jeune fille releva la tête vers la femme au manteau de fourrure.

— Ça te plaît ? demanda Jeanne d'un air qui ne doutait pas de la réponse.

Suzanna ne répondit rien et contempla, consternée, la robe et les chaussures.

— C'est pour toi, ma chérie. Regarde, je nous ai acheté les mêmes vêtements. Désormais, nous nous resemblerons comme deux sœurs.

Ses yeux jubilaient littéralement d'excitation. Elle s'empara de la robe et la déplia devant Suzanna.

— Ce ton te va à ravir, ma belle, presque aussi bien qu'à moi !

Puis elle prit un air mystérieux et désigna du doigt un troisième sac qui était resté au pied du lit.

— Mais attends, ce n'est pas tout !

Elle se leva, agrippa Suzanna par l'aisselle d'un bras, par la taille de l'autre, et l'emmena vers le cabinet de toilette, non sans s'être saisie au passage du troisième et dernier sac. Une fois à l'intérieur de la petite pièce, elle installa Suzanna sur les W-C dont elle rabattit la cuvette, puis la considéra avec exaltation, tout en carressant d'une main fiévreuse la belle chevelure noire de la jeune fille.

— Ce sera magnifique, tu verras, murmura-t-elle pleine d'extase.

Suzanna se raidit, et l'effroi se lut sur son visage. Il y avait quelque chose dans la voix de Jeanne qui parut la terrifier, au point qu'elle se mit à trembler de tous ses membres. Tout d'abord, Jeanne tenta de la calmer. Elle voulut la prendre dans ses bras afin de l'apaiser mais Suzanna se débattit violemment, indiquant par là qu'elle ne souffrait pas qu'on la touche. Surprise par tant de véhémence, et sans comprendre ce qui provoquait une telle réaction, Jeanne s'offensa, et son visage prit instantanément une expression dure et froide. Elle suspendit toute tentative de réconfort et s'empara du dernier sac dont elle sortit un à un tous les objets qu'elle disposa méthodiquement sur le bord du lavabo.

Lorsqu'elle vit de quoi il s'agissait, Suzanna se mit à secouer violemment la tête, fouettant l'air de ses lourdes mèches sombres, puis elle se leva d'un bond et tenta d'atteindre la porte du cabinet de toilette. Mais ses pieds entravés empêchèrent toute liberté de mouvement et elle s'étala lamentablement sur le carrelage glacé. Elle eut juste le temps de se recroqueviller sur elle-même afin de protéger son ventre en tombant par terre. Ensuite, prise d'un sursaut d'énergie aussi vaine que frénétique, elle se mit à ramper vers la sortie, s'aidant de ses bras et du peu d'autonomie que lui laissaient ses jambes.

Jeanne la regarda faire calmement, sans esquisser le moindre geste pour la relever ou même pour l'empêcher de s'enfuir.

— Qu'est-ce que tu espères ? ricana-t-elle en toisant la jeune étrangère. Tu crois vraiment avoir la moindre chance de t'échapper ?

Elle éclata de rire. Un rire gras et mauvais, qui semblait ne connaître aucune pitié. Mais Suzanna parut ne pas l'entendre. Elle continuait de s'agiter en suppliant qu'on la laisse, et des sanglots d'angoisse hachaient chaque mot qu'elle prononçait.

Ses mouvements étaient désordonnés, on aurait dit qu'elle ne parvenait plus à coordonner ses gestes. Elle battait des bras et des jambes à la manière d'un pantin désarticulé, se démenant comme si elle avait le diable à ses trousses. Et c'était véritablement ce qu'elle avait la sensation de subir.

Au bout de deux ou trois minutes pendant lesquelles elle s'était amusée à la regarder se débattre, Jeanne estima qu'elle avait assez ri et qu'il était temps de passer aux choses sérieuses. C'est d'ailleurs ce qu'elle annonça d'une voix cassante à Suzanna tandis qu'elle l'empoignait brutalement par le dos de sa chemise. Elle la força à se redresser et la maintint debout devant elle, leurs deux visages se faisant face.

Suzanna n'avait pas cessé de secouer la tête et de crier grâce en une litanie qui finit par exaspérer Jeanne. À bout de patience, celle-ci se mit à secouer énergiquement la jeune fille, puis lui administra deux claques retentissantes qui eurent pour effet de la figer. Suzanna hoqueta, puis se tut. À travers ses larmes, elle dévisagea sa geôlière d'un œil épuisé et se laissa soudainement aller entre ses bras.

Jeanne eut juste le temps de la rattraper et de la déposer sur la cuvette des W-C. Ensuite, elle lui redressa le visage d'une main ferme et, un sourire de satisfaction sur les lèvres, s'empara d'une paire de ciseaux qui reposait sur le bord du lavabo. Et pendant que Jeanne s'affairait autour d'elle, Suzanna gémissait doucement, presque sans bruit, aussi molle qu'une poupée de chiffon si ce n'est sa poitrine qui se soulevait par intermittence sous la pulsion d'un sanglot plus gros que les autres.

Ensuite Suzanna n'eut que de vagues sensations lointaines. Elle perçut les coups de ciseaux saccadés dans ses cheveux, puis l'humidité froide du produit que Jeanne étala sur son cuir chevelu, avec cette petite gêne diffuse sur tout le pourtour du front, et aussi la douche glacée du rinçage, abondante, qui n'en finissait plus... Jeanne s'empressait tout autour d'elle en chantonnant un air sans mélodie, avec des gestes appliqués et pesants comme si elle était en train de passer un examen capital pour son avenir. Suzanna, docile et résignée, ne bronchait plus.

Ce n'est que lorsqu'elle s'aperçut qu'on la déshabillait que la jeune fille se réveilla de sa torpeur. Elle était couchée sur le lit et en fut décontenancée car elle ne se souvenait pas du moment où on l'avait ramenée dans la chambre. Bientôt, elle fut totalement nue. Mais rapidement, elle réalisa qu'on lui passait un vêtement par-dessus la tête, puis qu'on enfilait ses bras dans des manches trop étroites.

Après beaucoup d'efforts au cours desquels on s'efforçait de faire glisser la robe le long de son corps, elle sentit qu'une poigne énergique la redressait afin de l'asseoir et de lui passer les chaussures. C'est alors que Suzanna se vit dans le miroir qui faisait face au lit.

D'abord, elle ne fit pas le lien entre elle et la personne qui la regardait d'un air ahuri et un peu dégoûté.

C'était une femme, jeune encore, coiffée et maquillée comme un clown, une caricature grossière et ridicule. Elle avait la peau mat, un peu basanée, avec de grands yeux noirs dont les paupières étaient peinturlurées de bleu, un bleu azur et prononcé. Son rouge à lèvres débordait de part et d'autre de sa bouche, et on lui avait mis trop de fard à joues, d'un rouge aigu qui jurait avec le rose fuchsia de la robe. Ses cheveux étaient blonds, pour ne pas dire jaunes, et choquaient de manière criarde avec le teint du visage. Quant à la coupe, elle ressemblait vaguement à celle de Jeanne. Mais alors que celle-ci était droite et homogène, la coiffure de l'autre femme était irrégulière, totalement asymétrique, plus longue d'un côté que de l'autre, et partait de travers sur le front.

Presque malgré elle, Suzanna faillit éclater de rire tant elle trouvait que le personnage qui se tenait devant elle était grotesque. L'autre femme ébaucha un sourire moqueur à son égard. Intriguée, Suzanna observa plus attentivement la personne qui lui faisait face et reconnut certains traits familiers dans son visage. Il lui fallut encore quelques instants avant de comprendre que cette poupée burlesque, laide et mal fagotée, n'était autre qu'elle-même, la belle Suzanna, la magnifique lionne à la chevelure sombre.

Ce fut comme un électrochoc. Tout son corps se révulsa devant l'inadmissible. Dans un rugissement désespéré, elle bondit à la gorge de Jeanne qu'elle se mit à serrer avec frénésie. Les deux femmes basculèrent sur le lit et pendant quelques instants, Suzanna eut l'avantage. Elle se tenait au-dessus de Jeanne, les pieds toujours entravés par les menottes, les jambes ramenées sous elle qu'elle réussit à plaquer contre le ventre de sa geôlière.

Jeanne se mit à suffoquer, ses bras s'agitant dans les airs sans parvenir à se redresser. Suzanna serrait, et serrait encore, toute sa rage, toute sa détresse passait entre ses mains qui pressaient la gorge fluette toujours plus fort.

Dans un réflexe de survie désespéré, Jeanne parvint à empoigner une mèche de cheveux de son assaillante et s'y agrippa de toutes ses forces. Les robes fuchsia se mélangèrent, roulant sur le lit, tandis que Jeanne faisait des efforts surhumains pour tenter de se dégager de l'étreinte de la jeune fille. Dans un dernier hoquet, elle tira avec la force du désespoir sur la mèche de cheveux qu'elle n'avait pas lâchée, ce qui déséquilibra dangereusement Suzanna. Ses pieds menottés l'un à l'autre l'empêchèrent de garder la position précaire qui lui donnait l'avantage et elle chavira sur le côté, lâchant du même coup la gorge de Jeanne. Instantanément, celle-ci reprit une bouffée d'air, cracha, éructa durant quelques secondes, puis se renversa de l'autre côté du lit afin d'échapper à sa rivale. Elle parvint à se relever avant la jeune fille et se jeta sur elle. Quelques secondes plus tard, Suzanna était neutralisée.

Jeanne mit un moment avant de retrouver son souffle. Elle respirait bruyamment, se tenant le cou qu'elle massait en tremblant, essayait d'avaler une salive inexistante, puis crachait encore quelques glaires qui lui écorchaient la gorge. Lorsqu'elle recouvra un rythme de respiration normale, elle se tourna vers Suzanna et l'inspecta froidement de la tête aux pieds. Lentement, elle s'approcha d'elle en la toisant de haut. D'une main rugueuse, elle lui saisit le visage par le menton et plongea dans son regard un rictus de haine à la fois moqueur et écœuré.

— Dieu, que tu es laide ! persifla-t-elle avec mépris.

Puis elle lui tourna le dos et, clopinant sur ses talons aiguilles, elle sortit de la pièce.

QUATRIÈME MOIS

« Au cours du quatrième mois,
il ne se passe pas grand-chose.
Les risques de fausses couches ont pratiquement
disparu.
C'est une des périodes calmes de la grossesse. »

16

Un sompteux plateau rempli de pâtisseries et de douceurs en tous genres trônait au milieu de la table. Devant les cris d'admiration de ses trois convives, Edwige afficha un sourire modeste tout en priant ses invitées de prendre place.

Les trois femmes s'installèrent bruyamment sans cesser de féliciter leur hôtesse pour son goût ainsi que pour l'opulence de sa table. Tandis qu'elle remerciait ses amies pour la sincérité de leurs compliments, Edwige sonna son majordome qui apparut aussitôt, apportant un second plateau sur lequel étaient très joliment disposées quatre tasses et une théière toute fumante, qui exhalait un parfum de caramel.

— Du thé au caramel ! s'exclama Coralie Duchesne, une petite dame dont la cinquantaine avait été à plusieurs reprises malmenée par la chirurgie esthétique. C'est d'un original !

— Où donc avez-vous trouvé cela ? s'enquit Marie-Bérengère Beaucarmé, dont le visage disparaissait sous l'ombre d'un imposant chapeau garni de fleurs d'oranger.

— Me croiriez-vous si je vous disais que ce thé provient tout simplement de la torréfaction du coin, juste au bout de la rue ? répondit Edwige, les yeux pétillant de fierté.

— C'est fou ! s'écria sa troisième invitée, une femme sans âge à la prononciation ampoulée et au maintien strict, répondant au nom ronflant de Cunégonde de Saint-Prieux.

Le majordome fit le service tandis que les quatre amies échangeaient diverses impressions anodines à propos des dernières collations qu'elles avaient prises ensemble. La discussion s'attarda quelques instants sur la qualité des nombreux salons de thé qu'elles fréquentaient régulièrement, puis elles se mirent à picorer avec gourmandise, sans interrompre un instant leur bavardage. Après avoir survolé différents sujets qui leur tenaient vaguement à cœur, elles abordèrent avec délectation celui pour lequel elles appréciaient particulièrement de se retrouver : les ragots. C'est ainsi qu'Edwige apprit que la sœur de Marie-Bérengère trompait son mari depuis trois semaines avec un comédien de théâtre (quelle audace !), et qu'une de leurs amies communes attendait famille pour le mois de février prochain.

— Qu'ont-elles donc toutes à vouloir faire des gosses ? s'écria Edwige à l'annonce de cette nouvelle. Ça vous bousille la silhouette plus sûrement qu'une assiette de foie gras, ça vous chamboule les hormones façon « Docteur Mabuse », et quand c'est là, ça ne vous laisse plus une seconde de répit. Est-ce qu' j'en fais, moi, des gosses ?

Coralie gloussa en éparpillant les miettes qui se trouvaient dans son assiette.

— Dieu soit loué, non ! Ce serait dommage pour l'enfant.

Elles éclatèrent toutes les quatre de rire comme s'il s'agissait là du meilleur mot qu'elles avaient entendu depuis longtemps.

— Et Jeanne ? s'enquit Cunégonde. Quelqu'un a-t-il des nouvelles de Jeanne ?

Les trois convives se tournèrent de concert vers Edwige. Celle-ci se rembrunit.

— Non, je n'ai aucune nouvelle d'elle. Cela fait bientôt un mois que je ne l'ai pas vue.

— Enfin, Edwige ! N'est-elle pas votre proche amie, votre confidente depuis toujours ?

— Je le pensais, répliqua la grosse femme dans un authentique soupir dont la sincérité mit mal à l'aise ses trois invitées. Mais j'ai beau téléphoner, sur le portable comme sur le fixe, personne ne répond.

— Personne ne répond ? s'exclama encore Cunégonde. Mais que dit le majordome ?

— Quand je dis personne, mon chou, c'est véritablement personne ! rétorqua vertement Edwige. Ça sonne, ça sonne, et personne ne décroche.

— Vous voulez dire qu'il n'y a plus de domestique chez elle ?

Coralie, Marie-Bérengère et Cunégonde se regardèrent en affichant des mines à la fois surprises et choquées, mais dans lesquelles brillait une étincelle d'excitation.

— En tout cas, la dernière fois que je me trouvais chez elle, elle était seule dans la grande maison, répondit tristement Edwige. Elle m'a assurée qu'elle allait engager du nouveau personnel, mais il semble qu'elle n'en ait rien fait.

— C'est d'un original ! s'écria Coralie.

— Et sa grossesse ? interrogea Marie-Bérengère. Sait-on déjà si c'est un garçon ou une fille ?

— C'est encore trop tôt, répondit Edwige. Lorsqu'elle m'a annoncé la nouvelle, elle était enceinte de trois mois. Donc aujourd'hui, elle doit l'être de quatre...

— Quelle étrange affaire, n'est-ce pas ? l'interrompit Cunégonde d'un air candide qui signifiait implicitement qu'elle désirait s'appesantir sur le sujet. Vivre pendant vingt ans avec un homme sans avoir d'enfant, et attendre qu'il trépasse pour se trouver enceinte de lui !

— Si vous voulez mon avis, tout cela est fort louche ! marmonna Marie-Bérengère sans en avoir l'air.

— Qu'est-ce que tu dis, Marie ? Parles plus fort, nous n'entendons rien !

Coralie s'était penchée par-dessus la table afin de ne pas perdre une miette de la conversation.

— Enfin quoi ! Personne n'a rien dit, mais vous ne trouvez pas cela tout à fait étrange ? Sommes-nous d'ailleurs réellement certaines que cet enfant soit de Richard ?

— Que veux-tu dire par là ? questionna Edwige, légèrement sur la défensive.

Lorsqu'elles en arrivaient à se tutoyer lors d'une discussion, cela voulait souvent dire que le sujet était grave.

— Je suis désolée, Edwige, reprit Marie-Bérengère, la mine contrite. Je sais que Jeanne est une amie très chère à tes yeux... Mais sois sincère : tu ne trouves pas que cette grossesse est pour le moins suspecte ?

— Connaissant Jeanne comme je la connais, je peux vous assurer qu'elle n'aurait jamais supporter être enceinte d'un autre homme que Richard.

— Il est vrai qu'ils étaient inséparables ! commenta Coralie.

Les deux autres acquiescèrent bruyamment tandis que, discrètement, Edwige levait les yeux au ciel.

— D'un autre côté, il faut bien reconnaître que la coïncidence est pour le moins étrange...

— D'autant plus qu'on ne la voit plus guère depuis les obsèques de son mari.

— C'est vrai ça ! On dirait qu'elle a disparu de la circulation !

— Lui connaissait-on une autre liaison ?

— Vous n'y pensez pas ! se récria Cunégonde. Il n'y avait pas de couple plus épris l'un de l'autre que ces deux-là, n'est-ce pas Edwige ?

— Bien sûr, répondit la maîtresse des lieux d'un ton ambigu dont elle fut la seule a en saisir le sens. Ne vous mettez pas martel en tête, continua-t-elle légèrement courroucée. Jeanne n'avait aucune liaison. Elle est restée fidèle à son mari jusqu'à la fin et l'enfant qu'elle porte aujourd'hui n'est que la suite logique et méritée de leur histoire. Maintenant, si vous le voulez bien, j'aimerais qu'on parle d'autre chose, ajouta-t-elle encore d'une voix qui ne souffrait pas la réplique.

Tandis que Cunégonde et Coralie plongeaient le nez dans leur tasse en rougissant, Marie-Bérengère, plus hardie que ses deux compagnes, affronta Edwige avec aplomb.

— Ne te vexe pas, Edwige. Tu avoueras qu'il y avait de quoi se poser des questions !

— Et bien, il me semble y avoir répondu, rétorqua-t-elle froidement.

Il y eut un lourd silence durant lequel les quatre femmes évitèrent de se regarder. Puis Coralie, d'une voix faussement anodine, évoqua l'extrême chaleur qui s'était abattue sur Paris depuis trois jours. Les deux autres se plaignirent aussitôt des saisons en général et de la canicule en particulier, oubliant qu'une semaine auparavant, elles avaient longuement déploré le mauvais temps qui n'en finissait plus d'occuper le ciel parisien.

Mais pour Edwige, le cœur n'y était plus. Il fallait que tout cela cesse ! Demain matin, elle se rendrait chez Jeanne et, quoi qu'en dise son amie, elle la sommerait de mettre un terme à cet isolement forcené grâce auquel elle se protégeait du monde extérieur. Les cancans allaient bon train parmi leurs connaissances et relations, et l'exil qu'elle s'infligeait n'était pas bien perçu par la plupart d'entre elles. Du coup, sa grossesse devenait suspecte. Le monde commençait à penser qu'elle avait une liaison et que le bébé n'était pas de son défunt époux. Sans parler du testament de Richard qui lui léguait toute sa fortune... De là à associer héritage et mort suspecte, il n'y avait qu'un pas. Jeanne devait faire attention : par une attitude aussi puérile qu'irréfléchie, elle allait attirer trop d'attention sur elle et les gens, toujours à l'affût du moindre scandale, s'intéresseraient d'un peu trop près à ce qui s'était réellement passé entre elle et son mari.

Lorsque ses invitées prirent congé, une heure plus tard, un certain malaise perdurait entre elles, sans que la maîtresse de maison soit parvenue à détendre tout à fait l'atmosphère. Marie-Bérengère lui jeta un regard de biais et Edwige comprit que la rumeur était lancée.

17

— Mon chou ! Que s'est-il passé ? Qu'est-ce que c'est que cette coiffure ridicule ? Et cette robe... Ce ton est tout simplement infect ! Jeanne, enfin, qu'est-ce qui t'a pris de te fagoter ainsi ? Tu ressembles à une pute de bas étage !

Edwige et Jeanne se tenaient toutes les deux dans le hall d'entrée de l'hôtel particulier. Avant même lui avoir dit bonjour, Edwige, qui venait d'arriver, tournait autour de Jeanne d'un air catastrophé en contemplant le désastre.

Deux étages plus haut, Suzanna, qui avait entendu le coup de sonnette, se redressa instantanément dans son lit. Elle sauta sur ses pieds en une fraction de seconde, comme si elle venait de recevoir une décharge électrique. Puis, tirant de toutes ses forces sur la menotte qui lui entravait toujours le poignet, elle tenta, tant bien que mal, de se rapprocher le plus possible de la porte de la chambre afin d'entendre si quelqu'un était entré dans la maison. Tout d'abord, elle ne perçut rien d'inhabituel.

Au rez-de-chaussée, Jeanne reçut les critiques d'Edwige comme un coup de poing dans la figure.

— Ça ne te plaît pas ? demanda-t-elle à la fois terriblement surprise et peinée.

— Grand Dieu, Jeanne ! lui répondit Edwige en levant les yeux au ciel. Ne me dis pas que tu trouves cela joli. Cette nouvelle coupe de cheveux... À ton âge !

Jeanne se crispa, et une infinie tristesse se lut sur son visage, comme si quelque chose venait de se briser en elle.

— Quoi, mon âge ? protesta-t-elle faiblement. J'ai l'âge d'être mère !

— Oui, et bien, si tu veux mon avis, c'est limite ! répliqua Edwige sans ambages.

Puis, remarquant sa mine profondément blessée, elle continua plus doucement.

— Jeanne, je suis ton amie, je ne veux pas te faire de peine... Mais justement, en tant qu'amie, il y a certaines choses dont j'aimerais m'entretenir avec toi.

Devant la mine préoccupée d'Edwige, Jeanne éclata d'un rire un peu forcé.

— Tu n'es pas obligée de me parler comme si tu allais m'annoncer la fin du monde !

— Je ne comprends pas bien pourquoi tu t'obstines à t'enfermer toute seule dans cette grande maison depuis quelques semaines, poursuivit Edwige en se dévêtant de son gilet de cachemire. (Puis, ne sachant où le poser :) Et pourquoi n'y a-t-il plus de domestiques ici ? C'est absurde ! Tu es riche, tu es libre, tu peux faire ce qui te chante... On dirait que tu agis comme si Richard vivait encore !

Jeanne se tut et baissa les yeux, telle une enfant désobéissante en train de se faire gronder.

— Je suis persuadée que tu n'as plus vu personne depuis des semaines... Vas-tu seulement chez le médecin ?

Jeanne resta muette.

Dans la chambre de Suzanna, le temps sembla s'être soudainement figé. La jeune fille n'avait jamais remarqué à quel point tous les petits bruits qui composent le silence rugissent dans les oreilles dès qu'il s'agit de percevoir le moindre bruissement. Après quelques secondes d'attention durant lesquelles il lui sembla entendre comme un murmure lointain, la jeune fille, n'y tenant plus, se mit à hurler comme une possédée. Il y avait quelqu'un dans la maison, de cela elle en était certaine ! Quelqu'un qui, probablement, pouvait l'entendre et mettre fin à son calvaire.

D'abord, elle cria au secours dans sa langue natale tout en donnant des informations à propos de l'endroit où elle était retenue prisonnière. Mais elle comprit bien vite que l'on pouvait associer ses appels à l'aide à des cris qui proviendraient de l'extérieur, et que, du reste, personne ici ne comprenait le portugais...

Elle poussa alors des cris stridents, comme si elle était sur le point de se faire égorger, se disant que les sons aigus étaient ceux qui avaient le plus de chance de passer au travers des murs et des plafonds.

Deux étages plus bas, Edwige commençait à perdre patience.

— Qui est le gynécologue qui te suit, Jeanne ? insista-t-elle sur un ton exaspéré.

— Le gynécologue qui me suit ? répéta Jeanne, légèrement hébétée.

Edwige l'observa avec circonspection et remarqua non sans une certaine appréhension que son amie paraissait ne pas être dans son assiette. Il y avait à nouveau ce vide au fond de ses prunelles, cette inquiétante absence d'expression qu'elle avait déjà remarquée lorsqu'elle l'avait retrouvée dans sa chambre, nue et sans connaissance après l'enterrement de Richard.

— Oui, le gynécologue ! reprit calmement Edwige. Le médecin qui va te suivre durant toute ta grossesse. Tu n'ignores tout de même pas que tu fais partie de la catégorie des grossesses à risque. À quarante ans passé, le corps d'une femme n'est plus à même de supporter une maternité sans prendre certaines précautions, expliqua-t-elle comme si elle s'adressait à une personne légèrement demeurée. Mon chou, on ne rigole pas avec ces choses-là ! Il faut impérativement que tu prennes rendez-vous chez un très bon médecin et que tu fasses toutes les analyses qu'il te prescrira.

— Mais... Je ne suis pas malade !

Edwige resta sans voix pendant quelques instants. La mine préoccupée, elle tendit la main vers le front de Jeanne dont elle voulut sentir la chaleur. Instinctivement, celle-ci se raidit et rejeta violemment la main de son amie.

— Jeanne, mon chou, ça ne va pas ? interrogea la grosse femme, du plus gentiment qu'elle put.

— Puisque je te dis que je ne suis pas malade ! lui hurla littéralement Jeanne au visage. Je suis enceinte !

Enceinte, tu comprends ça ?

J'attends un bébé, un bé-bé !

Elle s'était mise à trembler sous le coup d'une révolte irrépressible qui parut exploser subitement, comme si le chagrin qu'elle avait ressenti jusqu'ici était devenu trop insupportable. Ses yeux semblaient vouloir sortir de leurs orbites et un peu de salive apparut à la commissure de ses lèvres.

— Ça t'épate, hein ? continua-t-elle, haineuse. Ça te fait mal aux ovaires, pas vrai ma grosse ? Parce que toi, tu es trop vieille pour pouvoir faire un gosse. Et puis, ce n'est pas la loque qui te sert de mari qui pourrait t'engrosser, si tant est qu'un homme ait envie de foutre sa grosse bite dans ta graisse. Tu dis que j'ai l'air d'une pute, mais toi, tu es répugnante, avec tes bourrelets qui te dégoulinent de partout. Tu es tellement persuadée que ton fric est assez puissant pour cacher les amas de chair que tu trimbales partout avec cet air replet et satisfait ! Qu'est-ce que tu crois ? Tu es moche, tu es grosse, tout le monde se fout de toi dès que tu as le dos tourné. Ça t'étonne, hein ? renchérit-elle encore sous le regard médusé

176

d'Edwige. Tu penses vraiment que les gens t'apprécient pour tes beaux yeux, ou pour l'esprit dont tu te crois investie... Pauvre idiote ! C'est pour ton fric qu'on te respecte, juste pour ton sale fric. Le reste, tout le monde s'en moque : toi, tes attitudes d'ingénue décadente qui ne craint rien ni personne et tes moues de grosse vache débile qui se pâme devant ton Robert Mitchum... Il est mort, Robert Mitchum ! hurla-t-elle de plus belle. Mort, crevé, enterré, ce n'est plus qu'un macchabée décharné et pourri, bouffé par la vermine dans une caisse en bois...

« Tout comme ton Richard », pensa Edwige en elle-même.

Jeanne reprit son souffle tandis que sa corpulente amie lui faisait face, impassible. Il y eut quelques instants de silence.

— Tu as besoin d'aide, Jeanne, murmura Edwige dans un souffle.

Jeanne resta quelques secondes sans réaction, puis ses yeux s'emplirent de larmes.

— Excuse-moi, sanglota-t-elle d'une petite voix enfantine. Je ne sais pas ce qui m'a pris. Je... Je me sens terriblement fatiguée, ces temps-ci.

Elle tituba vers les marches de l'escalier et s'effondra sur l'une d'elles comme si elle venait de fournir un effort physique surhumain. Edwige la suivit et s'installa dignement à ses côtés.

— C'est normal, mon chou, ne t'inquiète pas, dit-elle d'une voix apaisante en lui prenant la main qu'elle se mit à tapoter maternellement. Ce bébé te prend toute ton énergie. On dit que les premiers mois sont les plus éprouvants. Viens, montons dans ta chambre. Tu vas te reposer un peu et je resterai près de toi.

Au deuxième étage, Suzanna hurlait toujours à s'en décrocher la mâchoire. À travers ses cris, elle entendit faiblement les vociférations de Jeanne. Instantanément, son cœur se mit à cogner de plus belle dans sa poitrine, car si elle percevait ce qui se déroulait au rez-de-chaussée, ne pouvait-elle espérer de manière tout à fait réaliste qu'on l'entende également ? Sauf que, contrairement à la personne qui se trouvait en bas, Suzanna était seule dans sa chambre, tous les sens à l'affût du moindre son pouvant lui donner une indication sur ce qui se passait dans le hall d'entrée. Quelqu'un qui n'y prendrait garde et qui, de surcroît, semblait avoir une discussion mouvementée avec Jeanne, cette personne pouvait-elle réellement entendre ses cris ?

Sans considérer plus avant ses chances d'être entendue, Suzanna redoubla de rage et de force, hurlant à s'en faire éclater les cordes vocales. Puis elle se mit à sauter sur le plancher, espérant que les bonds tout de même assez légers qu'elle effectuait — elle craignait de perdre l'enfant si elle sautait trop lourdement — seraient suffisamment bruyants pour alerter quelqu'un qui se trouvait deux étages plus bas. Très vite elle s'aperçut qu'elle n'avait aucune chance d'attirer l'attention par les sauts ridicules qu'elle exécutait en priant le seigneur que le bébé soit bien accroché.

À bout de patience, elle se mit à pousser le lit de toutes ses forces vers la porte d'entrée. Le meuble, massif et assez lourd, ne bougea que de quelques millimètres à peine. Au prix d'un effort surhumain, Suzanna redoubla de labeur, sans jamais cesser de crier, et ses hurlements rythmaient en cadence toute la concentration qu'elle déployait afin de déplacer le lit à baldaquin vers la porte de la chambre.

Centimètre par centimètre la jeune étrangère reprenait son souffle, bandait ses muscles et poussait le meuble en se déchargeant de sa tension dans une plainte sauvage. Chaque fois que le lit bougeait, c'était un pas de plus vers la liberté. Au bout de cinq minutes, elle était en nage, ses cheveux jaunes plaqués sur son front en sueur, les bras et les mains endoloris sous la pression de l'effort... Au bout de cinq minutes, elle se sentait totalement vide, épuisée, ne parvenant déjà plus à reprendre son souffle. Son cœur battait à tout rompre, tant par le violent travail physique auquel elle soumettait son corps que par l'émotion de plus en plus intense qui la gagnait de seconde en seconde. Elle craignait pour son enfant, consciente que chaque geste, chaque mouvement, chaque poussée qui bloquait l'air dans ses poumons et faisait travailler ses abdominaux, chaque effort qu'elle fournissait mettait en péril la vie de son petit. Mais elle continuait de pousser, suant à grosses gouttes, sans parvenir à se raisonner... Elle n'avait plus qu'un seul et unique but : atteindre cette porte coûte que coûte et l'ouvrir par n'importe quel moyen.

Au bout d'un temps indéfinissable, Suzanna se redressa afin de calculer le chemin parcouru : elle avait déjà traversé la moitié de la distance qui la séparait de la porte. Reprenant courage, elle se remit à pousser, encore et encore, expirant l'air de ses poumons en rugissant, le corps tendu à l'extrême.

Enfin, elle arriva à quelques centimètres de la porte. Suzanna rassembla ses dernières forces et, prenant son élan, elle projeta du plus violemment qu'elle put le lit contre la porte. Le choc provoqua un vacarme sourd qui fit trembler les murs des Coquelicots. Le souffle court, la jeune fille s'immobilisa afin de guetter la plus petite réaction qui proviendrait du hall d'entrée.

— Qu'est-ce que c'est que ce bruit ? murmura Edwige en levant la tête vers les étages supérieurs.

— Quel bruit ? demanda Jeanne, inquiète.

— Tu n'as pas entendu ? On aurait dit quelque chose qui s'effondrait...

Edwige se leva péniblement et fit mine de vouloir monter vers le premier étage. Le regard anxieux,

Jeanne la suivit des yeux avant de se précipiter à sa suite.

— Où vas-tu ? lui demanda-t-elle, affolée.

L'image de Suzanna menottée au lit la fit frissonner, et une vague de panique la submergea instantanément. Comment justifier la présence de cette femme chez elle, et dans quel état ?

— Je vais voir ce qui s'est passé, répondit Edwige sur le ton de l'évidence.

— Laisse ça ! ordonna Jeanne au bord de l'hystérie. Ça n'a aucune importance...

Edwige continuait de monter lentement l'escalier sans prendre garde à ce que lui enjoignait son amie. Sa forte corpulence l'empêchait de se mouvoir avec facilité et chaque marche lui demandait un effort particulier. Jeanne cherchait par tous les moyens de l'arrêter, pressentant qu'elle était à deux doigts de la catastrophe.

— Ne me laisse pas seule, s'il te plaît ! implora-t-elle comme s'il en allait de sa vie.

Edwige se retourna et considéra son amie d'un air intrigué.

— Qu'est-ce que tu as ? lui demanda-t-elle.

— Je... Je ne veux pas aller en haut, balbutia Jeanne, affolée. Et je ne veux pas rester seule... Allons plutôt au salon. J'ai besoin d'un remontant... Un bourbon, c'est ça ! J'ai terriblement envie d'un bourbon.

— Un bourbon ? s'exclama Edwige. Dans ton état ? Tu n'y penses pas, mon chou !

— Non, bien sûr. Pas de bourbon... Un jus de fruit ! J'ai soif, Edwige, j'ai très soif, se plaignit-elle comme si elle allait éclater en sanglots.

— Très bien, très bien ! s'empressa de répondre Edwige, rassurante. Ne t'affole pas, nous allons boire quelque chose de frais.

Elle fit rapidement demi-tour et descendit les quelques marches qu'elle venait de gravir.

180

— Il faudra tout de même s'assurer qu'il n'y a rien de cassé là-haut, marmonna-t-elle.

Lorsqu'elle fut de plain-pied dans le hall d'entrée, Edwige s'arrêta à nouveau soudainement, l'oreille à l'écoute.

— Tu n'as rien entendu cette fois-ci ?

— Non, non, je n'ai rien entendu, répondit Jeanne un peu trop précipitamment.

— On aurait dit... Comme un cri...

— C'est dans la rue, répliqua-t-elle encore, à deux doigts de la crise de nerfs.

— Justement non, ça venait de l'intérieur de la maison. Il y a quelqu'un chez toi ?

— Bien sûr que non, se gaussa Jeanne en riant faussement. Edwige, par pitié, j'ai soif !

— Oui, mon chou, nous y allons.

Edwige se remit en marche à la suite de Jeanne qui se dirigeait déjà vers le salon. Dès qu'elles furent dans la pièce, elle installa confortablement son amie dans le canapé.

— Ferme la porte, supplia Jeanne en gémissant.

La chambre de Suzanna, au deuxième étage, se trouvait de l'autre côté du corridor, au-dessus de la cuisine qui faisait face au salon. En fermant la porte, il n'y avait que peu de chance d'entendre quoi que ce soit venant de cette pièce. Suzanna pouvait crier, taper du pied, tambouriner aux murs, personne ne l'entendrait. Mais seulement si la porte du salon était fermée.

— Oui chérie, tout de suite, s'empressa Edwige.

Elle se dirigea vers la porte mais, au lieu de la refermer, elle se retourna vers Jeanne.

— Je vais à la cuisine te préparer quelque chose à boire. Attends-moi là.

Puis elle disparut dans le couloir sans que Jeanne ait eu le temps de protester. En laissant la porte ouverte.

18

Lorsque le destin est en marche, rien ni personne ne peut l'arrêter. Jeanne devinait tout au fond de sa souffrance qu'elle avait encore un long chemin semé d'embûches à parcourir avant d'atteindre le but qu'elle s'était fixé. Mais à présent, elle se sentait prête à tout. Elle avait été beaucoup trop loin pour faire marche arrière. Tout ce qu'elle espérait, c'était qu'Edwige, la seule amie qu'elle ait jamais eue, ne vienne se mettre en travers de sa route.

Malgré son immense tolérance et la grande liberté d'esprit dont celle-ci faisait habituellement preuve, Jeanne doutait non sans raison que sa riche compagne approuve le plan qu'elle avait mis sur pied. Le fait qu'Edwige ait accepté le meurtre de Richard sans la dénoncer à la police ne voulait rien dire : elle avait toujours haï Richard, et sans doute estimait-elle qu'il n'avait eu que ce qu'il méritait...

Mais aujourd'hui, Jeanne s'attaque à une personne innocente, une jeune fille qui n'est en rien responsable du sort qu'on lui réserve...

Pour la première fois depuis qu'elles se connaissent, Jeanne doit agir seule.

Elle n'a pas le choix.

— Un jus d'orange ou un jus de pamplemousse ? crie Edwige depuis la cuisine. Ma parole, tu as des vivres pour un régiment ici ! Tu as peur de mourir de faim ? Note que tu as raison... Avec ce petit qui te grignote de l'intérieur !

— Moins fort ! chuchote Jeanne, désespérée. Cesse de hurler comme ça, je ne suis pas sourde.

— Qu'est-ce que tu dis ? Parle plus fort, mon chou, je n'entends rien.

La voix d'Edwige est exaspérante. N'y tenant plus, Jeanne se précipite dans la cuisine.

— Pour l'amour du ciel, Edwige, arrête de brailler comme si on t'avait pendue par les pieds ! Et laisse ça, je n'ai plus soif. Viens plutôt au salon avec moi, lui intime-t-elle d'un ton cassant.

Edwige suspend son geste. Une demi-orange à moitié pressée à la main, elle considère son amie d'un œil perplexe. On sent qu'elle hésite sur la conduite à adopter : Jeanne semble de plus en plus dérangée, et ces changements soudains d'avis et de comportement ne présagent rien de bon. En quelques secondes, elle choisit de ne pas la contrarier. Jeanne semble bien plus atteinte qu'elle ne l'avait imaginé. Après la mort de Richard, Edwige avait cru qu'il suffirait de quelques jours de calme et de repos pour que son amie se remette sur pied. Mais on ne tue pas impunément quelqu'un, surtout lorsqu'il s'agit de l'homme dont on est follement amoureuse !

Edwige commence à comprendre — mais un peu tard — que Jeanne a lentement basculé dans la folie, sans aucun garde-fou pour la retenir. Elle l'avait crue bien plus solide, supposant que les années d'humiliation qu'elle avait subies lui permettraient d'assumer son geste. Il n'en a rien été. Peut-être même que le meurtre de Richard découle directement de cet état latent d'égarement dans lequel son amie, elle le devine à présent, s'est peu à peu réfugiée. Jeanne n'a jamais voulu admettre ouvertement à quel point elle était éprise de son mari, cela aussi Edwige est en train de le comprendre. Pendant des années, elle a joué le rôle que Richard lui imposait, sans jamais se soucier de ce qu'elle ressentait réellement. Elle a enfoui au plus profond de son être ses états d'âme et ses émotions afin de ne pas contrarier son époux, afin de répondre à l'image qu'il exigeait qu'elle lui renvoie, jour après jour, mois après mois, année après année. Sans doute même était-ce cette image qui la maintenait dans un état de raison, qui l'empêchait de sombrer dans la dépression et ensuite dans la folie...

Jeanne était fragile, émotive, elle n'avait aucune confiance en elle et sa rencontre avec Richard fut l'unique événement de sa vie qui lui avait donné un quelconque crédit à ses yeux. L'univers dans lequel elle évoluait depuis son mariage était exclusivement celui de Richard et, maintenant qu'il était mort, il n'existait plus aucune barrière à laquelle elle pouvait se raccrocher. L'enfant qu'elle attendait aurait normalement dû lui donner la volonté de résister à la déchéance dans laquelle elle s'était laissé glisser.

Edwige ignore pourquoi il n'en a pas été ainsi, pourquoi la grossesse de Jeanne ne lui a pas apporté la force dont toute femme enceinte se trouve naturellement pourvue, du moins le pensait-elle.

Tout cela, Edwige le ressent au fond d'elle-même. Elle perçoit implicitement que son amie est tombée trop profondément dans l'abîme de la détresse. Mais ce qu'elle comprend de manière limpide, c'est qu'il devient urgent pour Jeanne d'être très sérieusement suivie par un spécialiste. Peut-être même doit-elle être internée dans un établissement psychiatrique ?

Il va falloir jouer serré, car, comme toute personne au mental déficient, Jeanne se croit parfaitement équilibrée et refusera tout net d'envisager la seule possibilité d'une consultation chez un médecin. Dès qu'elle rentrera chez elle, Edwige se mettra en contact avec le docteur Herbert, grand psychanalyste reconnu et ami de son mari. Elle lui racontera l'état psychique déplorable de Jeanne, lui demandera conseil et prendra alors la décision qui s'impose pour le bien de son amie.

Edwige abandonne sa demi-orange sur le plan de travail et marche à la suite de Jeanne vers le salon. Mais une fois dans le corridor, elle s'arrête à nouveau, pilant net, attentive.

— Là ! Tu as entendu, maintenant ? demande-t-elle dans un souffle.

— Non, je n'ai rien entendu !

Le visage buté, Jeanne a répondu trop vite, trop brutalement, sans même tendre l'oreille. Elle se met à trépigner sur place, telle une enfant gâtée à qui l'on vient de demander quelques secondes de patience.

— C'est un cri de femme ! s'exclame Edwige, décontenancée. Jeanne, il y a quelqu'un chez toi ! Là, en haut... Il faut aller voir !

Jeanne se braque, se tend de la tête aux pieds. Son visage devient blême et son regard se vide totalement. D'un coup. Comme un pantin mécanique dont on aurait extrait les piles. Et tandis qu'Edwige se dirige d'un pas rapide vers le hall d'entrée, elle emboîte le pas de la grosse femme, la démarche raide.

— Que se passe-t-il ici, bon sang ? marmonne Edwige dans son double menton.

— Edwige, arrête-toi, ordonne Jeanne d'une voix glaciale. Je t'interdis de monter là-haut ! Tu m'entends, sale fouineuse ?

Edwige s'est arrêtée. Lentement, elle se tourne vers son amie et l'observe attentivement.

— Jeanne, dis-moi : qui est en haut ? demande-t-elle gravement.

Jeanne ne répond pas. Mais à présent, Edwige perçoit de manière très distincte les cris de Suzanna.

— Il y a quelqu'un en haut, n'est-ce pas ? C'est une femme. Qui est-ce ?

Silence.

— Pourquoi se trouve-t-elle ici, Jeanne ? Pourquoi hurle-t-elle ainsi ?

Jeanne est livide. Elle fixe un point imaginaire, loin derrière Edwige, loin derrière le miroir de la raison. Au-dessus de leur tête, les cris de Suzanna égrènent les secondes qui s'écoulent dans le vide.

— Jeanne, nous allons monter toutes les deux, continue Edwige d'une voix calme et posée. Nous allons nous rendre ensemble dans la pièce où se trouve cette femme, et nous allons lui demander ce qu'elle fait là. Tu es d'accord ?

Jeanne ne bouge plus. Elle ressemble à présent à une poupée de cire, avec cette fine pellicule de sueur qui recouvre les traits de son visage. Doucement, Edwige s'approche d'elle.

— Viens, Jeanne, viens avec moi, dit-elle en lui prenant la main. Nous sommes très proches, toi et moi. Nous nous connaissons depuis si longtemps ! Nous pouvons partager tous nos secrets...

Edwige l'entraîne lentement vers l'escalier. Jeanne se laisse guider sans résistance, marchant d'un pas absent aux côtés de sa corpulente compagne.

— C'est si réconfortant d'avoir une amie ! ajoute encore Edwige, faussement joyeuse. Tu te souviens de nos jeudis après-midi ? Comme nous pouvions causer de tout, sans aucun interdit, librement. Je n'ai jamais connu cela avec personne, moi qui connais tant de monde ! Toutes ces péronnelles qui ont autant d'esprit qu'un pois chiche, leurs conversations m'ont toujours semblées tellement soporifiques. Mais avec toi... Ah oui, avec toi c'est tout à fait différent !

Arrivées au pied de l'escalier, les deux femmes commencent à en gravir les marches. Jeanne n'a aucune réaction. Il semble qu'elle soit totalement étrangère à tout ce qui se passe dans la maison. Elle se laisse guider par Edwige avec une parfaite indifférence.

À chaque pas, les cris de Suzanna se rapprochent et la grosse dame peut à présent en mesurer toute l'anxiété, tout le désespoir. Elle accélère légèrement le pas, pressentant le drame qui se joue depuis quelques semaines au deuxième étage. Les appels au secours lui donnent la chair de poule. N'y tenant plus, elle s'écrie à son tour :

— Tenez bon, je suis là ! Dans quelques secondes à peine, je serai auprès de vous !

19

Suzanna s'interrompt en plein cri. L'oreille tendue, elle écoute le moindre bruit venant de la cage d'escalier. A-t-elle bien entendu ? Il lui a semblé percevoir une voix qu'elle ne connaît pas, une voix qui paraît tout près d'elle, bien plus près qu'elle ne l'avait espéré. Une voix qui semble s'adresser à elle.

Le cœur battant, la gorge sèche, elle scrute avec espoir chacun des murmures qui parviennent jusqu'à elle. Elle entend les pas qui grimpent lentement, trop lentement à son goût. Elle entend aussi une forte respiration, celle de quelqu'un qui s'essouffle vite...

Le doute n'est plus permis, on l'a entendue, on vient la délivrer ! Alors, sans plus attendre, elle se remet à crier, et ses cris à présent ne résonnent plus dans le vide. Elle appelle quelqu'un, quelqu'un qui existe dans la réalité, qui est là pour elle, elle l'appelle de toutes ses forces afin de la guider jusqu'à elle.

— *Aqui, eu estou aqui ! No segundo andar, perto das escadas. Venha rapido, por favor !*

De l'étage du dessous, elle entend la voix lui répondre. C'est une voix de femme, un peu aiguë mais rassurante, hors d'haleine, dont la propriétaire semble fournir un grand effort physique. Suzanna se laisse alors tomber sur le lit et éclate en sanglots. Elle n'ose encore y croire ! Serait-il possible que son calvaire touche à sa fin ? Que la dingue au manteau de fourrure ait été démasquée et neutralisée ? Depuis combien de temps est-elle là, cloîtrée dans cette chambre ? Deux ou trois semaines ? Un mois ? Elle ne sait plus très bien. Cela lui a paru une éternité. Son ventre a un peu grossi, son corps s'est déjà transformé, ses seins ont gonflé...

C'est à ces détails que, depuis sa captivité, elle mesure le temps qui passe. Instinctivement, les bras de Suzanna se referment sur son ventre qu'elle se met à pétrir doucement, avec amour. « Mon petit, mon tout-petit... Tout est fini à présent, nous allons enfin pouvoir penser à nous. Nous allons enfin être heureux. »

Suzanna se penche vers le miroir et se regarde longuement. Combien de temps faudra-t-il pour que ses cheveux redeviennent ce qu'ils ont été, longs et sombres, dévalant en cascade sur ses épaules ? Retrouvera-t-elle jamais sa lourde tignasse dont elle était autrefois si fière ? La jeune fille ne peut concevoir de donner le jour à son enfant avec des cheveux qui ne lui ressemblent pas. Laquelle de ces deux femmes son bébé verra-t-il pour la première fois : Suzanna la captive, faible et malheureuse, ou la belle et rebelle Portugaise, sauvage et fière ?

Suzanna arrache la taie de son oreiller et, l'humectant de sa salive, se met à essuyer son visage avec application, afin de faire disparaître le maquillage grotesque dont Jeanne l'a barbouillée. Le drap est bientôt maculé de bleu, de rouge et de noir, et la jeune fille continue de frotter sa peau rougie, de plus en plus nerveusement, avec une frénésie quasi hystérique, comme si tout le fard dont elle était grimée lui brûlait la figure. Il ne faut pas que la femme qui va venir la délivrer soit effrayée par ce masque burlesque ; il ne faut pas qu'elle pense que Suzanna est folle, parce que c'est ce qu'elle paraît être, avec cette coiffure ridicule et cette robe hideuse. Cette femme, lorsqu'elle ouvrira la porte... Suzanna s'immobilise une nouvelle fois, et écoute ce qui se passe à l'autre bout du couloir. Elle discerne toujours la respiration bruyantc qui s'approche un peu plus à chaque seconde. Elle doit encore être dans la cage d'escalier, entre le premier et le deuxième étage. Pourquoi est-elle si lente ? Pourquoi prend-elle tant de temps pour arriver jusqu'à elle ? Suzanna appelle une fois de plus, comme pour s'assurer qu'elle n'est pas en train de rêver.

— *Eu estou aqui ! Estas ai ? Estas me entender ?*

La voix lui répond, haletante. Suzanna ne comprend pas ce qu'elle lui dit, mais ça n'a plus d'importance. Elle pousse un soupir de soulagement. Non, elle n'est pas en train de rêver. Il y a bien quelqu'un qui arrive pour la délivrer. Bientôt, elle entend qu'on marche dans le couloir de son étage, à quelques mètres d'elle à peine. On se presse, on hésite sur la porte à ouvrir... Suzanna recommence à appeler, frénétiquement, comme une litanie dont on ne parvient pas à se débarrasser.

Enfin elle voit la clenche de la porte s'agiter. On essaye d'entrer dans la pièce, mais la porte est fermée à clé. Suzanna attend, figée. Elle guette le bruit de la clé qu'on introduit dans la serrure. Elle ferme les yeux, concentre toute sa volonté sur ce cliquetis particulier, ce son tant espéré qui annoncera sa libération.

Mais rien ne vient. Elle entend la voix s'adresser à quelqu'un d'autre, comme si elle posait une question. Aucune réponse ne suit. C'est alors qu'elle se souvient de l'endroit où la dingue au manteau de fourrure cache la clé de la chambre : dans son décolleté, entre ses deux seins en forme de chaussettes vides, coincée entre sa chair et l'armature de son soutien-gorge.

— *No seu soutien ! À chave encontrãse no seu soutien !*

190

Mais la voix ne semble pas réagir à l'information. Et de fait, Edwige ne comprend pas le portugais. Suzanna entend qu'on tente encore vainement d'ouvrir la porte, laquelle reste désespérément close. Puis les pas s'éloignent.

« Ce n'est rien, marmonne-t-elle tout bas dans sa langue natale, pour ne pas faire place à la panique qui manque de l'assaillir. Elle est partie chercher les clés. Ou alors, elle va appeler la police pour défoncer la porte. Ou un serrurier pour venir me délivrer... Elle est partie, mais elle va revenir très vite ! L'important, c'est que quelqu'un sache que je suis là. Elle sait que je suis prisonnière ! Elle n'arrive pas à ouvrir la porte, mais ce n'est plus qu'une question de minutes, peut-être même de secondes... Elle va revenir. Oui, elle va revenir avec les clés, et je pourrai partir d'ici... »

Mais soudain, tout bascule. Un cri fulgurant retentit de l'autre côté du couloir, un cri bestial, suivi d'un énorme bruit sourd, tel un poids volumineux dévalant les marches. Une longue plainte aiguë s'élève ensuite dans les airs, par-dessus laquelle Suzanna perçoit comme un souffle rauque et furibond, éructant l'air de deux poumons en feu.

Des pas se précipitent dans l'escalier puis ce sont des coups, quelque chose de spongieux que l'on cogne avec une effrayante régularité sur une surface dure, accompagnés de gémissements épuisés.

Suzanna se fige sur place. Elle secoue la tête avec épouvante, les yeux exorbités, la mâchoire tellement serrée qu'elle manque de se broyer les dents les unes contre les autres...

Puis c'est le silence. Un silence encore plus terrifiant.

Après quelques instants d'absence totale de vie au sein de la grande maison froide, Suzanna se risque à appeler. Tout bas. Trop bas peut-être pour qu'on puisse l'entendre. Elle est si pâle que l'irritation due à son démaquillage forcené lui fait comme de grosses plaques mauves sur le visage. Affolée, elle appelle encore, un peu plus fort, mais plus rien ne lui répond, ni le souffle bruyant, ni la voix aiguë. Épouvantée, la jeune Portugaise se réfugie en boule à même le sol, sur le tapis de la chambre, tout contre le lit auquel elle est toujours menottée, totalement recroquevillée sur elle-même. Son unique bras libre est replié contre sa poitrine tandis que l'autre est mollement dressé dans les airs, retenu par la menotte, et elle a ramené ses jambes sous elle, les genoux plaqués sous son menton.

Comme un fœtus.

Quelques instants plus tard, un bruit retentissant arrache Suzanna à sa torpeur. Jeanne tente de pousser la porte de la chambre mais le lit que Suzanna a déplacé bloque l'ouverture. La jeune fille est toujours recroquevillée à même le sol, et ressent dans tout le corps les chocs violents que Jeanne assène contre la porte. Le lit recule par à-coup sous les secousses frénétiques infligées par la maîtresse de maison.

Au bout d'un long moment, Jeanne apparaît enfin dans l'encadrement de la porte de la chambre, qu'elle vient d'ouvrir avec fracas. Elle ressemble à une furie, le visage fou, les cheveux en bataille, le menton et les joues barbouillés de sang. Elle respire comme un animal, soulevant et abaissant sa poitrine dans une attitude d'attaque imminente, et jette à Suzanna un regard menaçant. La seconde suivante, elle est auprès de la jeune fille et la toise du haut de sa stature.

Suzanna est toujours repliée sur elle-même, fragile victime totalement à la merci de son bourreau. Sans dire un mot, Jeanne s'empare brutalement du poignet de la jeune étrangère qu'elle libère de ses menottes. Puis, la saisissant par le bras, elle la relève d'un seul coup et la pousse devant elle avec une violence qu'elle ne cherche même plus à contenir.

Suzanna est projetée par terre et tente maladroitement, dans un réflexe de survie instinctif, de se redresser. Mais Jeanne est déjà sur elle. Elle l'attrape par le col de sa robe et la soulève d'une main. Il semble qu'elle soit animée par une force colossale, titanesque, dont elle ne contrôle plus les effets. Sans laisser le temps à la jeune fille de reprendre son équilibre, elle sort de la chambre en la tenant devant elle, à bout de bras, et la mène ainsi jusqu'à l'escalier dont elle se met à descendre les marches.

Lorsqu'elles arrivent au premier étage, Suzanna aperçoit avec horreur les vestiges d'une lutte sans merci. Quelques barreaux de la rampe sont brisés net et une immense tache sombre macule le tapis d'une teinte pourpre éloquente. Sans s'émouvoir, Jeanne entame la seconde volée de marches jusqu'au rez-de-chaussée. Là, elle se dirige vers une lourde porte de bois déjà entrouverte, située sous l'arcade tournante de l'escalier de marbre. De sa main libre, elle l'ouvre toute grande et poursuit sa descente vers les caves de l'hôtel particulier. La froide humidité des lieux frappe Suzanna de plein fouet, et la jeune Portugaise, titubant sous la poigne de Jeanne, se met à trembler de tous ses membres.

Elles n'en finissent plus de descendre en suivant l'inclinaison circulaire des escaliers, tournant et tournant encore. Il semble qu'elles s'enfoncent inexorablement dans les entrailles de la terre, et l'obscurité environnante de l'endroit, éclairée par de faibles ampoules électriques et nues, fait jouer sur les murs de pierres de larges ombres sinistres.

Lorsqu'elles atteignent les fondements mêmes des Coquelicots, Jeanne continue d'avancer d'un pas agressif à travers les galeries souterraines d'une immense cave qui paraît faire toute la superficie de l'antique demeure. Elles serpentent le long d'un étroit couloir reliant plusieurs salles aux dimensions impressionnantes. Certaines d'entre elles sont remplies de plusieurs centaines de bouteilles de vin, entreposées de manière très ordonnée dans des étagères prévues à cet effet.

La température du lieu est encore plus fraîche que dans l'escalier qui les a menées jusque-là, et Suzanna grelotte littéralement de peur et de froid. Au bout du couloir, Jeanne se dirige sans hésitation vers une pièce, plus petite que ses voisines, mais qui a la particularité d'être munie d'une porte. Sans la moindre hésitation, elle pousse brutalement la jeune fille à l'intérieur de la salle. Avant de refermer la porte, elle s'adresse à elle d'une voix haineuse :

— Ici, tu pourras toujours crier. Personne ne t'entendra !

Puis, sans rien ajouter de plus, elle referme la porte dans un claquement sonore. Suzanna se précipite vers le battant désespérément clos sur lequel elle se met à tambouriner de toutes ses forces en suppliant Jeanne de la laisser sortir. L'endroit l'épouvante. La pièce dans laquelle elle se trouve est vide et crue, et seule une petite ampoule de faible intensité en éclaire partiellement le plafond voûté.

Suzanna trépigne, sanglote, hurle son angoisse et sa détresse, implore son bourreau de la laisser partir, se presse contre la porte comme si elle cherchait à passer au travers. Mais par-delà ses supplications et ses sanglots, elle perçoit les pas sonores de Jeanne qui s'éloignent en retentissant le long du couloir. Bientôt, elle entend très distinctement le bruit d'un battant que l'on referme avec rage. Puis c'est le silence total. À bout de force, Suzanna se laisse glisser le long de la porte et s'accroupit en enfouissant son visage entre ses jambes.

Lorsqu'elle pose la tête contre ses genoux, Suzanna remarque seulement à quel point son visage est brûlant, alors que tout le reste de son corps grelotte sous l'effet du froid. La tête lui tourne et, ainsi recroquevillée sur elle-même, elle reconnaît la sensation caractéristique d'écœurement qui annonce une nausée.

La jeune fille n'a plus le courage de se lever. Un haut-le-cœur la secoue violemment sans qu'elle parvienne à trouver la force de se redresser afin de ne pas se vomir dessus. Mais après tout, qu'importe ? Elle pourrait à présent déféquer sous elle, Suzanna se sent partir loin de ce corps qui la retient inexorablement dans ce monde sans merci. À quoi bon lutter si c'est pour donner naissance à un enfant qui ne verra jamais la lumière du jour, qui ne connaîtra jamais la douceur d'un berceau se balançant au rythme d'une comptine chantée tendrement par sa maman. Un enfant qui, déjà, ne connaît que chagrin et épouvante. Un enfant qui, peut-être, ne survivra pas aux mauvais traitements auxquels sa maman est soumise.

Les yeux embués de larmes, Suzanna se laisse lentement sombrer dans une torpeur récurrente dont l'absence totale de discernement la protégera, l'espace d'un instant, d'une réalité à laquelle elle n'est plus à même de faire face.

Quand elle relève la tête, la jeune fille met quelques secondes avant de se souvenir de ce qu'elle fait là. Dans un frisson d'effroi, elle se remémore sa descente hallucinée sous la poigne enragée de Jeanne. Épouvantée et vacillante, elle se redresse péniblement afin d'observer plus attentivement la place où elle se trouve.

C'est une salle aux dimensions moyennes dont le plafond, bas et voûté, lui donne une affreuse sensation d'étouffement. La pièce semble vide. Les murs de pierres sont sales et mal entretenus, suintant en certains endroits une forte humidité qui s'écoule goutte à goutte sur un sol de terre battue.

On dirait que l'endroit est resté inachevé, comme si quelqu'un avait donné l'ordre de stopper net des travaux d'aménagement sur le point d'être terminés. Il fait très sombre, la seule ampoule électrique dont l'endroit est pourvu n'ayant pas assez d'ampérage pour éclairer la totalité de la pièce. Certains recoins sont enfouis dans une pénombre absolue.

Les deux bras serrés contre elle-même, grelottant de froid, Suzanna ose quelques pas vers le centre de la salle. Il n'y a pas le moindre élément lui permettant de s'asseoir sans être obligée de toucher le sol, sur lequel des colonnes de fourmis se déplacent dans une totale indifférence. Venant de la campagne, Suzanna n'a jamais eu particulièrement peur des insectes. Mais dans ce lieu sordide, la vision de cette singulière compagnie l'effraie autant qu'elle la dégoûte. Tétanisée par les multiples habitants de l'endroit, la jeune fille reste debout, raide et figée, sans plus oser ne fût-ce que s'accroupir. Cependant, au bout d'un temps interminable, elle se secoue et fait encore quelques pas vers l'autre côté de la pièce.

C'est alors qu'elle discerne un imposant paquet de forme allongée, recouvert d'un drap. Celui-ci est posé contre le mur qui lui fait face, jusque-là plongé dans les ténèbres. Elle se dirige vers lui, persuadée qu'elle a trouvé là quelque chose qui lui permettra de s'asseoir. Avant de s'installer, plus par réflexe que par curiosité, Suzanna soulève le drap pour voir ce qu'il recouvre.

Une grosse femme coquettement vêtue malgré sa forte corpulence gît sous le drap, la bouche ouverte, les yeux révulsés, le teint jaune et cireux, et un épais filet de sang s'écoulant d'une impressionnante fracture à la base du crâne divise son visage en deux parties, dont l'expression d'horreur et de souffrance a marqué à tout jamais les traits.

20

— C'est fou comme les gens sont irascibles en ce moment ! Tenez, l'autre jour... Je cherche une place pour me garer et, au bout de dix minutes de recherches infructueuses, j'aperçois un coin de trottoir ma foi des plus accueillants. Je fonce, je manœuvre, puis je sors de mon véhicule toute heureuse de l'aubaine. Mais voilà qu'au bout de la rue, j'aperçois une contractuelle. Afin de lui éviter des paperasseries inutiles, je me dirige vers elle et lui explique gentiment qu'étant la nièce du ministre des Finances, il est totalement vain qu'elle me dresse un procès puisque je suis en mesure de le faire sauter d'un simple claquement de doigts. Inutile de vous dire qu'elle avait le physique de l'emploi : le regard torve, la bouche tombante, la culotte sèche... Savez-vous ce qu'elle me répond ? « La loi est la même pour tous ! » J'ai trouvé cela d'un mesquin !

— Et que lui avez-vous répondu ?

— J'étais si abasourdie par sa bêtise que j'en suis restée stupéfiée. Elle a griffonné son P-V d'un air stupidement victorieux et me l'a tendu comme s'il s'agissait d'une déclaration de guerre.

— L'excès de zèle des petites gens, il n'y a rien de plus lassant

— Chérie ! N'êtes-vous pas encore habituée à la susceptibilité des plus défavorisés ? Ce sont des gens frustrés par la vie, et la moindre bassesse est vécue comme une vengeance vis-à-vis de ceux qui, comme nous, ont une certaine situation sociale.

— Croyez-moi, il n'y a pas que les gens du peuple qui sont susceptibles... Tenez l'autre jour, Edwige m'a beaucoup déçue ! Savez-vous que je n'ai plus aucune nouvelle d'elle depuis la petite altercation que nous avons eue à propos de Jeanne ?

— Non ! C'est étonnant... Je n'imaginais pas qu'Edwige puisse vous tenir rigueur de la légère dissension que vous avez eue. Surtout qu'il n'y avait rien de personnel dans vos propos !

— Pensez-vous ! Je n'ai fait que dire tout haut ce que tout le monde pense tout bas. Lorsque nous avons évoqué le sujet, Rose Labeye m'a avoué avoir eu les mêmes soupçons que moi. Pour elle, l'absence prolongée de Jeanne ne signifie qu'une seule chose : elle a quelque chose à cacher ! Elle a même été jusqu'à supposer que non seulement l'enfant n'était pas de Richard, mais qu'en plus le véritable père de l'enfant était difforme ou quelque chose d'approchant. Sinon, comment expliquer qu'il n'y ait plus aucun personnel chez elle ?

Jeanne n'est pas idiote, elle connaît la vitesse à laquelle les domestiques colportent les ragots. Je suis de plus en plus persuadée qu'elle ne peut décemment se montrer en public avec son nouvel amant ! Et si vous voulez mon avis, Edwige est parfaitement au courant de la situation de Jeanne. C'est pour cela qu'elle défend son amie bec et ongle, ce que je trouve totalement immature...

— D'autant plus que Jeanne est assez grande pour répondre elle-même de ce qu'on l'incrimine... Mais si ce que vous avancez est exact, imaginez le pedigree de l'enfant !

— Si vous voulez mon avis, la vérité éclatera dans quelques mois.

— À ce propos, a-t-elle répondu à votre invitation ?

— Et bien oui ! À mon grand étonnement. Je l'ai eue avant hier au téléphone et elle m'a assurée qu'elle se faisait une joie de compter parmi mes invités.

— Et comment se porte-t-elle ?

— Apparemment bien. Savez-vous qu'elle en est déjà à son cinquième mois de grossesse ? Je suis curieuse de voir comment elle porte le ventre ! Elle d'ordinaire si maigre...

— Avez-vous invité Edwige ?

— Bien sûr. Je ne suis pas rancunière, et il me paraissait évident que nous étions toutes les deux assez adultes pour faire une croix sur ce qui s'est dit l'autre jour. Mais il semble qu'Edwige ne soit pas du même avis.

— Peut-être se manifestera-t-elle dans les jours prochains... Votre réception n'est prévue que dans deux semaines, elle a encore quelques jours pour répondre.

— Oui, vous avez peut-être raison. Mais j'avoue que si je n'ai pas de réponse d'ici la fin de la semaine, le message sera clair. Et je considérerai son silence comme une offense personnelle !

CINQUIÈME MOIS

« À cette période de votre grossesse,
vous vous sentez réellement bien.
Vos nausées sont terminées et la fatigue des premiers
mois est passée.
[...] Vous vous sentez active et avez envie
d'entreprendre et de bouger.
[...] C'est aussi la période idéale pour faire des
voyages. »

21

Edwige se décomposait à une vitesse impressionnante. Et l'odeur qui se dégageait de son corps en
putréfaction devenait chaque jour un peu plus
irrespirable. Les mouches n'avaient pas tardé à
s'agglutiner sur l'imposant cadavre et avaient déjà
pondu un grand nombre d'œufs qui donnèrent naissance à des centaines d'asticots grouillant dans tous
les orifices accueillants.

La grosse femme perdit bientôt allure humaine
et devint une sorte de magma jaunâtre et cireux,
pourrissant sur pied à quelques mètres à peine de
Suzanna, et servant de garde-manger aux mouches
et aux fourmis.

La jeune fille crut perdre l'esprit, tant à cause de
la puanteur suffocante qui régnait dans la pièce que
par le bruit ininterrompu du vol des mouches, bour-
donnement incessant et nerveusement exténuant.

Jeanne avait poussé la cruauté jusqu'à la menotter à proximité de la dépouille d'Edwige, afin
qu'« elle n'oublie jamais qu'elle était l'unique responsable de la mort de cette amie de toujours », ce qui
n'avait fait qu'accroître la haine qu'elle lui portait.
Désormais, disait-elle, elle serait sans pitié. Dès les
premiers jours de sa cohabitation avec le cadavre,
devinant la présence intolérable de la mort, Suzanna
ressentit une terreur irrépressible envers le corps

purulent de cette femme, qu'elle n'avait d'ailleurs jamais vu vivante. Elle se mettait alors à hurler, demandant grâce, priant le Seigneur qu'on vienne la délivrer, de quelque manière que ce soit... Jusqu'au moment où Jeanne apparaissait enfin. Suzanna la suppliait alors de la débarrasser de la « morte », pleurant et sanglotant sans aucune retenue. Jeanne feignait de ne rien saisir de ce que la jeune fille l'implorait.

— Je suis désolée, chérie, je ne comprends pas ce que tu veux.

Puis elle ressortait de la pièce en lui adressant un petit sourire confus.

Jeanne avait trouvé le moyen de la menotter à une sorte d'anneau de fonte fiché dans le mur, qui devait servir autrefois à maintenir les énormes tonneaux de bois cerclés de fer contenant des litres entiers de vin nouveau, acheminés depuis la région des vignobles pour la mise en bouteille. Puis elle lui avait jeté un matelas à même le sol qui ressemblait plus à une paillasse, ainsi qu'un drap et une couverture à la propreté douteuse.

La fatigue ayant eu raison de son dégoût, Suzanna s'y était laissée tomber avec résignation. Elle s'était pelotonnée le plus loin possible du cadavre et semblait vouloir se laisser lentement mourir, passant ses journées à fixer un point imaginaire quelque part au-delà de l'obscure pénombre qui envahissait chaque recoin de son cachot. Son temps n'était rythmé que par les visites plus ou moins ponctuelles de Jeanne à l'heure des repas, de même que pour sa toilette qu'elle n'effectuait plus qu'une seule fois par jour.

Jeanne apparaissait dans la cave où elle se trouvait recluse, munie d'une bassine remplie d'eau, froide la plupart du temps, d'une éponge, d'une serviette et d'un savon. Elle déposait le tout par terre et sortait aussitôt sans dire un mot. À peine

Suzanna trouvait la force de se lever et d'absorber, plus par réflexe que par peur de mourir, un peu de la nourriture que Jeanne lui apportait dans les mêmes conditions que les effets de toilette. Paradoxalement, les repas étaient toujours aussi excellents, riches et variés, comportant toutes les vitamines dont la jeune mère avait besoin pour mener sa grossesse à terme. C'est sans doute pour cela que la jeune fille conservait le peu de force qui l'empêchait de tomber gravement malade.

Au fil du temps, elle perdait de plus en plus souvent la notion du jour et de la nuit. Parfois, mais sans aucune régularité précise — et trop rarement à son goût — Jeanne la bâillonnait et la menottait à son propre poignet, puis elle la conduisait jusqu'aux jardins intérieurs de l'hôtel particulier dans lequel elle lui faisait faire quelques pas. Les hauts murs encerclant la propriété l'empêchaient d'avoir le moindre contact avec le monde extérieur.

Ces courts instants de promenade étaient devenus pour elle le summum de l'enchantement, l'unique possibilité qui lui était donnée de sentir les rayons du soleil sur son visage. Bientôt, Suzanna ne supporta plus d'être trop longuement privée de la lumière du jour et, tout au fond de sa cave, plongée dans d'éternelles ténèbres, elle souffrait le martyre.

En proie à une profonde dépression, la jeune Portugaise sombra lentement dans un état d'engourdissement latent duquel elle n'émergeait que par intermittence, instants de veille léthargique disséminés au fil du temps qui ne passait pas. Lorsqu'elle réalisait de manière consciente l'endroit où elle se trouvait, elle replongeait aussitôt dans une torpeur salutaire dont elle tentait de ne plus émerger...

Jusqu'à ce moment étrange, cet instant inoubliable qui la rendit aussitôt à la vie : alors qu'elle somnolait d'un sommeil agité, recroquevillée dans la moiteur de son corps afin de conserver le plus de chaleur possible, quelque chose de mouvant la réveilla, tels de petits coups furtifs qui la cognaient légèrement au niveau du ventre. D'un geste machinal, elle balaya les alentours de son corps afin de chasser l'intrus, persuadée que les locataires du corps d'Edwige venaient à présent inspecter les lieux de son propre corps. Après tout, qu'est-ce qui la différenciait véritablement du cadavre qui gisait à ses côtés ? Étrangement, elle ne rencontra que le vide tandis que de menus chocs presque imperceptibles continuaient de tambouriner contre son ventre...

Suzanna s'éveilla tout à fait afin de comprendre ce qui la dérangeait, ce qui l'empêchait de fuir une réalité qu'elle désirait désormais ignorer... Encore un petit coup, un peu plus vigoureux, dans le côté droit de son flanc... Dans ? Le cœur battant, la jeune fille remarqua alors que ces faibles secousses ne provenaient pas de l'extérieur, mais bien de l'intérieur de son corps ! Sensation tellement étrange, tellement nouvelle, tellement inouïe...

Le bébé ! Le bébé avait bougé, elle le sentait remuer en elle ! Instinctivement, Suzanna entoura son ventre de ses deux bras et se mit à caresser tendrement la forme arrondie assiégée par les petits coups qu'elle percevait maintenant clairement. Aussitôt l'horreur de sa situation, la peur, la souffrance, la mort, tout ce qu'elle avait vécu depuis tant de semaines fut balayé en une fraction de seconde.

L'émotion qui la submergea fut telle qu'elle suspendit son souffle durant quelques longues secondes, merveilleux instant de symbiose entre une mère et son enfant comme jamais elle n'aurait imaginé un jour pouvoir le vivre. Et tandis que le bébé s'agitait de plus belle à l'intérieur de sa matrice, Suzanna se mit à rire.

« Quelle vigueur ! Mon petit, mon tout-petit... (Un coup plus fort que les autres lui répondit.) Toi aussi tu cherches à t'enfuir de ta prison ? »

Elle leva la tête et regarda autour d'elle.

« C'est étrange... Nous voici tous les deux plongés dans les ténèbres à attendre la délivrance... »

À partir de cet instant, Suzanna ne parvint plus à se laisser mourir. Son bébé l'avait ramenée à l'ordre et le message qu'il lui envoyait par-delà l'univers tout entier était clair : il fallait qu'elle s'en sorte, qu'elle se batte pour la vie, et non pour la mort comme elle le faisait déjà depuis quelque temps.

La sensation qu'elle ressentait à présent au fond de ses entrailles l'avait tant bouleversée qu'elle eut le sentiment de s'éveiller d'un long cauchemar envoûtant, tel un sinistre sortilège ayant anéanti toute énergie vitale.

Suzanna s'en voulut d'avoir été si faible, d'avoir déposé les armes si facilement, alors qu'elle était désormais responsable d'un petit être qui ne demandait qu'une seule chose : vivre.

La jeune femme se leva et déchira un grand bout de tissu dans son drap. Puis elle le plia en triangle et l'appliqua sur son visage en l'attachant dans sa nuque, afin d'être le moins possible étourdie par les émanations de gaz qui s'échappaient inexorablement du corps d'Edwige et la laissaient dans un état de faiblesse constant. Ensuite elle inspecta les lieux le plus attentivement qu'elle put.

Ses yeux s'étaient depuis longtemps habitués à l'obscurité et elle parvint à faire l'inventaire des possibilités qui s'offraient à elle bien plus facilement que le jour de son arrivée. En vérité, elle n'avait pas beaucoup d'alternatives. La pièce était grande d'environ cinq mètres sur sept, munie d'un plafond bas qu'elle pouvait toucher sans difficulté en se mettant debout et d'un simple sterfput en son centre. Le sol penchait légèrement de toutes parts en direction de ce syphon.

À part cela, la pièce était désespérément vide si l'on exceptait le cadavre d'Edwige et les quelques effets mis à la disposition de Suzanna. La jeune fille était menottée au mur qui faisait face à la porte, lourd battant de bois muni de deux grosses serrures, et qui grinçait sinistrement chaque fois que Jeanne apparaissait.

Suzanna éprouva la solidité de l'anneau auquel elle était attachée. Elle se mit à tirer sur ses menottes, de toutes ses forces. Tout d'abord la peau de son poignet rougit sous la pression de ses tentatives désespérées. Puis, comme elle persistait à tirer encore et encore, sans relâche, le fer des menottes entailla bientôt sa chair.

Suzanna ne sentit rien, trop concentrée sur cet anneau qu'elle espérait pouvoir décrocher du mur. Les chocs qu'elle s'infligeait imprimèrent dans sa peau la marque de sa captivité et lorsque le sang se mit à couler, Suzanna s'arrêta enfin, constatant avec amertume que l'anneau n'avait pas bougé d'un pouce. Il semblait que le mur ait été construit autour de lui. Si seulement elle possédait une épingle à cheveux ou un mince fil de fer pour lui permettre de crocheter la minuscule serrure de ses menottes...

Suzanna avait déjà vu cela dans des films. Elle examina le sol : peut-être allait-elle trouver des débris d'objets qui, un jour passé, avaient été entreposés dans cette cave. Lorsque ses yeux se posèrent sur la dépouille de sa grosse compagne, elle sut qu'elle n'aurait pas le choix. Elle mit néanmoins quelques minutes de plus avant de se décider, rassemblant toute sa détermination pour faire ce à quoi elle ne pouvait échapper. Puis elle s'approcha du cadavre.

Surmontant son dégoût et sa terreur, elle tendit tout d'abord lentement le bras vers le sac à main de la morte (Jeanne n'avait pas jugé utile de s'en débarrasser), dont elle s'empara ensuite rapidement, afin d'être le moins possible en contact avec la chair putride et grouillant d'asticots. Quelques mouches vinrent voleter à hauteur de son visage et Suzanna ferma les yeux tout en retenant sa respiration. Puis elle se précipita vers le coin opposé, du plus loin que lui permirent ses menottes, et entreprit de vider le sac à main. Une déferlante d'objets en tous genres s'échouèrent sur le sol, véritable trésor que la jeune fille inspecta fiévreusement : un bâton de rouge à lèvres, un portefeuille en cuir rempli de cartes de crédit et de visites, un étui à cigarettes en argent, un briquet Dupont, un miroir de poche...

Accroupie et penchée sur le petit tas d'effets personnels d'Edwige, elle écarta nerveusement tout ce dont elle n'aurait pas l'usage et s'empara du miroir. D'un mouvement impatient, Suzanna tenta d'apercevoir son reflet dans le rectangle réfléchissant. Le miroir était assez grand pour englober la totalité de son visage, comme si Edwige avait choisi un miroir à la hauteur de ses larges dimensions. Mais dans la pénombre, Suzanna ne vit qu'une forme vague au contour de laquelle elle reconnut la silhouette de son profil. Ses cheveux semblaient toujours aussi jaunes, mais le maquillage clownesque s'était effacé de ses traits. Sans s'attarder très longtemps sur l'aspect qu'elle présentait, elle voulut cacher l'objet sous son matelas. Dans sa hâte, elle lâcha malencontreusement le miroir qui se brisa sur le sol. Lorsqu'elle voulut ramasser les débris, elle retira des fragments de l'objet un tesson d'une quinzaine de centimètres, dont la forme approchait celle du triangle, à la pointe coupante et acérée.

Suzanna contempla rêveusement ce qui restait du miroir et saisit le bris dans sa main. Puis elle déchira une nouvelle fois un morceau de son drap et enveloppa la base du triangle dans le tissu. Ainsi protégée des bords coupants du tesson, la jeune fille tenait dans sa main une sorte de petit poignard de fortune. Elle esquissa un sourire. Puis elle rangea sa nouvelle arme sous son matelas.

Revenant au contenu du sac qui gisait encore sur

le sol, elle y découvrit un petit carnet d'adresses recouvert de cuir. Un carnet d'adresses... Une idée fulgurante surgit alors dans l'esprit de la jeune fille. Se pouvait-il que cette grosse femme fut en possession d'un téléphone portable au moment de sa mort ? Et que Jeanne, sans penser à la dépouiller, ait laissé l'objet dans les affaires de sa victime...

En moins de temps qu'il ne le faut pour le dire, Suzanna s'était redressée et se tourna d'un bloc vers Edwige. S'il n'était pas dans le sac à main, où pouvait-il se trouver ? Le cœur battant, la respiration haletante, Suzanna se précipita aussitôt vers le corps, s'agenouilla à ses côtés et se mit à fouiller la dépouille, frénétiquement, sans plus s'occuper des ignobles bestioles dont elle rencontrait au hasard de sa fouille l'organisme visqueux. Dès qu'elle toucha le cadavre, les mouches revinrent voleter autour de son visage mais elle n'y prit pas garde. Un portable ! Tout le monde avait un portable aujourd'hui ! Comment n'y avait-elle pas pensé plus tôt ? Depuis tant de jours qu'elle côtoyait ce cadavre en décomposition, était-il possible que la clé de sa délivrance se trouva si près d'elle ?

Les gestes de Suzanna devinrent plus impatients encore, tant elle était persuadée que cette grosse femme cachait quelque part dans son immonde carcasse un téléphone avec lequel elle pourrait appeler de l'aide. Elle agrippait à présent la chair froide et raide afin de retourner le corps pour explorer le côté opposé, empoignant les plaies grouillant d'asticots.

La tête d'Edwige ballottait sous les secousses infligées par la jeune fille, se cognant régulièrement contre le sol de terre battue. Un de ses globes oculaires s'était décroché de son orbite et avait été bouffé par la vermine des lieux. La cavité restée vide était devenue le siège des fourmis qui s'y engouffraient en rangs serrés avant de pénétrer à l'intérieur du corps de la grosse femme. Le second globe oculaire ne tenait plus que grâce à quelques ligaments désséchés...

Suzanna s'acharnait sur ce que les bêtes avaient bien voulu lui laisser, agenouillée sur le cadavre, redevenue primitive et sauvage, farfouillant dans les lambeaux de vêtements. Lorsque sa main rencontra une petite surface rectangulaire, dure et compacte, la jeune fille se figea, le souffle court, le cœur au bord de l'apoplexie, la main raidie sur sa trouvaille. Lentement, elle ramena devant son visage l'objet afin de discerner sa véritable nature...

Un portable ! C'était bien un téléphone portable ! Suzanna se mit à pousser des cris de triomphe, grognant et gémissant à la fois. Proche de l'hystérie, elle contempla l'objet dans tous les sens, le passant de main en main, le palpant, le reniflant, le humant, le touchant... Puis elle s'immobilisa, oppressée, les mâchoires serrées l'une sur l'autre, les yeux fermés dans une prière muette. Elle tenta de remettre de l'ordre dans son esprit, de se souvenir d'un numéro de téléphone, n'importe lequel, quelqu'un qu'elle pourrait appeler pour lui demander de venir à son secours. Quelqu'un... Oui mais qui ? Elle ne connaissait personne à Paris, et du reste, ne parlant pas bien le français, elle serait tout à fait incapable d'expliquer ce qui lui arrivait et surtout où elle se trouvait.

La police ? Quel était le numéro de la police ? Elle n'en avait pas la moindre idée. Le Portugal ! Elle allait appeler sa famille, leur raconter toute l'horreur de sa situation et leur demander de venir la chercher. Quel était le préfixe pour sortir de la France ? Suzanna l'ignorait mais supposa que c'était le même que celui de tous les autres pays. Elle composa le 00, puis le préfixe du Portugal, le 351, suivi de celui de Lisbonne et de ses environs, le 21, et enfin le numéro de ses parents, le 241.25... Ou bien était-ce le 241.35.25 ?

Le sang battait dans ses tempes, elle était en sueur,

reniflait bruyamment, poussait de temps à autre des gémissements plaintifs... Comment avait-elle pu oublier le numéro de téléphone de ses parents ? Fouillant dans le tréfonds de sa mémoire, Suzanna reconstitua mentalement le numéro d'appel en se remémorant le chemin que le doigt doit parcourir sur le cadran. C'était bien le 241.25.35, et non l'inverse. Elle en était maintenant certaine. Elle recommença le numéro tout entier, le 00/351/21... Ses doigts dérapèrent sur les minuscules touches et enfoncèrent sur celles d'à côté. S'énervant de plus en plus, elle réitéra une troisième fois la combinaison de chiffres à effectuer sur le clavier, maîtrisant tant qu'elle le pouvait ses mouvements trop brusques, trop saccadés. Puis elle porta le téléphone à son oreille...

Elle n'entendit rien, ni sonnerie, ni voix humaine, rien. Le sang figé dans ses veines, chacun de ses membres transformés en bloc de pierre, elle attendit quelques longues secondes durant lesquelles même les mouches semblèrent avoir cesser de voler. Pourquoi cela ne fonctionnait-il pas ?

Le souffle court, Suzanna regarda le petit écran digital. Il était éteint. Bien sûr ! Elle n'avait même pas songé à allumer le téléphone ! Et de fait, le téléphone n'avait jamais sonné depuis qu'Edwige gisait dans la cave. Riant nerveusement, la jeune fille appuya sur la touche principale qui servait à confirmer chaque opération. Le petit écran s'alluma d'une lumière verte et imprima aussitôt sa première instruction : « Entrer le code d'accès. »

Le code d'accès...

Quel code d'accès ?

Et quel était ce code ?

Suzanna resta longtemps sans bouger, le téléphone portable entre les mains. Son regard ne parvenait pas à quitter l'objet, mais il semblait qu'elle le fixait sans le voir, comme s'il n'existait pas. Et, en vérité, pour la jeune fille, il n'existait déjà plus.

22

Au bout d'un long moment durant lequel elle serrait le téléphone portable dans sa main sans parvenir à le lâcher, Suzanna se secoua. Il y avait certainement un autre moyen de s'en sortir, là, tout près. Un moyen auquel elle ne pensait pas, mais qui lui sauterait aux yeux très bientôt. Après son immense déception dont elle parvint plus ou moins à maîtriser les effets nocifs pour son moral, la jeune fille se mit à réfléchir.

Quelques jours auparavant, elle avait compris que l'unique intérêt de Jeanne, et la raison pour laquelle elle était toujours en vie, n'était autre que l'enfant qu'elle portait. Elle ignorait pourquoi. Mais ce dont elle était sûre, c'était que, tant que l'enfant était vivant, sa vie à elle serait épargnée... Jusqu'au jour de l'accouchement.

Ce fut un simple détail qui lui mit la puce à l'oreille, un de ces moments où l'évidence vous saute au visage de manière si flagrante que vous vous étonnez de ne pas l'avoir décelé plus tôt.

Un jour, Jeanne fit irruption dans la pièce où Suzanna était recluse. Le plus souvent elle restait silencieuse lorsqu'elle rendait visite à sa détenue, mais de temps à autre, il lui arrivait d'être d'humeur bavarde et de vouloir entretenir un semblant de conversation, ce qui était toujours très laborieux vu que Suzanna ne connaissait que peu de mots de français. Mais cette fois-là, elle paraissait très excitée et un sourire radieux illuminait son visage. Visiblement, elle revenait d'un après-midi de shopping car elle tenait un sac à la main qu'elle déposa sur le matelas, puis qu'elle entreprit de vider de son contenu. Elle en sortit un grand nombre de vêtements pour nourrisson. L'exaltation évidente qu'elle prenait à présenter à Suzanna chaque layette, chaque body, chaque pyjama intrigua la jeune fille. Pourquoi donc la dingue au manteau de fourrure avait-elle fait tant de frais pour le confort d'un enfant qui lui était totalement étranger ?

Suzanna observa plus attentivement cette femme sans âge qui avait pris un réel plaisir (un plaisir presque maternel) à choisir avec minutie la layette d'un bébé dont elle ne savait rien. C'est alors que le motif de son enfermement, pour lequel elle n'avait jamais eu d'explication, lui apparut tout à coup comme une certitude.

Le soin avec lequel Jeanne préparait ses repas participait du même principe : la santé de Suzanna lui importait peu, c'était le bébé qui captait toute sa prévenance. Comment ne l'avait-elle pas compris plus tôt ? Jeanne n'avait que faire d'une étrangère en quête d'une vie d'exception, fuyant la misère intellectuelle et passionnelle de son village. C'était l'enfant qui l'intéressait. Et non pas l'enfant de Suzanna, mais bien l'enfant de Richard ! Qui était-elle vraiment ? Suzanna l'ignorait encore. Peut-être était-ce la sœur de Richard, une femme à moitié cinglée qui, à travers le bébé, chercherait à retrouver les traits d'un frère trop tôt disparu ? D'un frère ou d'un amant...

Était-il possible qu'avant de la rencontrer, Richard ait eu une aventure avec cette folle ? Suzanna ne pouvait y croire. Néanmoins — elle n'était pas tout à fait idiote — elle devinait sans vouloir s'attarder sur le sujet que son grand amour avait connu d'autres aventures avant elle. Peut-être même avait-il été marié... Où donc dormait-il lorsqu'il ne rentrait pas à l'appartement de la rue Tesson ? Jamais elle ne lui avait posé la question, car, outre le barrage du langage, la prévenance de son amant, ses égards et sa délicatesse réduisaient à néant toutes les questions que la jeune fille était en droit de se poser lorsqu'elle était seule.

En vérité, leur histoire avait été si courte que les deux amants n'avaient guère eu le temps d'aborder le sujet de leur passé respectif. Et puis, le cœur de Suzanna se brisait véritablement chaque fois qu'elle envisageait la possibilité d'une liaison entre Richard et une autre femme. Dès lors, à quoi bon se torturer l'esprit lorsque la seule présence de cet homme qu'elle adorait, et auquel elle avait lié son destin à jamais, lui apportait l'extase dont elle avait toujours rêvé. À cette époque, Suzanna était heureuse et le reste était sans importance.

Ainsi donc, Jeanne comptait s'approprier l'enfant. De cela, Suzanna en était à présent certaine. Cette révélation lui fit l'effet d'un coup de fouet et la jeune fille fut prise d'un sursaut d'espoir, devinant implicitement qu'elle tenait là un moyen salutaire de s'échapper de sa prison.

Le lendemain après-midi, comme chaque jour, Jeanne lui apporta un plateau-repas sur lequel était posé, comme il se doit, une assiette et deux couverts en plastique. Mais alors qu'elle s'apprêtait à sortir, Suzanna la retint en l'apostrophant violemment.

Lorsque Jeanne se retourna, son cœur fit un bond dans sa poitrine : Suzanna s'était redressée de toute sa taille et, de sa main libre, elle brandissait le tesson de miroir coupé en biseau, qu'elle pointait sur son ventre d'un geste menaçant. Les yeux fous, le visage fulminant de haine et de rage, elle haranguait sa geôlière d'une voix sifflante et résolue.

Jeanne ne comprit pas un traître mot de ce que la jeune étrangère lui dit, mais le chantage était clair : elle la sommait de lui rendre sa liberté sous peine de s'éventrer sous ses yeux. Jeanne resta interdite, et l'image d'une Suzanna agonisante, les entrailles et le fœtus dispersés sur le sol de la cave la fit tressaillir.

Le bébé ! Cette petite salope était prête à se donner la mort si on ne la délivrait pas sur-le-champ. Constatant qu'une expression d'angoisse s'affichait sur les traits de Jeanne, Suzanna se tut, pantelante.

Il y eut un moment de silence durant lequel les deux femmes s'observèrent farouchement. Puis, comme rien ne se passait de part et d'autre, de peur de perdre le contrôle de la situation, Suzanna reprit ses injonctions de plus belle. Elle parlait d'une voix hachée, entrecoupée d'un souffle rauque, et chaque seconde voyait sa détermination s'accroître. Sa main était crispée sur le morceau tranchant du miroir enroulé de tissu, ses phalanges blanchies sous la pression de sa poigne et la pointe de son arme transperçait déjà dangereusement l'étoffe de sa robe.

— Non... Non ! murmura Jeanne, haletante. Ne fais pas ça !

D'une voix hystérique, Suzanna lui répondit par un cri sauvage, enfonçant l'extrémité aiguisée encore un peu plus loin. La pointe avait atteint la peau de son ventre et une tache rouge sombre apparut instantanément sur le tissu, qui jura avec le ton fuchsia de sa robe.

Affolée, Jeanne se précipita vers la jeune fille. Elle voulut lui arracher l'arme des mains mais suspendit son geste à mi-course : Suzanna avait poussé le tesson un peu plus profondément dans sa chair et une expression foudroyante de douleur marqua ses traits pâles et tirés.

Les bras levés en signe d'impuissance, Jeanne recula précipitamment d'un pas.

— Arrête ! hurla-t-elle. Ne touche pas à mon bébé !

Suzanna agita sa main menottée.

— *Libertem-me. Imediatamente.*

— Je vais te délivrer, chuchota Jeanne dans un souffle tout en marchant à reculons vers la porte. Surtout ne bouge pas, je vais chercher la clé.

Puis, afin de s'assurer que Suzanna avait bien compris qu'elle allait revenir, Jeanne mima le geste d'une menotte que l'on ouvre à l'aide d'une clé. Elle attendit un signe de compréhension de la part de la jeune fille, et disparut précipitamment par la porte.

Lorsqu'elle fut seule, Suzanna lâcha le bout de miroir et s'affaissa sur elle-même. Le temps de reprendre ses esprits, elle resta ainsi, quelques secondes immobiles, le front moite et glacé à la fois, respirant avec difficulté. Puis, elle entreprit d'arracher le tissu de sa robe afin de constater les dégâts : une petite entaille sans réelle gravité maculait pourtant abondamment son vêtement ainsi que sa chair déjà tendue par la grossesse. Fort heureusement, le bébé n'avait pas souffert de son geste.

Suzanna poussa un soupir de soulagement. Ensuite, alors qu'elle entendait déjà les pas de Jeanne revenir vers son cachot, elle se redressa péniblement et récupéra son arme qui gisait à ses pieds. Défaillante, elle dut se cramponner à l'anneau auquel elle était menottée pour ne pas s'écrouler sur le sol. Les pas de Jeanne résonnaient au ralenti dans son crâne, lourdement, se faisant écho les uns aux autres dans un rythme étrangement lent. Que faisait-elle ? Pourquoi mettait-elle tant de temps pour revenir jusqu'ici ?

Dégoulinante de sueur, et pourtant frigorifiée de la tête aux pieds, Suzanna fixait désespérément la porte, s'apprêtant à chaque instant à voir Jeanne apparaître dans l'embrasure, munie de la clé de ses menottes. Mais l'entrée restait éternellement vide, ouverture béante sur les ténèbres d'un endroit qu'elle assimilait désormais aux Enfers. Seul le son des pas retentissait dans le dédale des couloirs souterrains. Bientôt, sa vue se brouilla et Suzanna dut se secouer afin de garder le contrôle de son corps.

Lorsqu'elle rouvrit les yeux, Jeanne était là, enfin, devant elle. Mais alors qu'il lui sembla qu'elle était toute proche, la seconde suivante elle paraissait loin, trop loin d'elle, tout au bout de la pièce. Clignant des paupières, la jeune fille eut beaucoup de peine à faire la mise au point. Elle écarquilla les yeux, puis les réduisit à deux minuscules fentes...

Jeanne se tenait dans l'encadrement de la porte, nonchalamment adossée à l'embrasure, et la fixait d'un air provocant. Aussitôt, Suzanna pointa une nouvelle fois le tesson au niveau de son ventre, supposant que Jeanne allait se précipiter vers elle pour la libérer. Mais son geste ne provoqua qu'un éclat de rire narquois.

— C'est ça ! Vas-y, ma belle, éventre-toi, j'aimerais bien voir ça ! ricana Jeanne sans la moindre hésitation. Mais vas-y donc, qu'est-ce que tu attends ? Allons, un peu de cran, j'attends... Tu ne bouges plus ?

La main de Suzanna se mit à trembler. Elle devinait que sa menace n'avait plus le même impact sur sa geôlière que quelques minutes auparavant, mais ne comprenait pas les termes exacts de son défi.

Jeanne s'approcha d'elle, le pas légèrement dansant, comme pour accentuer la soudaine désinvolture qu'elle avait décidé d'accorder à la situation. Suzanna la regarda s'avancer vers elle, comprenant que la partie était désormais perdue... Elle ferma les yeux et de grosses larmes se mirent à couler sur ses joues.

— Donne-moi ce truc pointu, petite sotte, persifla Jeanne d'un air faussement maternel. Tu vas finir par te blesser.

Suzanna pleurait bruyamment, à bout de forces. Elle avait épuisé toutes ses réserves d'énergie, d'espoir et de volonté. Cette fois, c'en était bien fini. Elle allait mourir, abandonnée dans cette cave froide et ténébreuse, avec pour seule compagnie cette femme cruelle et ce cadavre immonde et puant, rongé par la vermine, évidé par les fourmis et grouillant d'asticots.

Sa main se referma plus fermement autour du morceau de miroir. À quoi bon vivre les quelques semaines qu'il lui restait pour parvenir au terme de sa grossesse ? Elle savait qu'une fois qu'elle aurait mis son enfant au monde, Jeanne la tuerait sans scrupule, et sa tâche serait d'autant plus facile que la jeune mère, totalement épuisée par l'immense effort physique qu'elle aurait fourni, serait incapable de se défendre.

Suzanna sanglota sans retenue, levant les yeux au ciel en demandant silencieusement pardon à son enfant, ce petit être qu'elle ne connaissait pas, qu'elle n'allait jamais connaître, mais qu'elle aimait pourtant de tout son cœur, de tout son corps. Elle lui assura muettement qu'elle n'avait pas le choix de son geste, qu'elle aurait tant souhaité que tout cela n'arrive pas...

Mais comment concevoir de donner la vie, elle qui désormais attendait la mort, cette grande dame noire aujourd'hui si proche, si réelle, si présente ? Suzanna savait bien qu'elle ne verrait jamais son bébé. Il était là, il vivait en elle, et l'unique image qu'il aurait de sa mère durant les premières secondes de sa vie serait celle d'un corps épuisé, vidé de toute vitalité. Image à jamais enfouie dans les profondeurs de sa mémoire, et dont il ne garderait aucun souvenir. Sans doute n'allait-il jamais savoir qui fut sa véritable maman. Sans doute allait-il croire durant toute son existence qu'il était le fils de Jeanne et d'un homme dénommé Richard Tavier, décédé quelques mois avant sa naissance. Voilà ce qui allait arriver si Suzanna parvenait au terme de sa grossesse, et cela lui était tout simplement inconcevable. Elle rouvrit légèrement les yeux mais fut aveuglée par les larmes qui continuaient de couler abondamment le long de son visage. À travers le rideau de ses pleurs, elle aperçut la silhouette de Jeanne, forme vague qui se mouvait toujours d'un pas sautillant, et cet outrage à son bonheur lui donna l'ultime courage dont elle avait besoin pour accomplir son geste. Alors elle respira une dernière fois et enfonça d'un coup net le tesson de miroir dans la chair tendre de son ventre arrondi.

Puis, les ténèbres l'envahirent totalement.

23

La boutique se situait dans une impasse, étroite rue piétonne bordée de gros pavés gris qui devaient dater du début du siècle. D'ailleurs, tout dans le décor de cette ruelle isolée rappelait les rues d'antan, jusqu'au carillon désuet qui retentissait lorsqu'on poussait la porte de ce qui ressemblait plus à une échoppe qu'à un magasin.

Jeanne vérifia pour la troisième fois l'ancestrale enseigne qui affichait autrefois en lettres de bois verni le nom de ARLEQUIN, mais dont le passage des ans avait dépouillé l'inscription d'origine de son A et de son L. Ce qui, curieusement, lui donnait aujourd'hui le nom de « REQUIN ». C'est peut-être ce qui la fit hésiter quelques secondes avant de descendre les trois marches de pierre menant au niveau légèrement souterrain du magasin.

À l'intérieur, un singulier bric-à-brac occupait chaque mètre carré de ces lieux insolites, paraissant être entreposé sans ordre, tel un grenier débordant des trésors du temps jadis.

C'était un endroit vraiment très étrange. À première vue, on découvrait une superficie aussi petite qu'étroite, qui pourtant semblait contenir tout ce qu'on pouvait désirer pour se costumer : trois imposantes étagères croulaient sous un choix plus que varié de masques, de chapeaux, de foulards, de perruques, de faux nez, de fausses barbes et moustaches, ainsi qu'une longue rangée de paniers en osier contenant les uns du maquillage, les autres une grande diversité d'ornements tels des bijoux, des rubans, des médailles ou encore des lunettes. Sur le mur opposé, des affiches de théâtre et de cinéma d'un autre temps annonçaient fièrement des représentations exceptionnelles, mettant en scène de grands acteurs non moins exceptionnels.

Jeanne parcourut des yeux l'amoncellement de posters punaisés à même le mur, se chevauchant. Jusqu'à cette affiche qui, semblait-il, avait eu droit à un traitement de faveur, car elle était fièrement exposée dans un cadre en verre. Son regard s'y attarda, cherchant ce qu'elle avait de particulier...

À première vue, les dominantes de teinte orange sur la partie supérieure de l'affiche, opposées aux dominantes de teinte verte recouvrant la partie inférieure, lui parurent de mauvais goût, et la jeune femme qui y était reproduite au centre, tenant une coupe de champagne à la main et fixant le spectateur d'un regard de biche effarouchée, la laissa parfaitement indifférente.

Le haut de l'affiche annonçait les prestations de Margaret Lockwood et de Michael Redgrave en lettres rouges bordées de blanc, dans un film d'Alfred Hitchcock. Ce n'est qu'ensuite qu'elle remarqua le titre du film : *The Lady Vanishes*. Un frisson lui parcourut l'épine dorsale et elle se détourna brutalement, comme si le regard de la jeune femme reproduite sur l'affiche lui brûlait les yeux. « *Hasard. Pur hasard* », lui murmura la petite voix sur un ton dramatique qui ne fit qu'accroître le malaise qu'elle ressentait depuis qu'elle était entrée dans la boutique. Sur la pointe des pieds, elle longea silencieusement les trois étagères adossées au mur de brique, comme si elle craignait que tous ces accessoires puissent, par un maléfique sortilège, se mettre à danser devant elle afin de reconstituer les visages auxquels ils semblaient avoir été arrachés.

Quelques mètres plus loin, elle déboucha sur une salle plus spacieuse, envahie par un nombre hallucinant de vêtements en tous genres : costumes, tailleurs, complets, tenues de soirée, sous-vêtements, uniformes de toutes sortes, jupes, pantalons, fripes, guenilles, loques, tout ce dont on pouvait rêver pour se vêtir se trouvait là, empilé en tas grossièrement rangés à même le sol. Quatre penderies achevaient de compléter l'impressionnant amoncellement de tissu, sur lesquelles étaient suspendus en rangs serrés les costumes d'époque : robes à crinoline, corsets, parures et complets trois pièces en bel état témoignaient de la grande richesse du propriétaire des lieux.

Ne sachant plus où poser son regard, Jeanne considéra les amas de vêtements avec agacement. Ce n'était pas du tout ce qu'elle s'attendait à trouver lorsqu'elle s'était renseignée d'une adresse susceptible de lui procurer l'accessoire qu'elle recherchait. Debout au milieu de la pièce, elle attendit qu'on vienne la servir. Puis, au bout de deux ou trois minutes durant lesquelles il ne se passa rien, de plus en plus irritée, elle s'apprêtait à faire demi-tour lorsqu'elle entendit le frottement d'une étoffe dans son dos. Se retournant, elle se trouva nez à nez avec un grand homme d'une soixantaine d'années, dont la peau noir ébène la désorienta plus qu'elle ne l'aurait imaginé. Jeanne sursauta malgré elle. D'une voix grave, l'homme l'apostropha rudement :

— C'est pour quoi ?

À sa grande surprise, il n'avait aucun accent étranger et s'exprimait dans un français impeccable. Sans chercher à cacher son agacement, Jeanne prit néanmoins un air digne certifiant de la supériorité de sa classe sociale.

— Je cherche un accessoire particulier... Mais je doute de le trouver ici.

— Quel genre d'accessoire ? questionna l'homme sans seulement paraître discerner le ton méprisant qu'avait employé son interlocutrice.

En le considérant plus attentivement, Jeanne remarqua le regard profond dont le personnage qui lui faisait face était paré. Troublée, elle se racla la gorge avant de poursuivre :

— Il s'agit d'une prothèse d'un genre un peu spécial... En caoutchouc souple, ou d'une matière approchante... En fait, je cherche un faux ventre, pour paraître plus gros qu'on ne l'est en réalité.

L'homme la dévisagea comme si elle avait demandé un objet obscène, et son regard mit Jeanne de plus en plus mal à l'aise.

— On m'a dit que je pouvais trouver ce... cette chose ici, poursuivit-elle pour combler le silence pesant qui s'installait entre eux.

— On vous a bien renseignée.

Sans rien ajouter de plus, il fit demi-tour et disparut par une petite porte dérobée que Jeanne n'avait pas remarquée, car elle était cachée derrière la troisième penderie. Elle attendit quelques instants encore et s'apprêtait une seconde fois à faire demi-tour lorsque l'homme reparut, tenant dans ses mains un paquet emballé dans une enveloppe de plastique.

— Je pense que ça doit être ça, lui dit-il d'un ton parfaitement indifférent.

En sortant l'objet de son emballage, Jeanne vit tout de suite qu'elle avait trouvé ce qu'elle cherchait. C'était une sorte de poche de forme ovale, en latex couleur chair, et dont les deux extrémités étaient munies d'une sangle. Il suffisait d'attacher l'objet autour de la taille et de remplir la poche de tissus jusqu'au niveau qui convenait pour qu'en une seconde, n'importe quelle silhouette mince et effilée devienne ventripotente. Jeanne fut si heureuse de sa découverte qu'elle poussa un cri de joie, ce qui dénota fortement avec l'attitude froide et distante qu'elle avait adoptée depuis qu'elle était entrée dans le magasin. De fait, son exaltation spontanée surprit l'homme qui la regarda sans cacher son étonnement. Jeanne s'en aperçut et reprit instantanément son visage dur et fermé.

— C'est exactement ce que je cherchais, dit-elle froidement. Combien vous dois-je ?

L'homme ne répondit pas et continuait de la considérer comme s'il était en face d'une extraterrestre. Perdant patience, Jeanne voulut corriger l'impudent.

— Qu'avez-vous à me regarder ainsi ? demanda-t-elle en le toisant d'un air méprisant.

— Ça fera vingt-cinq euros, ma petite dame ! répondit l'homme d'une voix claironnante, sans cesser de plonger son regard ébène au plus profond de ses prunelles.

Décontenancée, elle plongea la main dans son sac et en retira son portefeuille qu'elle ouvrit d'un geste nerveux. Elle en sortit un billet de cinquante euros qu'elle tendit à l'homme. Au moment de s'emparer de l'argent, l'homme la saisit par la main et la retint quelques instants, la forçant à le regarder.

Ce fut comme une seconde perpétuelle, de ces moments de pure magie dont on se souvient toute sa vie. Jeanne lut dans les yeux de l'homme quelque chose qui ressemblait à de la compréhension, et elle en fut bouleversée. L'espace d'un instant, elle ressentit l'irrépressible envie de parler, de tout dire afin de se décharger du fardeau trop lourd qu'elle s'était mis à dos. L'image d'Edwige lui frappa l'esprit, le crâne fracassé, la bouche figée dans un rictus de douleur qui semblait lui demander grâce pour l'éternité. Jeanne ressentit l'étau de la solitude se refermer sur elle, et elle fut sur le point d'éclater en sanglots.

Une pression plus forte de la main de l'homme autour de son poignet la fit une nouvelle fois lever les yeux vers lui. C'était comme s'il savait qu'elle gardait au fond d'elle-même un lourd secret et qu'il cherchait à l'en soulager. L'homme semblait l'enjoindre à s'abandonner totalement et à partager avec lui la souffrance qu'elle gardait telle une médaille.

Elle ferma les yeux afin de se dégager du sortilège qui s'emparait d'elle — ou peut-être de s'y laisser doucement sombrer ? — cette délicieuse sensation d'être enfin libérée de toute responsabilité. Ne plus chercher à s'enfuir d'une réalité trop cruelle, étrangère à ce monde qu'elle avait toujours adoré, admiré, recherché, mais qui ne jugeait que par l'aspect extérieur de ses membres trop influençables. Il fallait paraître, montrer et démontrer. Qu'importe la vérité, pourvu que les apparences soient sauves.

Jeanne était fatiguée de ces faux-fuyants constants, illusions et simulacres perpétuellement à l'honneur, images du bonheur sur commande et œillades moqueuses au détour d'une phrase anodine. Elle haïssait les rumeurs, les cancans par lesquels naissaient la honte et l'humiliation, et aussi cette peur sournoise de n'être plus, d'avoir été. Autrefois, elle était jolie et désirable, elle provoquait sur son passage le regard des hommes et la jalousie des femmes. Autrefois, il y a longtemps, elle avait aimé ce corps bien fait qui projetait l'image d'une jeune fille insouciante à qui la vie avait tout donné. Mais aujourd'hui, alors qu'elle cherchait à reprendre ses droits sur le bonheur qu'on lui avait volé, elle ne retrouvait plus la jeune femme séduisante dont tout ce beau monde se targuait d'être l'ami. Ce ventre qu'elle achetait à la dérobée, ce bébé qu'elle attendait par procuration, tout cela lui parut soudain absurde, dément, perdu d'avance. Elle aspirait tant à retrouver la paix qu'un jour, lorsqu'elle était jeune, elle avait abandonnée à tout jamais au prix d'une trahison éternelle. L'argent, le luxe, l'éclat d'une vie de faste et de futilité... Pourquoi donc s'était-elle tant battue pour les obtenir ? Qu'y gagnait-elle ?

Jeanne ne trouvait plus les réponses qui, quelques minutes auparavant, lui semblaient encore tellement évidentes. Et pourtant, elle avait tué pour conserver l'opulence et le paraître de ce monde implacable qui luisait dans la nuit spectrale des nantis...

« Jeanne, tu te perds, tu nous perds... Reprends-toi, ma fleur, ma mie, ma tendre amie. Le plus dur est derrière toi. Ce n'est pas le moment de flancher, tu ne peux, tu ne dois pas te laisser aller ! Ouvre les yeux et regarde autour de toi. Il n'y a qu'un vieux bonhomme tout noir qui attend l'argent que tu lui dois. Prends ton ventre et sauve-toi. Ton bébé t'attend, quelque part dans les entrailles de la terre. Cette terre-mère qui, un jour, te recevra en son sein, pour l'éternité. Sauve-toi et prépare-toi à recevoir le fruit de ton labeur... Jeanne, ouvre les yeux, ouvre les yeux... »

La petite voix amie la secoua de la torpeur dans laquelle elle se laissait lentement glisser. Brutalement, elle rouvrit les yeux et regarda autour d'elle. À sa grande surprise, elle se tenait tout contre le grand homme noir, la tête posée sur sa poitrine, si proche de lui qu'elle pouvait sentir son odeur si particulière.

Leurs deux corps se touchaient très légèrement, sans que Jeanne puisse savoir si, à son insu, elle s'était rapprochée de l'homme ou si c'était lui qui, profitant des quelques secondes d'absence qu'elle avait eues, l'avait attirée contre lui. Il la tenait toujours par le bras, le frêle poignet de Jeanne totalement enclavé par la grande main noire, large et puissante. Affolée, elle fit quelques pas en arrière, comme pour découvrir l'identité de celui contre lequel elle s'était laissé aller. Lorsqu'elle le vit, une expression d'horreur s'inscrivit sur son visage. Elle se libéra vivement de la poigne du vendeur et lâcha le billet qui tomba en voletant sur le sol. Puis, arrachant le paquet de plastique que l'homme tenait toujours à la main, elle fit demi-tour et s'enfuit en courant vers la sortie du magasin. Au moment où elle allait atteindre la porte, elle entendit le grand homme noir lui crier du fond de la boutique :

— Non ! Ne partez pas si vite... Madame ! Restez encore un peu... Attendez ! Vous oubliez...

Sans se retourner, Jeanne remonta précipitamment les trois marches de pierre et déboucha dans la ruelle comme si elle avait vu le diable en personne. La voix du vendeur se perdit dans le brouhaha diffus de l'avenue toute proche.

À l'intérieur du magasin, le vieux bonhomme s'interrompit lorsqu'il entendit le carillon de la porte d'entrée. L'espace d'un court instant, il suspendit son souffle en attendant le bruit de la porte qui se referme. Puis il acheva sa phrase tout bas, juste pour lui-même.

— ... Vous oubliez votre monnaie.

Alors il soupira en secouant la tête et se pencha pour ramasser le billet de cinquante euros.

24

Jeanne dut s'y reprendre à plusieurs reprises avant de trouver la bonne manière d'attacher le faux ventre. Il fallait le tendre d'une certaine façon afin que, une fois fixé par la sangle, le latex ne s'affaisse pas sous la taille, donnant ainsi l'image d'une femme en ruine plutôt que celle d'une femme enceinte. Enfin, elle trouva le moyen d'affermir la prothèse, lui permettant d'être solidement maintenue sous son vêtement.

Rembourré de tissus, le faux ventre devint à la fois souple et tendu, et offrit à Jeanne une silhouette arrondie des plus réalistes.

Face à son miroir, Jeanne esquissa un sourire satisfait. Sa nouvelle ligne lui plaisait infiniment. Puis, au prix d'une pénible contorsion, elle remonta la fermeture Éclair dorsale de sa nouvelle robe de soirée et se mira encore et encore dans la glace.

C'était à s'y méprendre ! Le faux ventre faisait son office à la perfection, et personne n'aurait pu soupçonner un instant qu'en fait de fœtus, un amas de tissus remplissait ses courbes. Ensuite elle exerça son nouveau maintien, imitant la démarche typique des femmes enceintes : les jambes légèrement écartées, les reins cambrés, le ventre poussé vers l'avant. Fit plusieurs allers et retours dans sa chambre, tel un mannequin à la veille d'un défilé... Elle se sentait parfaitement à l'aise dans la peau de cette femme qu'elle avait toujours enviée, toujours recherchée, toujours attendue. Jeanne s'arrêta, fit face à son miroir, sourit, puis souffla sur son visage en avançant sa mâchoire inférieure vers l'avant, ce qui fit voleter sa courte frange à la verticale pendant quelques secondes. Ensuite elle chaussa ses talons aiguilles, faillit perdre l'équilibre, se retint de justesse au montant de son lit... Deux, trois gouttes de parfum derrière les oreilles avant de se saisir de son sac à main posé sur la commode, puis de quitter sa chambre d'un pas sautillant.

Lorsqu'elle passa le porche de l'hôtel particulier, une limousine de location l'attendait devant le perron. Le chauffeur sortit du véhicule afin de lui ouvrir la porte arrière. Puis, réintégrant sa place, il mit le contact et la voiture démarra silencieusement. Au-dehors, un soleil rougeoyant illuminait Paris de ses derniers feux.

Lorsqu'elle arriva devant l'immeuble de Marie-Bérangère Beaucarmé, Jeanne sortit de la limousine et se fit conduire par le portier jusqu'aux ascenseurs. Arrivée au dernier étage, elle fit l'entrée remarquée qu'elle avait escomptée. La maîtresse de maison se pressa au-devant d'elle et l'aida d'un bras amical à traverser l'immense appartement jusqu'aux jardins suspendus qui surplombaient tout Paris.

— Jeanne ! Mais quel est ce nouveau look ? s'exclama-t-elle en fixant d'un œil faussement émerveillé la nouvelle coiffure de son invitée. On vous reconnaît à peine ! C'est fou comme une simple coupe peut vous rajeunir de dix ans ! mentit-elle avec emphase.

Marie-Bérangère poursuivit en s'enquérant avec impatience de son état, se plaignit de son long silence, lui reprocha gentiment le dédain avec lequel elle avait traité ses amies depuis la mort de son mari...

— Nous étions folles d'inquiétude à votre sujet, Jeanne chérie ! Depuis le décès de Richard, il semble que vous vous soyez véritablement volatilisée dans la nature. C'est à peine si nous étions encore assurés de votre bonne santé. Mais je vois que tout va bien à présent... Et cet enfant, comment se porte-t-il ? À merveille si j'en crois les apparences ! Est-ce une fille ou un garçon ?

— Un garçon ! répondit Jeanne sur le ton de l'évidence.

— Mais c'est merveilleux ! s'exclama Marie-Bérangère. Un petit Richard assurément ! Je suis certaine qu'il sera le portrait tout craché de son papa ! ajouta-t-elle en observant Jeanne à la dérobée.

— J'espère en tout cas qu'il ne ressemblera pas à sa mère, rétorqua Jeanne de la même voix mondaine. (Puis, réalisant qu'elle venait de commettre un impair, elle ajouta précipitamment en riant :) C'est-à-dire qu'il me serait plus agréable de retrouver les traits de Richard... Cela adoucirait considérablement mon chagrin.

— Pauvre chérie ! Comme vous avez dû souffrir ! Allons, venez vous amuser un peu. Tous nos amis sont ici !

Elles arrivaient à l'entrée d'un splendide petit patio dont les murs étaient recouverts d'azulejos, ces carrelages portugais et espagnols colorés de jaune et de bleu donnant à l'endroit un charme exotique. Elles débouchèrent ensuite sur une magnifique terrasse transformée en jardin qui faisait tout le tour de l'appartement.

Une élégante assistance se trouvait parsemée entre les tables dressées avec soin le long d'une ravissante balustrade en fer forgé de style Horta, délicatement revêtue d'une passiflore en fleur. Un domestique passa devant Jeanne et lui offrit une coupe de champagne avec déférence. Un autre le suivait et lui présenta un plateau jonché de petits fours. Dès qu'elle mit un pied sur la terrasse, un grand nombre de regards convergèrent vers Jeanne, puis descendirent aussitôt au niveau de son ventre.

Au fur et à mesure qu'elle se mêlait aux convives, elle fit ce curieux constat : lorsqu'on est enceinte, plus personne ne vous regarde dans les yeux. Désormais, le monde entier vous regarde « dans le ventre ». Ce qui n'était pas pour lui déplaire. Elle cambra volontairement les reins, mettant ainsi sa silhouette arrondie en évidence, et circula avec aisance parmi les invités de Marie-Bérangère. Ils furent un grand nombre à lui témoigner leur vive amitié, s'informant de sa santé ainsi que du bon déroulement de sa grossesse...

Jamais Jeanne n'avait reçu autant d'égards de la part de cette société qui, à une certaine époque, n'existait qu'au travers Richard. Mais aujourd'hui, elle n'était plus Mme Tavier ! Elle était devenue la veuve Tavier, l'unique héritière d'une fortune colossale et mère de l'héritier direct du fief Tavier. Quelle délicieuse sensation que celle d'être le centre d'intérêt de tout ce beau monde, si riche, si élégant, et tellement à la page...

Jeanne répondit à chacun avec chaleur, affichant le sourire radieux de la future mère. De temps à autre, elle évoquait Richard avec émotion et assurait à qui voulait l'entendre que l'enfant seul lui donnait la force et le courage de survivre à son mari. Elle fut également étonnée par le changement d'attitude des gens envers elle. Assurément, la mort de Richard y était pour beaucoup, mais elle sentait au fond d'elle-même que sa grossesse surtout modifiait le regard que le monde portait sur elle.

Elle fut surprise par le nombre de mains qui, instinctivement, se collaient contre son ventre, comme si leurs propriétaires recevaient par le contact qu'ils en retiraient une sorte de bénédiction, ou du moins une protection contre le mauvais sort. C'était fou le nombre de gens qui ressentaient le besoin de la toucher, comme si la proéminence de son ventre permettait une familiarité qu'ils ne se seraient jamais permise auparavant. Cet aspect-là des choses mit Jeanne assez mal à l'aise, car elle avait toujours l'impression qu'après avoir palpé son ventre, quelqu'un allait s'écrier : « Mais ce n'est pas un vrai ventre ! Quelle est donc cette imposture ? » Toutefois, rien de la sorte ne survint, et Jeanne reprit confiance en elle.

Elle passa un agréable début de soirée durant lequel elle profita pleinement de son état. Jusqu'au moment où elle se trouva nez à nez avec un visage qu'elle aurait aimé effacer de sa mémoire. L'homme s'inclina devant elle et la salua poliment.

— Maître Lombaris ! s'exclama Jeanne en manquant d'avaler de travers. Quelle surprise, je ne m'attendais pas à vous trouver ici !

— Chère Mme Tavier ! répondit le notaire d'un air pincé, un peu hautain. Je suis quant à moi particulièrement heureux de vous rencontrer ! Il semble que vous soyez sourde aux sonneries de téléphone et que vous ne consultiez pas souvent votre courrier !

— Mon courrier ? s'étonna sincèrement Jeanne. Je... Je ne comprends pas.

— Voilà plus d'un mois que j'essaie vainement de vous joindre. J'ai certaines informations à vous communiquer en ce qui concerne la succession de votre défunt époux...

Jeanne sentit une panique sourde s'emparer d'elle. Jamais elle n'avait eu le réflexe de vider sa boîte aux lettres, trop habituée à ce qu'une domestique se charge de cette tâche et lui apporte chaque matin sa correspondance à l'heure du petit déjeuner. Depuis la mort de Richard, le fait qu'elle puisse recevoir du courrier ne lui était même jamais venu à l'esprit. Elle jeta un coup d'œil furtif autour d'elle afin de voir qui était en mesure d'entendre ce que disait le notaire. Fort hcurcusement, personne ne paraissait prêter attention à leur conversation.

— J'ai été fort occupée ces derniers temps, chuchota-t-elle comme si elle avouait un crime. Mais je serai plus disponible dans les prochains jours. Peut-être pourrions-nous nous voir en privé ?

— Ce ne sera pas nécessaire, ma chère. Ce dont j'aimerais vous entretenir est plutôt informel. Peut-être auriez-vous quelques instants à me consacrer ce soir ?

— C'est-à-dire que... (Jeanne se mordilla la lèvre inférieure. Elle n'avait aucune envie d'aborder le chapitre de l'héritage Tavier, surtout à cet endroit.) J'aurais préféré vous voir en privé... Ne serait-il pas possible de fixer une date pour...

— C'est comme cela vous conviendra le mieux, l'interrompit-il, complaisant. Disons, mardi prochain, vers quatorze heures à mon étude ?

— Oui, mardi, je pense que... hésita Jeanne, prise au dépourvu. Je pense que ça devrait me convenir... Puis-je vous confirmer cette date demain matin ?

— J'allais vous en prier, lui répondit Lombaris en s'inclinant. Je vous souhaite une bonne soirée, chère amie.

Puis il s'éloigna la tête droitc, les mains derrière le dos et la démarche raide. Jeanne le regarda disparaître, et une sueur glacée la saisit sur tout le corps. Que cela signifiait-il ? Le ton qu'il avait employé pour lui parler...

Jeanne avait cru déceler une pointe d'ironie derrière laquelle se cachait un sous-entendu. Elle se traita mentalement d'idiote : il lui fallait absolument annuler le rendez-vous pris à l'étude du notaire et convaincre celui-ci de venir lui rendre une petite visite à l'hôtel particulier. Ainsi, si le vent tournait dans la mauvaise direction, elle aurait plus de liberté d'agir dans l'intimité et la discrétion de son domicile. Jeanne était persuadée que le notaire désirait l'entretenir de sa grossesse. Peut-être exigerait-il une preuve que l'enfant était bien celui de Richard Tavier ? Le plus drôle dans toute cette histoire, c'est qu'en général la maternité de la mère n'est jamais mise en cause. Et, dans ce cas précis, prouver la paternité de Richard ne posait aucun problème. C'était l'inverse qui l'aurait mise dans l'embarras.

Mais ironiquement, personne ne semblait douter un seul instant que l'enfant était bien le sien. Discrètement, elle réajusta son ventre qu'elle sentait imperceptiblement glisser sous ses hanches, puis elle s'installa à une table en soupirant nerveusement.

Quelques secondes plus tard, elle fut rejointe par Coralie Duchesne qui prit place en face d'elle tout en demandant si sa présence ne la gênait pas. Jeanne secoua la tête, répondant par la négative.

« Pauvre conne, pensa-t-elle tout en affichant un éclatant sourire mondain. Pourquoi me demandes-tu si tu peux t'asseoir puisque tu es déjà assise ! »

— Avez-vous des nouvelles d'Edwige, Jeanne ? attaqua directement Coralie. Marie-Bérangère l'avait conviée pour ce soir, mais son invitation est restée sans réponse. Et personnellement, je trouve cela étonnant de la part d'Edwige.

Jeanne se raidit une nouvelle fois. Décidément, ils s'étaient tous donnés le mot pour l'affoler, ce soir !

— Non, j'ignore ce qu'elle devient, répondit-elle d'un air faussement détaché. Cela fait des semaines que je ne l'ai pas vue.

— Vous êtes-vous disputées ? Car enfin, vous étiez inséparables autrefois.

— Autrefois, oui... Les temps changent, que voulez-vous.

Jeanne se leva en prenant une mine désolée.

— Pardonnez-moi, Coralie, soupira-t-elle. Je me sens très lasse, ce soir. Je pense que je ne vais pas tarder à rentrer chez moi.

Jeanne lui tourna le dos sans attendre la réaction de sa compagne de table et disparut parmi les convives. Dès qu'elle fut hors de vue, Coralie se leva à son tour. Elle circula au milieu de l'assemblée, repéra le coin où paradait la maîtresse de maison et fonça vers elle en zigzaguant avec agilité entre les petits groupes d'invités.

— Je viens de parler avec Jeanne, chuchota-t-elle discrètement à l'adresse de son amie. Assurément, elle nous cache quelque chose. Quand je lui ai demandé des nouvelles d'Edwige, elle a changé de tête et a aussitôt pris la poudre d'escampette.

— C'est bien ce qui me semblait, rétorqua Marie-Bérangère, l'œil triomphant comme si elle était Sherlock Holmes en personne. Je me demande bien ce que complotent ces deux gourdes. À présent, je suis persuadée qu'elles sont de connivence et que l'enfant de Jeanne n'est pas celui de Richard. Peut-être même ont-elles une relation plus intime qu'une simple camaraderie et...

— Non ! s'écria Coralie en écarquillant les yeux. Tu crois vraiment que... C'est d'un original ! Jeanne et Edwige !

— C'est une possibilité, poursuivit Marie-Bérangère d'une voix conspiratrice. Rappelle-toi la manière dont Edwige a défendu Jeanne, comme si j'avais attaqué sa vertu. Du reste, on a peine à imaginer qu'Edwige et son mari entretiennent une véritable relation de couple. Tout cela ressemble plutôt à une mise en scène destinée à garder la tête haute devant le beau monde... Et ça ne m'étonnerait pas que Robert en soit également !

— Robert aussi ! s'exclama de plus belle Coralie qui n'en finissait plus d'ouvrir des yeux comme des soucoupes. Mais ils sont partout !

— Vous l'ignoriez ? lui demanda tout haut Marie-Bérangère, abandonnant son air de complot et reprenant ses allures mondaines. Tout n'est qu'une affaire d'observation, chérie. En tout cas, notre chère Edwige a bien caché son jeu ! Je la féliciterai personnellement la prochaine fois que je la verrai. Et je suis curieuse de voir la tête qu'elle fera lorsqu'elle comprendra que je l'ai percée à jour.

25

Lorsqu'elle se réveilla, Suzanna ne parvenait pas à se repérer dans le temps ni dans l'espace. Sa tête lui parut terriblement lourde et tout son corps était engourdi, comme sous l'effet d'une drogue anesthésiante. Elle poussa un faible gémissement tout en voulant se redresser mais parvint à peine à soulever la tête. Aussitôt, une forme humaine, encore très floue, apparut dans son champ de vision. Suzanna cligna des yeux et l'image devint plus nette. C'était une femme vêtue de blanc et coiffée d'un petit chapeau d'infirmière, une femme qu'elle ne connaissait pas.

Elle avait un beau visage rondelet, avec de grands yeux noirs et une jolie bouche toute fine qui lui souriait gentiment. Puis elle lui parla d'une voix douce et apaisante, quelques mots que Suzanna ne comprit pas... C'est alors qu'elle se souvint de Jeanne, du cachot dans lequel elle avait été séquestrée et de son suicide. Se pouvait-elle qu'étant morte, elle soit déjà dans l'au-delà ? Cette femme était-elle un ange ?

La douleur lancinante qu'elle ressentit dans son bras droit lui fit douter de cette hypothèse. En examinant plus attentivement l'endroit où elle se trouvait, il lui sembla reconnaître le plafond bas de la cave dans laquelle elle avait été retenue prisonnière, mais l'atmosphère de la pièce en général, sa propreté ainsi que sa différence de dimension lui prouva le contraire. Toutefois, l'absence totale de fenêtre l'incita à penser qu'elle se trouvait bien dans une cave, mieux aménagée peut-être, mais une cave tout de même. La pièce était propre, bien éclairée par une lampe halogène qui diffusait une lumière chaude et agréable, et même si le mobilier était des plus restreints, le lieu dans son ensemble dégageait un climat feutré et sécurisant.

Suzanna soupira faiblement. Ainsi donc elle n'était pas morte ! Par quel miracle avait-elle survécu au terrible coup de tesson qu'elle s'était infligée sous les yeux de Jeanne ? Et justement, la dingue au manteau de fourrure, où donc se trouvait-elle ? Elle voulut interroger la femme qui, la mine appliquée et le regard légèrement soucieux, s'empressait à son chevet.

Ses gestes étaient rapides et précis, et tandis qu'elle s'affairait au niveau du bras de Suzanna, la jeune Portugaise n'eut pas le courage d'interrompre les soins qu'on lui prodiguait avec douceur et fermeté. Apparemment elle était tirée d'affaire puisqu'une autre personne que Jeanne s'occupait d'elle et la soignait. Le reste était sans importance et Suzanna remit mentalement à plus tard l'explication de sa présence dans cette curieuse pièce. Elle sombra alors dans une délicieuse somnolence, laissant ainsi son esprit vagabonder afin de lui permettre de reprendre peu à peu contact avec la réalité.

Des images chaudes et joyeuses se pressèrent dans sa tête, se succédant sans logique temporelle mais dont elle reconnut immédiatement la provenance. Le soleil lumineux du Portugal, la plage de Carcavelhos sur laquelle elle passait ses journées de vacances en compagnie de ses amis et de sa chère Guida. Puis elle se vit sur la petite Mobylette de Paolo, roulant cheveux au vent sur la Marginal, cette longue route qui reliait Lisbonne à Cascais en longeant la mer. Délicieux souvenirs d'une époque qu'elle avait voulu laisser derrière elle afin de se tourner résolument vers l'avenir. Et cet avenir, elle l'avait toujours imaginé loin de ce paysage qu'elle estimait désormais appartenir à son enfance. Toute petite déjà, elle rêvait de ce monde qu'elle découvrait chaque jour dans les feuilletons brésiliens, univers éblouissant où les femmes, toutes plus belles les unes que les autres, côtoyaient des hommes riches et puissants, des hommes dont la situation sociale ignorait les tourments qui faisaient le quotidien de ses parents.

On lui avait toujours dit qu'elle était belle, belle à couper le souffle, belle comme un ange revenu des Enfers. Et elle percevait au fond d'elle-même cette certitude inébranlable de compter parmi les élus, l'intime conviction qu'elle appartenait au monde des nantis, ceux qui brillent sous les feux des projecteurs.

Lorsqu'elle avait rencontré Richard, le conte de fées l'avait tout naturellement guidée sur cette route de plaisirs et d'opulence, et Suzanna, qui s'était jurée de ne pas rater sa chance, était partie pour Paris sans même se retourner. Qu'aurait-elle pu espérer de mieux ? En une soirée, elle avait reçu tout ce qu'elle attendait de la vie : l'amour, la richesse, et surtout la possibilité de vivre les milles et une choses passionnantes qu'elle avait toujours voulu connaître.

La veille de son départ, sa grande sœur était venue la rejoindre dans son lit. Elles étaient si différentes l'une de l'autre : Anna était grande et maigre, ni laide ni jolie, sage et raisonnable. Son visage reflétait la pauvre réalité d'une vie dont Suzanna n'avait jamais voulu se contenter. Anna acceptait avec résignation l'existence à laquelle elle était destinée et ses seules aspirations résidaient dans l'espoir de trouver un bon mari qui serait à même de les entretenir sans trop de difficultés, elle et les enfants qu'il lui ferait.

— Qu'espères-tu trouver là-bas ? lui avait-elle demandé en chuchotant dans la pénombre de la chambre qu'elles partageaient depuis leur plus tendre enfance.

— Tout ! s'était exclamée Suzanna dans un murmure exalté. Tout ce qu'il n'y a pas ici, tout ce que le monde a de meilleur. Tu comprends, Anna, ce qu'il m'arrive aujourd'hui, c'est comme un conte de fées. C'est ce dont je rêve depuis que je suis toute petite. Partir d'ici, voyager, découvrir Paris, vivre avec l'homme que j'aime et être heureuse... Je ne pensais pas que ça m'arriverait si vite et si facilement.

— Ne crie pas trop vite victoire, petite sœur. Comment peux-tu être certaine que c'est là que tu trouveras le bonheur ? L'homme avec lequel tu pars, tu ne le connais même pas. Oh Suzanna ! J'ai si peur pour toi. On dit de Paris que c'est une ville tellement dangereuse !

— Ne t'inquiète pas pour moi, ma douce Anna, répliqua Suzanna en riant d'excitation. Demain sera le plus beau jour de ma vie. N'as-tu jamais pensé qu'un jour, Dieu nous donne l'opportunité de changer les cartes qu'il nous a distribuées à notre naissance ? Ce jeu avec lequel nous devons mener notre barque, il nous est possible, à un moment de notre existence, de le modifier et de prendre la main, comme on dit au poker. Ma chance est venue, Anna, et je dois la saisir. Si je ne pars pas demain, je serai malheureuse toute ma vie.

— J'ai vu que maman pleurait, ce soir. Ne ressens-tu aucune pitié pour elle ?

— Elle ne pleurera plus quand elle saura que je suis heureuse. Je tâcherai de vous écrire le plus souvent possible.

— Et comment fera-t-on pour te joindre, si nous voulons te parler ?

— Je vous communiquerai mon numéro de téléphone, dès que je serai installée. Mais soyez patients. Si je ne vous appelle pas dans l'immédiat, c'est que je suis fort occupée.

— Ne reste pas trop longtemps sans donner de tes nouvelles.

— Je te le promets, Anna.

Il y eut un moment de silence durant lequel les deux sœurs se regardèrent dans le noir. Elles ne distinguaient l'une de l'autre que leur silhouette respective, mais reconstituait mentalement les traits masqués par l'obscurité.

— Tu sais jouer au poker, toi ? demanda Anna en chuchotant.

Suzanna sourit, et Anna le sentit. Alors elle embrassa tendrement sa petite sœur sur le front. Puis elle regagna son lit afin que Suzanna ne remarque pas que ses joues étaient baignées de larmes.

Comme cette nuit lui paraissait loin aujourd'hui ! Suzanna avait l'impression qu'elle faisait partie d'une autre vie. L'image de sa sœur pleurant dans l'obscurité lui brisa le cœur et elle se demanda si sa famille avait entrepris toutes les démarches possibles pour la retrouver. Mais savait-elle seulement qu'elle avait été séquestrée ? Comme elle ne connaissait personne d'autre que Richard à Paris, son absence n'avait jamais été remarquée et personne ne s'était inquiété de savoir où elle pouvait bien se trouver.

Suzanna soupira. Tout était fini à présent. Elle allait bientôt rentrer au Portugal et tenter d'oublier tout cela. Ses parents seraient si heureux de la revoir qu'ils passeraient l'éponge sur sa folie des grandeurs. Ils s'occuperaient d'elle et de son bébé...

Son bébé ! Avait-il survécu à sa tentative de suicide ? Suzanna rouvrit précipitamment les yeux afin de voir si son ventre était toujours aussi gros qu'auparavant... Lorsqu'elle entrevit la forme arrondie qui se soulevait tranquillement sous l'effet de sa respiration, elle éprouva un tel soulagement qu'elle se mit à rire faiblement. Elle était vêtue d'une simple chemise de nuit toute blanche dont la large taille lui parut si confortable qu'elle s'abandonna à son nouveau bien-être avec bonheur. L'infirmière se pencha une nouvelle fois sur elle afin de voir si tout allait bien. Suzanna la rassura en lui souriant, puis elle voulut lui demander où elle se trouvait... La jeune femme haussa les épaules en signe d'incompréhension. Suzanna agita la tête de gauche à droite afin de lui faire comprendre que c'était sans importance. Après tout, qu'est-ce que cela allait changer ? Du moment qu'elle ne voyait pas la dingue au manteau de fourrure, le reste lui était parfaitement indifférent.

Reprenant peu à peu contact avec la réalité, Suzanna entreprit de s'asseoir dans son lit. Mais elle se sentait encore trop faible que pour parvenir seulement à se redresser. L'infirmière la saisit sous les aisselles et l'aida à s'installer confortablement tout en lui parlant d'une voix apaisante. La jeune Portugaise remarqua qu'elle ne s'exprimait pas en français. Au début, cela l'intrigua, puis elle ne s'en préoccupa plus. Que ce soit le français ou une autre langue, le résultat était le même.

Elle examina plus en détail la chambre dans laquelle elle se trouvait et ressentit un étrange malaise. Quel était donc cet hôpital qui possédait des chambres en sous-sol ? Car assurément, elle se trouvait bien sous terre. Et ce mobilier ne ressemblait en rien à celui que l'on trouve habituellement dans un établissement hospitalier. En face d'elle, elle aperçut un lit de camp d'un modèle assez récent mais dont la présence dans la pièce lui parut totalement déplacée. Et dans le coin opposé à son propre lit était posé un réchaud d'appoint qu'on utilise d'ordinaire pour faire du camping.

La chambre dans son ensemble donnait une impression de neuf et de modernité si ce n'était l'ameublement dont la désuétude aurait pu la faire sourire si elle n'insinuait pas dans son esprit un pénible sentiment de doute. Suzanna tenta de faire comprendre par signe à son infirmière qu'elle désirait un téléphone. Celle-ci secoua tristement la tête, démontrant par là son impuissance à accéder à la demande de sa patiente. Pourquoi lui refusait-on un simple coup de téléphone ? Un horrible pressentiment s'empara d'elle. Était-elle vraiment tirée d'affaire ? La chambre dans laquelle elle se trouvait n'était-elle pas une des autres caves de l'hôtel particulier devant lesquelles elle était passée lorsque Jeanne l'avait menée jusqu'à son cachot ? Et pourquoi cette infirmière était-elle également étrangère ?

Suzanna tenta de se calmer et de trouver les arguments qui allaient pouvoir la rassurer. Par exemple, elle se raisonna en se disant que la folle n'aurait jamais pris le risque d'avouer la présence de sa prisonnière dans les caves de sa propriété aux yeux d'une autre personne. La jeune infirmière n'était-elle pas un témoin gênant ? Mais Suzanna savait au fond d'elle-même que ce n'était pas le genre de détail qui arrêterait quelqu'un comme Jeanne. N'avait-elle pas tué sans l'ombre d'une hésitation cette grosse femme qui avait voulu la délivrer ?

La jeune fille se mit à s'agiter, prise d'une appréhension qui devenait chaque seconde un peu plus forte. D'une main ferme, l'infirmière l'obligea à se recoucher, la maintenant par les épaules afin qu'elle ne tombe pas du lit. Après avoir faiblement résisté, Suzanna se laissa faire et essaya de contrôler les battements de son cœur s'affolant sous l'effroi qu'elle sentait monter en elle... Mais comment savoir si elle était toujours la prisonnière de cette horrible femme ? Il fallait qu'elle sache, il lui était impossible de rester dans l'incertitude... Les menottes ! La réponse était là, tellement évidente ! Si elle n'était pas attachée, cela signifiait qu'elle n'était plus captive.

Suzanna recommença à s'agiter, cherchant à soulever la tête afin de voir si elle était toujours menottée par un bras. Très vite, elle constata que son poignet gauche était libre de toute entrave. Mais curieusement, elle ne parvenait que très difficilement à bouger son bras droit. Elle n'arrivait pas à situer exactement les sensations qui se dégageaient de cette partie de son corps. Tantôt elle ressentait une gêne proche de la douleur, tantôt c'était une absence totale de perception, comme si son bras était complètement anesthésié. Au prix d'un grand effort, la jeune fille parvint à soulever la tête pour vérifier si son bras droit était menotté...

D'abord elle ne vit rien. Étrange image de son corps dont elle ne parvenait pas à reconstituer la logique anatomique. Elle distinguait bien son épaule, son bras qui disparaissait sous le drap blanc, la forme de son coude... Et puis plus rien. Le drap s'affaissait derrière le coude en épousant la forme du matelas. Suzanna plissa les yeux comme pour faire la mise au point. Lorsqu'elle les rouvrit tout grands, ce fut pour voir la même image incompréhensible, une partie de bras sans avant-bras ni main, une sorte de demi-membre, un moignon...

Le cri que poussa la jeune fille fut si angoissé, si rempli de détresse et de désespoir que l'infirmière faillit tomber de sa chaise tant elle en sursauta. Aussitôt, elle se précipita vers Suzanna afin de la calmer. Celle-ci criait et poussait des gémissements affolés, se débattant comme une furie.

— *Meu braço ! Ô que fizeram do meu braço ?*

répétait-elle en hurlant, sans cesser de se démener dans tous les sens.

Tout en essayant de la maintenir en place du mieux qu'elle put, et après quelques essais infructueux, l'infirmière réussit enfin à attraper un bouton-alarme suspendu au-dessus du lit de sa malade. Elle appuya dessus avec vigueur puis attendit tout en continuant tant bien que mal à neutraliser la jeune fille qui ne cessait de hurler et de se débattre.

Quelques secondes plus tard, Jeanne apparut dans la pièce, le visage dur et le regard froid.

Lorsqu'elle la vit, Suzanna s'immobilisa brutalement. Sa respiration se coupa net. Son sang se glaça dans ses veines. On aurait dit qu'elle avait vu le diable.

Lorsque l'infirmière se tourna vers Jeanne pour lui demander de l'aide, celle-ci prit aussitôt un visage avenant.

— *Ô que fizeram do meu braço ?* interrogea encore Suzanna dans un hurlement plaintif.

— Pauvre petite Portugaise ! minauda Jeanne d'une voix infantile. Le réveil est dur, n'est-ce pas ? (Elle émit quelques petits rires comme si elle tentait de dédramatiser la situation.) Voilà ce qu'il en coûte à celles qui tentent de faire du mal à mon bébé ! C'est Edwige qui m'a donné cette idée, ajouta-t-elle comme à regret. Bien involontairement, d'ailleurs. Tu me diras que là où elle est, elle n'est plus guère en mesure d'émettre la moindre opinion.

Jeanne parlait d'une voix très gentille afin que l'infirmière, qui semblait ne pas comprendre le français, interprète ses paroles comme des mots de consolation.

— Edwige était une véritable cinéphile, le savais-tu ? Elle était capable de regarder deux ou trois films dans la même journée. Parfois, quand l'un d'eux l'avait particulièrement frappée, elle m'en faisait le récit. Et je me suis souvenue de ce film dont elle m'a raconté l'histoire. Celle d'un homme à qui l'on avait coupé une jambe pour l'empêcher de courir les filles, ou quelque chose d'approchant. Astucieux, non ? Et tellement symbolique, s'enthousiasma-t-elle. Solution radicale en tout cas ! J'avoue que j'ai hésité. Pas bien longtemps, mais j'ai hésité tout de même. Lorsqu'on m'a dit que tu étais hors de danger et que l'enfant survivrait, j'ai passé en revue toutes les solutions pour t'empêcher de recommencer. Celle-ci fut, à mon sens, la plus efficace. Après ton geste meurtrier, j'ai été obligée de t'hospitaliser, tu sais. Oh, pas dans un établissement public, non ! Fort heureusement, je connaissais une clinique privée qu'une de mes amies m'a indiquée il y a quelques années et dont la consigne exige la discrétion la plus absolue. Je t'ai inscrite sous un faux nom, cela va sans dire, et ils ont cru que tu étais ma nièce.

C'est dommage pour toi, tu n'étais pas en état de me contredire. Et tu as mis beaucoup de temps à te réveiller. Par bonheur, la blessure était superficielle, tu as frappé un peu trop haut pour atteindre le fœtus. J'ai pris tous les frais d'hospitalisation à ma charge. Ensuite, avant que tu reprennes tes esprits, j'ai eu l'autorisation de te ramener aux Coquelicots, à la seule condition de prendre une infirmière à domicile. Il faut dire que j'ai dû allonger un peu d'argent auprès du chirurgien en chef... Mais le cher homme a été très compréhensif et son silence m'est acquis. C'est fou ce que deux ou trois billets peuvent étouffer dans l'œuf quelques scrupules récalcitrants à vouloir laisser en paix une conscience un peu trop zélée.

De retour à la maison, je t'ai installée dans cette cave que j'ai fait assainir et aménager pendant ton absence. Cela m'a coûté extrêmement cher, mais que ne ferais-je pour préserver la santé de mon

enfant ? Malheureusement, je n'ai pas eu le temps
— ni les moyens, je dois l'avouer — de faire installer le cabinet de toilette qui aurait considérablement simplifié l'accomplissement des soins nécessaires à ton état. Qu'à cela ne tienne ! Tes besoins,
tu les feras dans ce pot de chambre que nous vide-
rons chaque jour, et la pièce était déjà munie d'un
robinet dont on a conservé l'usage. Je pense que ça
devrait suffir. À la guerre comme à la guerre,
comme on dit chez nous. Mais le plus beau reste à
venir, ma chère ! Regarde !

Jeanne se dirigea vers la porte, ou du moins ce
qui semblait servir de passage vers le couloir central de la cave. Au début, Suzanna ne comprit pas
ce qu'on lui montrait. Puis, peu à peu, elle remarqua qu'en fait de porte, l'ouverture qui servait
d'entrée à la chambre dans laquelle elle se trouvait
ne possédait pas d'ébrasement, et encore moins de
porte. Cela ressemblait plutôt à une découpe rectangulaire faite à même le mur.

Le regard victorieux, Jeanne leva le bras vers
l'extérieur du passage et tira à elle le pan de mur
qui manquait. L'opération paraissait d'une grande
facilité et elle s'en acquita avec aisance. Une fois
son geste accompli, la pièce devenait hermétique-
ment close, et semblait ne posséder aucune issue
vers l'extérieur.

— Extraordinaire, tu ne trouves pas ? s'écria-t-
elle sans chercher à dissimuler l'euphorie qui la
gagnait. Et je peux t'assurer que du couloir, personne ne peut deviner que derrière ces murs se
cache une chambre d'une telle dimension. Ce sont
les vestiges du patriotisme du grand-père de
Richard. Et vive la France ! Le mécanisme était passablement rouillé mais les ouvriers qui ont aménagé cette pièce ont vite fait de le remettre en état.
Nous voici donc à l'abri des importuns. N'est-ce pas
une bonne nouvelle ?

Jeanne rayonnait littéralement de bonheur, comme si elle prédisait à Suzanna un avenir aussi radieux qu'éblouissant. D'un pas cadencé, elle s'approcha du lit de la jeune fille et poursuivit son récit sur le ton guilleret ct amical qu'elle avait adopté depuis qu'elle était entrée dans la pièce.

— Ensuite j'ai fait venir Irina à ton chevet. Irina est merveilleuse et présente le grand avantage de ne parler ni le portugais, ni le français. Elle est roumaine. En situation illégale, ce qui simplifie considérablement les choses. Je lui ai fait comprendre que tu avais fait une tentative de suicide et qu'il fallait te garder à l'œil car tu étais très dangereuse pour toi-même et pour l'enfant. Je lui ai également dit qu'étant ctrangère, tu te trouvais dans la même situation qu'elle et que je te cachais afin que tu puisses accoucher en France.

Au début, Irina ne venait te garder que la journée. Le soir, elle rentrait chez elle. Alors tu vois, il me fut très facile d'entamer l'opération « avant-bras » au petit matin, quelques minutes avant qu'elle vienne prendre son service. (Jeanne éclata de rire.) Tu as entendu ? « Opération avant-bras », c'est drôle non ? (Comme Suzanna ne réagissait pas à son humour, elle reprit un air plus sérieux avant de poursuivre.) C'est-à-dire que j'ai maquillé cela en une nouvelle tentative de suicide, tu comprends ? Tu n'étais toujours pas réveillée et une petite dose d'anesthésiant — inoffensif pour le bébé — a achevé de t'endormir tout à fait. Tu n'as rien senti, n'est-ce pas ? C'est Irina qui t'a trouvée. Elle a cru que tu t'étais réveillée et que tu avais encore essayé de t'ouvrir les veines. Je lui ai fait comprendre qu'il ne fallait en aucun cas te renvoyer à l'hôpital car les médecins avaient menacé de t'avorter si tu attentais encore une fois à tes jours. Ce qui est tout à fait absurde, mais elle l'a cru sans difficulté.

Irina a très bien compris qu'il était dans son intérêt de ne pas poser de question. Elle m'a signifié qu'elle allait devoir t'amputer. Nous n'avions pas l'infrastructure nécessaire pour réparer correctement les dégats déjà trop avancés que tu t'étais stupidement infligés. Il faut dire que je suis très maladroite et ta blessure n'était pas belle à voir. Une vraie boucherie ! Une partie de l'os avait même été entamée, malencontreusement. Oui, je me suis servie d'une hachette, pas trop lourde à manier mais terriblement coupante. Irina a dû se demander ce que cette hachette faisait dans ta chambre... Je n'ai pas de réponse à lui fournir, mais comme je viens de te le dire, sa situation actuelle ne lui donne pas le luxe de se poser trop de questions. Par bonheur, ta « tentative » ne datait que de quelques instants... Tu avais perdu pas mal de sang, mais pas assez pour mourir sous nos yeux.

L'urgence de la situation a terminé d'accélérer la décision à prendre. Il n'était plus temps d'hésiter, tu comprends ? Irina a été grandiose ! Elle a réglé tout cela en deux temps trois mouvements. Elle a achevé la découpe à la scie ! Tu l'aurais vue ! Concentrée, appliquée, tenant ton bras comme s'il s'agissait d'une simple bûche ! Et ce bruit, lorsqu'elle est arrivée à l'os ! C'était incroyable ! J'ignorais qu'on amputait les gens de cette façon. Mais elle a été parfaite. Une vraie perle...

Suzanna contemplait Jeanne avec horreur, les yeux exorbités. Irina, qui interprétait les propos de Jeanne comme des paroles d'encouragement et d'amitié, se mit à éponger le front de sa patiente en ajoutant quelques mots gentils dans sa langue natale.

Jeanne soupira et regarda Suzanna avec émotion.

— La grossesse déforme toujours le corps d'une femme, c'est inévitable ! Mais tu vois, ma chère enfant, nous t'avons sauvée de justesse !

26

— Puis-je parler à maître Lombaris ?

— Qui le demande ? interrogea sur un ton hautain une voix à l'autre bout du fil.

— Jeanne Tavier, répondit froidement celle-ci.

— C'est à quel sujet ? renchérit l'autre en pinçant les lèvres de plus belle.

— C'est personnel.

Et toc !

— Patientez, je vous prie.

Sur *Les Quatre Saisons* de Vivaldi, Jeanne imita en la ridiculisant la greluche qui venait de lui répondre, puis elle envoya un clin d'œil complice à son reflet que lui renvoyait le miroir qui lui faisait face.

— Mme Tavier ! Comment allez-vous ? claironna d'une voix professionnelle le notaire. Mon Dieu, je suis tout à fait désolé, je viens d'apprendre la terrible nouvelle ! Avez-vous du nouveau à ce sujet ?

Perplexe, Jeanne resta quelques instants silencieuse.

— De quoi parlez-vous ?

— Vous... Vous n'êtes pas au courant ?

— C'est à voir. Quelle est cette nouvelle si terrible pour laquelle vous êtes tout à fait désolé ?

— Eh bien... Votre amie Edwige... Sa disparition... L'avis de recherche à son encontre... Et les kidnappeurs qui ne se sont toujours pas manifestés !

— Les kidnappeurs ?

Le cœur de Jeanne s'arrêta de battre. Puis elle se reprit, et tenta de réagir comme il eut été logique qu'elle le fasse.

— Mon Dieu, c'est affreux ! s'exclama-t-elle dans un gémissement affolé. Je l'ignorais, en effet ! Mais, comment se fait-il que...

— Marie-Bérangère Beaucarmé vient de m'appeler. La police l'a convoquée car il semble qu'elle soit une des dernières personnes à l'avoir vue. Et son mari est, paraît-il, un des suspects numéro un, car il n'a pas jugé utile d'avertir la police de sa disparition. Quelle histoire, vraiment !

— Mais c'est terrible ce que vous me racontez... Pauvre Robert ! s'écria encore une fois Jeanne qui ne croyait pas elle-même à la piètre comédie qu'elle tentait de jouer du mieux qu'elle le pouvait.

— Je ne vous le fais pas dire ! Le motif de l'enlèvement est tout trouvé car, comme chacun le sait, la fortune des Beaulieu appartenait à Edwige. Robert ne possédait rien, si ce n'est le fruit de ses activités politiques qui ne sont qu'une broutille face à la fortune d'Edwige. Le pauvre homme est dans une situation bien délicate. Mais aussi, pourquoi n'a-t-il rien dit lorsqu'il n'a pas vu sa femme rentrer à son domicile ?

— Peut-être ne s'en est-il pas aperçu ? répondit Jeanne, pensivement. Tout le monde connaissait les relations plus que distantes du couple.

— Et sa femme de chambre ? Celle-ci aurait soi-disant rétorqué qu'elle pensait que « madame était partie en voyage » ! À croire qu'on pourrait disparaître de la surface du monde, personne ne s'en inquiéterait !

— En effet...

Il y eut un silence. Jeanne ne parvenait plus à

mettre de l'ordre dans son esprit. Tout s'emballait, et elle devait faire face à bien trop d'obstacles en même temps. Car, avant même d'avoir régler le problème « Lombaris », voici que la police se mêlait de ce qui ne la regardait pas. Et le corps d'Edwige qui pourrissait toujours dans une des salles de sa cave... Il était grand temps qu'elle s'en débarrasse !

La voix du notaire interrompit le fil de ses pensées :

— Mais vous ne m'appeliez pas pour cela, n'est-ce pas ? C'est à propos de notre petit rendez-vous ?

— C'est cela même... Eh bien... (Jeanne ne savait plus comment tourner sa demande sans que celle-ci paraisse suspecte au notaire.) Et si vous veniez à la maison ?

— Mais... commença Lombaris prit au dépourvu. C'est-à-dire que j'ai plusieurs rendez-vous à mon étude...

— Ne m'aviez-vous pas dit que l'entretien serait informel ? minauda Jeanne en tentant de reprendre le contrôle de la situation.

— Heu... Oui, c'est exact...

— Alors venez passer la soirée de mardi avec moi ! Nous aborderons tous les sujets que vous désirez éclaircir. Et nous parlerons de la pauvre Edwige.

— Et bien... Pourquoi pas !

— Je vous attends vers vingt heures, cela vous convient-il ?

— C'est parfait, chère amie !

— À mardi alors...

Jeanne raccrocha précipitamment. Elle était glacée de la tête aux pieds et son cœur battait à tout rompre dans sa poitrine. Pendant quelques instants, elle respira du plus lentement qu'elle le put, inspirant et expirant l'air de ses poumons comme si elle s'adonnait à un exercice de relaxation. Puis elle se concentra afin de trouver une solution au nouveau problème qui lui tombait sur les épaules. Elle chercha dans sa tête l'écho de la petite voix amie qui restait muette, à son grand désespoir. Jeanne maugréa en gémissant :

— Je suis toujours toute seule lorsqu'il s'agit de sauver les meubles ! Où es-tu, nom d'une pipe ? J'ai besoin de toi !

Elle se précipita hors du salon et se dirigea d'un pas nerveux vers la porte de la cave. Lorsqu'elle traversa le grand hall d'entrée, le coup de sonnette qui retentit dans toute la maison la foudroya sur place. La mine horrifiée, Jeanne se tourna lentement vers la porte d'entrée.

Un deuxième coup de sonnette manqua lui faire attraper une crise cardiaque.

La gorge sèche, elle s'approcha d'un pas mécanique vers la porte. Puis, collant son oreille au battant de bois verni, elle attendit, le souffle court. Le silence qui suivit la terrifia plus encore.

Les trois coups frappés avec force contre la porte la firent sursauter violemment.

— Mme Tavier ? C'est la police ! Nous aimerions vous poser quelques questions !

SIXIÈME MOIS

« Vous promenez avec fierté votre ventre rond
mais vous devez bien vous l'avouer,
son poids commence à se faire sentir.
Pour compenser ce déséquilibre vers l'avant,
instinctivement vous creusez les reins et courbez
les épaules.
Votre silhouette en pâtit !
Votre démarche aussi, car vous avez l'air d'un petit
canard.
Vite, remédiez à tout cela !
Pour votre bien-être, en supprimant le mal au dos par
des exercices appropriés,
et pour votre beauté. »

27

La pièce était silencieuse. Seul le bruit du liquide chaud ingurgité machinalement par Suzanna rythmait de manière monotone les secondes figées dans le temps.

La main de Jeanne allait et venait, de l'assiette à la bouche de sa victime, tenant la cuillère remplie d'une soupe orange, puis vidait son contenu tout fumant dans l'orifice entrouvert qui se refermait imperceptiblement en avalant son repas, sans goût ni dégoût, sans peine ni plaisir. De temps à autre, un mince filet de soupe coulait sur le menton de la jeune fille, que Jeanne rattrapait par la tranche de la cuillère et qu'elle ramenait patiemment dans la bouche de Suzanna.

Par intermittence, elle levait les yeux vers le regard de sa jeune détenue, vide et perdu, fixant droit devant elle le néant de son avenir. Il n'y avait aucun échange possible. Alors Jeanne replongeait dans ses pensées. La mine soucieuse, elle ressassait les nombreux tracas auxquels elle n'avait pas encore trouvé de solution, se remémorant avec acrimonie les fautes qu'elle avait commises, par distraction, trop confiante ou trop idiote, un peu des deux sans doute.

La voiture d'Edwige par exemple, qu'elle n'avait pas songé à éloigner de son domicile. Et aussi cet inspecteur Delpierre, très certainement en quête de renommée médiatique, qui la recherchait dans tout le pays. Mais qui, fort heureusement, n'avait pas fait le lien entre la disparition d'Edwige (dont on n'avait pas encore retrouvé le corps), et la recherche de cette jeune Portugaise dont personne n'avait jamais entendu parler mais qui héritait de la fortune de feu Richard Tavier.

La nouvelle, divulguée innocemment par Lombaris lors d'une réception de bienfaisance, avait fait grand bruit dans le monde des nantis. Et Jeanne y avait perdu quelques plumes. Certains la plaignirent, accusant le défunt mari d'avoir perdu la tête. Mais la plupart comprirent que le testament de Richard n'était autre que le reflet fidèle de la situation du couple, et que Jeanne n'avait plus droit à aucune prétention sur les biens de son époux aujourd'hui décédé. Ne lui restait-il pas l'héritage légitime de l'enfant, quelques centaines de milliers d'euros qui la mettraient à l'abri du besoin jusqu'à la fin de ses jours ?

Jeanne se raccrochait donc avec désespoir à la naissance tant attendue du petit Tavier, priant chaque jour pour que l'héritier soit un mâle, un beau garçon rose et dodu qui arborerait fièrement les ornements tant appréciés par le père Tavier. Dans la situation où elle se trouvait aujourd'hui, cette coquette somme d'argent serait la bienvenue...

— Mme Tavier ? Inspecteur Delpierre ! J'aimerais vous poser quelques questions.

Cette phrase résonnait dans la tête de Jeanne, ce moment où, figée derrière la porte d'entrée, elle avait cru mourir de peur, persuadée que tout était perdu et qu'on venait lui enlever ce bébé pour lequel elle s'était tant battue.

— Que me voulez-vous ? avait-elle répondu d'une voix blanche.

— Ouvrez la porte, Mme Tavier, vous nous faciliterez considérablement la tâche !

Alors qu'elle nourrissait Suzanna d'un geste monotone, elle ne parvenait pas à enrayer les images qui lui venaient en tête, et le film de son entrevue avec l'inspecteur et son adjoint se déroulait encore et encore, sans répit. Elle regrettait d'avoir été si émotive, si faible, si effrayée par les deux hommes qui tambourinaient à la porte d'entrée des Coquelicots.

— Laissez-moi quelques instants, le temps d'enfiler un peignoir...

Jeanne s'était alors précipitée dans sa chambre, gravissant les marches de l'escalier quatre à quatre. Après avoir arraché ses vêtements, elle eut juste le temps de fixer son faux ventre et de se couvrir d'une robe de chambre avant de redescendre en toute hâte. Lorsqu'elle ouvrit la porte, les deux hommes qui se tenaient devant elle la dévisagèrent avec une irritation mal contenue.

— Inspecteur Delpierre, déclama froidement le premier homme en agitant sa carte devant le nez de Jeanne. Et voici mon adjoint, l'inspecteur Dubroux. Pouvons-nous entrer ?

La question ressemblait plus à un ordre qu'à une demande. Très impressionnée, Jeanne s'effaça, et les deux hommes firent quelques pas dans le hall d'entrée. Avec son imposante carrure, Delpierre occupait tout l'espace dès qu'il arrivait dans un endroit, quel qu'il fût.

Les mains dans les poches, il portait un imperméable beige à la Colombo, attaché à la taille par une ceinture négligemment nouée. Son visage arborait des traits épais, burinés par les ans, et trahissait la physionomie d'un homme qui n'avait pas eu beaucoup de cadeaux dans la vie. Il avait un regard clair et perçant qui déstabilisait et impressionnait beaucoup ses interlocuteurs. Il paraissait avoir une cinquantaine d'années alors qu'il venait tout juste de fêter ses quarante-deux ans. Divorcé depuis peu, l'inspecteur consacrait désormais la plupart de son temps à son métier et se faisait un point d'honneur à mener à bien toutes les affaires qui lui tombaient entre les mains. Après tout, et puisque son ex-femme lui reprochait chaque jour de n'être jamais présent au domicile conjugal, de manquer constamment à ses devoirs de père autant qu'à ses devoirs d'époux, et puisque ce fut la cause principale de leur séparation, autant mettre à profit le reproche tant de fois entendu et lui donner définitivement raison.

Lorsque Jeanne referma la porte derrière eux, l'inspecteur se tourna vers elle et remarqua l'arrondi de son ventre. Légèrement embarrassé, son ton se radoucit instantanément.

— Je suis désolé de vous déranger, Mme Tavier. Avez-vous quelques secondes à nous accorder ? Ce ne sera pas long.

Reprenant confiance, Jeanne esquissa un maigre sourire.

— Suivez-moi, parvint-elle à balbutier, la gorge sèche.

Les deux hommes la suivirent jusqu'au salon, Jeanne en tête et Dubroux sur les talons de Delpierre. Durant ce court trajet, Jeanne tentait de maîtriser la panique qui faisait battre son cœur à toute vitesse. Elle avait la sensation d'être rouge comme une pivoine, persuadée que sa culpabilité se lisait à livre ouvert et que dès qu'elle se tournerait vers eux, les deux inspecteurs comprendraient sans l'ombre d'une hésitation qu'elle était celle qu'ils recherchaient.

« *Calme-toi, Jeanne. Ils ne sont là que pour te poser des questions. Il n'y a aucune raison pour qu'ils te croient coupable. Respire lentement et concentre-toi. Edwige a disparu, tu ne sais pas où elle se trouve. Et tu ne connais pas cette Suzanna qui a hérité des biens de ton mari. Tu ne l'as jamais vue. Tu es enceinte de Richard. Le bébé naîtra dans quatorze semaines. La dernière fois que tu as vu Edwige, c'était pour lui annoncer ta maternité. Elle était contre cette grossesse et vous vous êtes disputées. Tu as été déçue par sa réaction. Tu n'as plus eu de nouvelles d'elle depuis ce jour-là. Mais tu es très peinée par sa disparition. Tu espères sincèrement qu'elle se porte bien et qu'on la retrouvera très rapidement. Tu ignores que Suzanna est portugaise. Edwige est ta meilleure amie. Le décès de ton mari t'a laissée moralement très démunie. Mais ta grossesse... »*

Jeanne éprouva un mélange de terreur et de soulagement en constatant que la petite voix était revenue. Le timbre pourtant s'était modifié et elle n'y retrouvait plus les accents amicaux qui, autrefois, la rassurait tant. Elle possédait à présent ce petit ton chantonnant de quelqu'un qui vient de boire une grande quantité d'alcool et commence à en sentir les effets. Cette petite intonation ondoyante et vaporeuse qui perturbe la confiance et donne à chacune de ses paroles un sens dérisoire.

— Vous devinez peut-être le motif de notre visite, Mme Tavier ?

— Pardon ?

Les deux hommes se lancèrent un rapide coup d'œil que Jeanne interpréta comme le signe qu'ils se croyaient sur la bonne piste. Ses joues se mirent à rougir de plus belle sous l'effet du trouble qu'elle ressentit et elles devinrent si chaudes, si brûlantes qu'elle fut à deux doigts de défaillir. Remarquant qu'elle paraissait mal en point, l'inspecteur Delpierre la pria de s'asseoir :

— Mme Tavier, nous ne vous dérangerons pas longtemps. J'imagine que votre état exige beaucoup de repos. C'est à propos de Mme Edwige Beaulieu. Vous devez très certainement être au courant de sa disparition. Quand avez-vous vu Mme Beaulieu pour la dernière fois ?

« *Ta grossesse te permet de tenir moralement mais, physiquement, tu te sens totalement épuisée. Edwige était ta meilleure amie... Non ! Ne parle pas au passé. Parle toujours au présent. Edwige est ta meilleure amie. Tu es très éprouvée par sa disparition. Ainsi que par la mort de Richard. N'oublie pas. Ne jamais parler au passé. Richard est mort en tombant des escaliers. Edwige a disparu. Tu ignores où elle se trouve en ce moment...* »

Jeanne fixait l'inspecteur sans bouger, sans même apparemment comprendre qu'on lui posait une question. Il y eut un étrange silence durant lequel Delpierre et son adjoint observaient le visage cramoisi et tétanisé de leur interlocutrice. Au bout de quelques instants, l'inspecteur se racla la gorge.

— Mme Tavier, vous vous sentez bien ?

« *Ne parle pas au passé, c'est le plus important ! Fais comme si Edwige vivait toujours. Tu comprends ? Parle au présent.* »

— Ma grossesse me permet de tenir moralement, mais, physiquement, je me sens totalement épuisée, répondit Jeanne comme si elle récitait une leçon apprise par cœur.

— Bien sûr, nous comprenons parfaitement, Mme Tavier. (L'inspecteur jeta une nouvelle fois un regard circonspect à l'adresse de son adjoint.) Nous aimerions seulement savoir quand exactement vous avez vu Mme Beaulieu pour la dernière fois.

— La dernière fois que j'ai vu Edwige, c'était pour lui annoncer ma maternité. Elle était contre cette grossesse et nous nous sommes disputées. J'ai été déçue par sa réaction. Je n'ai plus eu de nouvelles d'elle depuis ce jour-là. Mais je suis très peinée par sa disparition. J'espère sincèrement qu'elle se porte bien et qu'on la retrouvera très rapidement.

Le ton de Jeanne était mécanique et impersonnel.

Elle récitait très précisément ce que la petite voix lui dictait, trop paniquée à l'idée qu'elle puisse, malgré elle, dire quelque chose qui la trahirait. Delpierre hocha pensivement la tête.

— Nous nous y efforçons, Mme Tavier, répondit-il en gardant son calme. Mais quand était-ce exactement. Nous avons besoin d'une date, la plus précise possible.

Il y eut un nouveau silence. Jeanne cherchait la réponse parmi les phrases disparates qu'elle entendait dans son oreille, comme un chuchotement continu qui s'emballait de plus en plus.

— Edwige est ma meilleure amie. Je suis très éprouvée par sa disparition. Ainsi que par la mort de Richard. Richard est mort en tombant des escaliers.

Delpierre commençait à perdre patience. Il n'était guère habitué à prendre des gants avec les personnes qu'il interrogeait, fussent-elles innocentes. Le fait que Jeanne soit une femme de la haute bourgeoisie, enceinte de surcroît, avait déjà retardé l'agacement caractéristique qui ne manquait pas de le gagner chaque fois qu'il avait l'impression de perdre son temps. Et dans son métier, Delpierre trouvait qu'il perdait souvent beaucoup de temps.

En vérité, l'inspecteur était un homme simple et sans fioriture, qui aimait les choses simples et sans fioriture. Et il faisait partie de cette sorte d'hommes qui ne comprennent pas pourquoi le monde entier ne leur ressemble pas.

— Mme Tavier ! Est-ce que vous comprenez ce que je dis ? lui demanda-t-il sans chercher à cacher son irritation.

Dubroux, petit homme trapu de type méditerranéen au regard vif et perçant, posa sa main sur l'avant-bras de Delpierre, lui demandant discrètement de se calmer. Puis il hocha la tête d'un air entendu qui semblait signifier : « Laisse-moi faire. »

— Mme Tavier, commença Dubroux d'une voix tranquille et posée. Nous comprenons parfaitement votre désarroi. L'information que nous aimerions connaître se résume en une simple date, même approximative. Vous souvenez-vous du jour où vous avez vu votre amie Edwige pour la dernière fois ?

— Qui... Qui êtes-vous ? lui demanda Jeanne en le dévisageant comme si elle le voyait pour la première fois.

— Elle se fout de notre gueule, jura Delpierre entre ses dents.

Dubroux leva la main pour faire taire l'inspecteur.

— Je suis l'inspecteur Dubroux, adjoint de l'inspecteur Delpierre qui est également ici, continua-t-il lentement à l'adresse de Jeanne. Nous sommes juste venus vous poser une ou deux questions à propos de votre amie Edwige Beaulieu. J'espère que ça ne vous dérange pas ?

— Edwige ? Edwige a disparu.

— C'est exactement de cela que nous aimerions vous entretenir. Vous souvenez-vous de la dernière fois que vous l'avez vue ?

« *Continue comme ça, Jeanne ma toute belle. Ils sont en train de perdre le fil de leurs pensées. Edwige a disparu. C'est une très grande perte pour toi. Elle est ta meilleure amie. Ne parle pas au passé, mais toujours au présent. Et lorsque l'oiseau se pose sur la branche, son chant te rappelle le murmure de la vierge qui soupire après ses premiers ébats. Suzanna t'attend en bas. Mais tu ne la connais pas. Elle a perdu son bras... Richard a fait l'amour à Suzanna... Et de sa semence naîtra celui qui te rendra riche. Car tu seras riche, ma tendre Jeanne ! Richard est mort en tombant des escaliers. Le rouge des cerises te rap-*

pelle la couleur de la peur. Ou bien serait-ce l'amour qui chante cette note si grave qu'on ne l'entend qu'à peine ? Tu as pleuré Richard durant de longs moments. Mais aujourd'hui, son enfant t'aide à tenir la tête haute... »

— Je... Je ne m'en souviens pas, balbutia Jeanne en secouant la tête afin de faire taire cette voix insupportable qui s'emballait... Et qui disait n'importe quoi.

— Il y a une semaine ? Un mois ? Hier ?

— Je ne m'en souviens pas.

Jeanne racle le fond de l'assiette et sert à Suzanna les dernières cuillerées du potage aux carottes qu'elle a réchauffé sur le petit réchaud d'appoint. Lorsqu'elle revient à elle, elle lève les yeux vers sa détenue. La jeune fille la fixe droit dans les yeux, d'un regard froid, dur et immobile, un regard qui la fait tressaillir.

— Qu'est-ce que tu as à me regarder, toi ? l'apostrophe t-elle d'une voix rauque.

Suzanna ne sourcille pas.

— Tu ne crois pas que j'ai déjà assez d'emmerdements comme ça ?

Suzanna la regarde, la juge, la torpille de ses yeux noirs et brillants. Alors Jeanne hausse les épaules et détourne la tête.

À présent, elle tente de se souvenir de la suite de l'interrogatoire des policiers. Mais tout reste très confus. Elle ne parvient plus à remettre les termes employés dans le bon ordre, ni à classer les événements de manière chronologique. Ils sont repartis en lui demandant de rester à leur disposition, de cela, elle s'en souvient parfaitement. Mais lorsqu'ils sont revenus, était-ce le jour même ? Le lendemain ? Une semaine plus tard ? Il semble que quelques jours se soient écoulés, car Jeanne est presque certaine d'avoir eu le temps de se débarrasser du corps d'Edwige. Elle se voit en train de débiter le cadavre en morceaux — ou du moins ce qu'il en restait — puis de les avoir jetés un à un dans la chaudière... Le coup de la chaudière n'est pas une idée à elle. C'est Irina qui a trouvé cette solution. Non pas pour se débarrasser d'Edwige, l'infirmière ne connaissait même pas la présence du macchabée dans une des caves à proximité de celle où elle soignait sa jeune patiente. Mais lorsqu'il fallut jeter le bras de Suzanna, elle fit comprendre à force de signes et d'images qu'il était impératif de brûler le membre découpé.

Jeanne a emmené Irina devant la vieille chaudière et la Roumaine a acquiescé de la tête. Ensuite il a fallu remettre la machine en marche, et c'est encore Irina qui se chargea de cette tâche que Jeanne était incapable de mener à bien.

Une fois le problème « Edwige » résolu, Jeanne crut qu'elle allait pouvoir souffler un peu. En tout cas, personne ne pourrait plus l'accuser d'avoir tué son amie. Ne faut-il pas un corps pour qu'il y ait meurtre ? Et de corps, il n'en existait plus. Tout avait été brûlé, consumé par les flammes de la grosse machine qui s'était remise à ronronner au centre des Coquelicots, au milieu de la cave principale. Mais le vent tournait, elle le sentait. Les choses allaient trop vite, les événements se succédaient dans un rythme qu'elle maîtrisait de moins en moins.

La deuxième fois que l'inspecteur Delpierre était revenu, accompagné de son éternel adjoint Dubroux, il se fit la réflexion qu'une chaleur inaccoutumée régnait au sein de la maison. En plein mois d'août, cela lui parut étrange. C'est pour cela que Jeanne est à présent certaine d'avoir eu le temps de faire disparaître le corps d'Edwige, entre la première et la deuxième visite des deux policiers.

C'est également cette fois-là qu'ils lui deman-

dèrent ce que la voiture d'Edwige faisait au bout de
sa rue.

— La voiture d'Edwige ?

Jeanne se sentit à nouveau défaillir. Comment
aurait-elle pu penser à la voiture d'Edwige ? Elle
n'avait jamais tué auparavant (à part Richard, bien
sûr, mais cette fois-là, elle n'avait pas dû maquiller
son crime). Elle n'avait donc aucune expérience
dans ce domaine et était encore incapable d'organiser tout ce qu'il fallait prévoir afin de déjouer
l'enquête de la police.

Jeanne considérait que le jeu était inégal, car il
semblait bien que ce Delpierre n'en était pas à sa
première enquête criminelle. Avait-elle une chance
de s'en sortir face à cet adversaire de taille ? Et ce
Dubroux qui s'amusait à jouer les fins psychologues
alors qu'il ressemblait tout juste à un abruti.

Qu'avait-elle répondu lorsqu'on lui avait demandé
pourquoi la voiture d'Edwige se trouvait si près de
son domicile ? Elle avait beaucoup de difficultés à se
remémorer la phrase qu'elle avait prononcée, ainsi
que le sens global de celle-ci. Tout ce dont elle se souvient, c'est que les têtes de Delpierre et de Dubroux
changèrent en une fraction de seconde.

Était-ce cette horrible petite voix ricanante qui
l'avait induite en erreur ? Elle n'en savait plus rien.
Mais elle sut qu'elle venait de faire un faux pas. Et
lorsque Delpierre lui demanda s'il pouvait jeter un
œil dans les autres pièces de la maison, elle se mit
à trembler de tous ses membres. Ensuite, tout se
brouille à nouveau. Elle se voit étendue par terre,
sans force, et le contact des dalles froides sur ses
bras et ses mollets nus lui semble si désagréable
qu'elle tente désespérément de se relever.

Dubroux se penche sur elle pour déboutonner le
col de sa chemise, mais Jeanne se met à hurler
qu'on la laisse tranquille. Elle craint qu'ils
découvrent la présence du faux ventre, ce qui serait

une réelle catastrophe. Une fois de plus, les deux policiers mettent la faiblesse de Jeanne sur le compte de son état. Une fois de plus, elle est sauvée de justesse par l'intimidation que son gros ventre provoque en général auprès des hommes. Delpierre râle sec, mais il ne veut pas d'ennuis et ne sait que trop bien ce qu'il en coûte aux pauvres inspecteurs qui s'en prennent à ces bourgeoises protégées par l'état de leur compte en banque. Après l'avoir aidée à se relever, Delpierre réitère sa demande. À son grand étonnement, Jeanne l'autorise à fouiller sa maison.

La troisième fois qu'ils sont revenus, Jeanne s'était déjà enfermée dans la cave aux côtés de Suzanna, prête à maintenir un siège de plusieurs semaines.

28

Suzanna s'agite sur son matelas. La chaîne qui fait le tour de sa cage thoracique et la maintient contre le mur la gêne et lui pèse sur le ventre.

C'est la nouvelle trouvaille de Jeanne : ne pouvant plus la menotter faute de membre à enchaîner (il fallait tout de même laisser un minimum d'autonomie à la jeune fille, c'est-à-dire ne pas entraver la seule main qui lui restait) Jeanne décida de passer une grosse chaîne autour du corps de Suzanna, juste entre sa poitrine et son ventre. Elle fixa ensuite la chaîne par un cadenas, à la dimension exacte de son thorax afin qu'il lui soit impossible de se libérer en la faisant glisser par-dessus son ventre, à présent trop proéminent.

Suzanna est ainsi dans l'impossibilité totale de faire le moindre pas vers la porte sans mettre en danger la santé de son petit. Jeanne est très fière de son idée. Et surtout, elle se sent plus en sécurité comme ça.

La cohabitation étroite des deux femmes est en réalité plus pénible qu'elle ne s'y attendait. Suzanna ne parle pas. Ou si peu. Parfois, elle murmure de longues phrases en portugais, la main posée sur son ventre qu'elle caresse tendrement. Son ventre se met alors à bouger. Une bosse apparaît du côté gauche, puis disparaît pour refaire surface du côté droit. Parfois, ce sont des sortes de vagues qui animent le ventre rond de Suzanna, remous ondoyants sous le regard émerveillé de la jeune maman...

La première fois qu'elle a vu cela, Jeanne en fut si émue qu'elle s'approcha tout près de Suzanna, dérogeant ainsi à la plus élémentaire des règles de sécurité qu'elle s'était fixée. La jeune fille parlait tout bas à son bébé, et la symbiose qui existait entre eux était tangible, véritablement palpable. Un peu jalouse, Jeanne posa la main sur le ventre de Suzanna. Celle-ci n'eut aucune réaction, mais son ventre s'immobilisa instantanément. Vexée, Jeanne s'éloigna en réajustant son faux ventre qu'elle se mit ensuite à caresser comme elle avait vu Suzanna le faire.

Depuis ce jour-là, elle ne quitta plus sa prothèse qui se déformait au fil du temps, perdant de sa rondeur pour se transformer en une sorte de protubérance difforme qui lui donnait une silhouette des plus étranges. Mais Jeanne paraissait ne pas s'en soucier. Elle se comportait comme si elle attendait elle aussi un enfant et calqua ses gestes et ses manières sur les attitudes de la jeune Portugaise.

Mais la plupart du temps, Suzanna reste là, étendue sur son lit, les yeux perdus dans le vague. Son moignon dégoûte Jeanne qui n'a plus changé son pansement depuis presque deux semaines. Depuis la disparition d'Irina. Elle veut fuir une réalité trop crue qui, à présent, lui donne la nausée. Ignorer cette misère physique dont elle est responsable, comme si, en fermant les yeux, la douleur et l'infortune cessaient d'exister. Alors Jeanne s'installe dans un coin et se remémore les circonstances qui l'ont obligée à s'enfermer dans la cave avec Suzanna, ressassant chaque détail qui aurait pu lui éviter pareille déconvenue.

Mardi soir, deux semaines auparavant. Jeanne a fait les choses en grand. La salle à manger rayonne sous la lumière chaude des chandelles dont elle a garni la pièce afin d'installer une ambiance feutrée et intime. Le traiteur vient de livrer un repas de fête qu'elle termine de disposer avec soin sur la grande table de verre, recouverte d'une nappe blanche ornée de petits motifs floraux brodés à la main. Toast au foie gras nappé de confis d'oignon accompagné d'un monbazillac moelleux en entrée. Quelques huîtres pour la fine bouche, puis ce sont des cœurs de lotte aux quatre-saisons dans leur coulis de passe-pierre. Une bouteille de sancerre repose dans un seau rempli de glace à côté de deux coupes de sorbet à la framboise pour aider à la digestion. Le café et le pousse-café, Jeanne s'en chargera elle-même... Si du moins ils arrivent jusque-là.

Lorsque Lombaris sonne à la porte d'entrée, elle jette un dernier coup d'œil à son reflet dans le miroir. Son faux ventre est fermement maintenu sous son tailleur, spécialement conçu pour les femmes enceintes. La jupe de flanelle grise épouse merveilleusement la forme arrondie de sa taille et retombe légèrement au-dessus du genou.

En vérité, Jeanne se trouve très sexy. L'attente de son enfant la comble d'une joie chaque jour plus intense, et le bonheur qu'elle ressent irradie véritablement le moindre trait de son visage. Elle se sent irrésistible et ne doute pas une seconde que Lombaris tombera sous son charme dès qu'elle apparaîtra devant lui. Elle espère du moins que l'occasion de se débarrasser du notaire se présentera rapidement. En cas de besoin, elle peut même dévoiler ses cuisses sans risque de se compromettre.

Avant d'ouvrir la porte, Jeanne inspire une grande bouffée d'air et prie silencieusement pour que tout se déroule comme elle le souhaite.

— Mme Tavier ! Vous êtes radieuse ! Vraiment, cette grossesse vous va à merveille.

Au timbre de sa voix, Jeanne comprend que Lombaris récite maladroitement une formule toute faite afin de se donner une contenance.

— Appelez-moi Jeanne, rétorque-t-elle aussitôt d'une voix grave et chaude.

Le notaire n'a, apparemment, pas l'habitude des dîners en tête à tête avec une femme. Il acquiesce en laissant échapper un petit rire confus qui sonne tout aussi faux que sa réplique précédente.

— Entrez, cher ami, enchaîne la maîtresse de maison en affichant un regard malicieux. Je suis très heureuse de vous voir ! Mais débarrassez-vous... Vous serez plus à l'aise.

Le ton est équivoque et Lombaris n'est pas dupe. Il se défait de son veston en rougissant, puis, ne sachant où le poser, interroge Jeanne du regard.

— Je n'ai plus de domestiques, explique-t-elle pleine de regrets. Comme vous le savez, mes moyens financiers ne me permettent plus d'entretenir le mode de vie qui était autrefois le mien. Je vis donc sur les maigres économies qu'il me reste à la banque. Mais si tout se passe bien, je devrais prochainement hériter de quelque argent. N'est-ce pas ? demande-t-elle d'une voix angélique en indiquant son ventre.

— Je l'espère sincèrement, répond le notaire.

Lombaris lui tend son veston. Et lorsqu'elle se saisit du vêtement, leurs deux mains se frôlent. Aussitôt l'homme d'étude se raidit, imperceptiblement, mais Jeanne perçoit le trouble que son invité cherche à cacher derrière ses petites lunettes rondes. Elle ressent de la pitié pour cet homme sans saveur, au physique insignifiant qui a oublié jusqu'à la présence de l'organe qui pend lamentablement entre ses jambes. Mais elle sait également que la fortune colossale du père Tavier dont elle doit nor-

272

malement hériter prochainement — si toutefois elle met au monde un garçon — n'est pas étrangère à la présence de Lombaris chez elle. La soirée s'annonce encore plus pénible qu'elle ne l'avait imaginée. Mais Jeanne sait pourquoi elle doit passer par là. Et cette raison seule lui donne le courage d'affronter les moments laborieux qui l'attendent.

En exécutant un savant demi-tour sur elle-même durant lequel elle met innocemment en évidence le galbe de son postérieur, Jeanne suspend le veston dans le vestiaire du hall, puis elle se dirige d'un pas balancé vers le salon. Lombaris la suit docilement.

Après un apéritif aussi soporifique pour elle qu'embarrassant pour lui, les deux convives passent enfin à table. Jeanne sait qu'elle devrait tout faire pour mettre Lombaris en confiance, mais à présent qu'il est là, devant elle, elle a énormément de mal à jouer la comédie de la séductrice enflammée par l'« irrésistible attrait physique » de son invité.

Lombaris est resté bien sagement à sa place, et Jeanne doit à présent remettre en marche les ardeurs libidinales de l'homme qui lui fait face. Le couteau est à sa place, tout simplement posé à côté de son assiette, et celui qui remarquerait que le notaire ne possède pas le même couvert que celui de son hôtesse serait particulièrement perspicace. Le couteau de Jeanne est plus grand, plus long, plus acéré... Plus pointu.

— Quelle injustice ! minaude-t-elle en affichant un regard emprunt de dignité. J'ai partagé la vie de Richard pendant vingt ans, vingt longues années durant lesquelles je n'ai jamais cessé de l'aider et de le soutenir du mieux que je pouvais. Et voilà que sur un simple coup de tête, il modifie les termes de son testament ! Je reste persuadée que s'il avait vécu plus longtemps, il se serait aperçu de l'immense erreur qu'il commettait et il serait revenu à des états d'âme plus juste.

— Je suis heureux que vous abordiez le sujet, Mme Tavier...

— Jeanne ! le reprend-elle de sa voix chaude et sensuelle.

Heu... Jeanne. (Lombaris s'empare de ses lunettes qu'il entreprend de nettoyer avec application.) La jeune personne qui a hérité des biens de votre défunt époux reste à ce jour introuvable.

— Ah bon ? s'exclame Jeanne en feignant la surprise. Je l'ignorais.

— J'ai effectué quelques recherches, sans grand succès je dois l'avouer. Elle n'a pas reparu à son domicile depuis plusieurs mois, et lors d'une perquisition faite en accord avec la police d'arrondissement, nous n'avons retrouvé ni ses papiers, ni son passeport. J'ai alors fait une demande au juge des tutelles afin de constater l'absence d'héritier.

Lombaris replace ses lunettes sur son nez qu'il replonge dans son assiette comme si le sujet était clos.

— Et ? interroge Jeanne en cachant difficilement son impatience.

— Suivant les dispositions 112 et suivantes du Code civil, récite le notaire d'un ton professionnel, le juge va désigner un administrateur de biens qui gérera, sous sa surveillance, les avoirs de votre mari jusqu'à ce qu'on ait retrouvé Mlle Suzanna Da Costa.

Jeanne trépigne sur sa chaise.

— Et si on ne la retrouve pas ?

— Alors il faut attendre une période de dix ans au bout de laquelle on peut faire une déclaration d'absence définitive au tribunal de grande instance. À défaut de cette déclaration, l'absence de bénéficiaire sera déclarée automatiquement au bout de vingt ans.

— Et que devient l'héritage ?

— Une fois la déclaration d'absence définitive de

bénéficiaire accordée, continue-t-il toujours sur le même ton, la procédure devient la même que lors d'un décès sans testament : il revient aux descendants directs du défunt.

— Dix ans ! murmure Jeanne dans un soupir consterné.

Lombaris relève la tête et observe son hôtesse à la dérobée.

— Vous... Vous savez quelque chose à propos de cette Suzanna ? demande-t-il d'un air soupçonneux.

— Comment voulez-vous que je sache quoi que ce soit ? rétorque Jeanne vertement. Vous pensez vraiment qu'après avoir tirer cette petite pute, Richard venait me raconter par le menu les humeurs et les états d'âme de sa maîtresse ?

Lombaris rougit autant à cause du langage cru de Jeanne qu'à cause des images évoquées dans son emportement.

— Excusez-moi, se reprend-elle en feignant la honte et le regret. J'ai encore beaucoup de mal à accepter l'inacceptable.

— Je... Je comprends tout à fait, mad... Heu... Jeanne. J'en parlais encore l'autre jour avec Marie-Bérangère et...

De quoi parliez-vous avec Marie-Bérangère, l'interrompt-elle, soudain glaciale.

— Eh bien... De votre dénuement... Du testament de Richard... De la surprise qui fut la vôtre...

Le sang de Jeanne ne fait qu'un tour.

— Quand avez-vous évoqué ce sujet avec Marie-Bérangère ?

— Pas plus tard que la semaine dernière. Et elle vous plaignait bien sincèrement !

Les images commencent à tourbillonner dans la tête de Jeanne. Ainsi donc, à l'heure qu'il était, tout Paris était au courant de sa déchéance ! Elle imagine sans peine les langues pendues de ses chères

« amies » ne cessant d'aborder avec délectation ce nouveau scoop : Jeanne déshéritée par Richard. Et une nouvelle venue dans le milieu dont personne n'a jamais entendu parler, que personne ne connaît. Comme tout le monde doit trouver cela excitant !

Jeanne tente de maîtriser la lame de fond qui vient de lui faucher les jambes. Elle fouille dans ce qui lui reste d'énergie pour ne pas éclater en sanglots et insulter le notaire des pires mots qu'elle connaisse. Elle brûle de se jeter sur lui et de lui arracher les yeux, de lui mordre le visage, de lui fracasser le crâne sur la table en verre, de transformer sa cervelle en bouillie, si tant est qu'elle trouve une cervelle à l'intérieur de cette tête répugnante de banalité et de frustration... Puis elle se calme peu à peu et parvient à sourire faiblement.

— Je pensais que votre titre vous obligeait au secret professionnel.

— Oui... J'en suis confus, en vérité. Mais j'étais persuadé que vous vous étiez confiée à vos amies et que donc...

— Laissons cela, cher Édouard... Tout cela n'a finalement aucune importance. C'est du passé... Et puis, c'est la vérité, n'est-ce pas ? (Jeanne s'empare de son verre qu'elle lève en direction de Lombaris.) Buvons plutôt au présent, et surtout... À l'avenir !

Soulagé par la réaction de son hôtesse, le notaire saisit son verre à pleine main. Mais son geste, trop empressé, renverse le liquide incolore sur la nappe. De plus en plus mortifié, Lombaris se précipite pour éponger sa maladresse.

— Mon Dieu ! Je suis confus... Vraiment, je suis tout à fait désolé, je vais réparer cela tout de suite, et...

« Quel crétin ! » pense Jeanne en se levant à son tour pour aider le pauvre homme.

— Laissez, laissez ! Ce n'est rien, Édouard. Vous

voyez, l'avantage du vin blanc, c'est qu'il ne tache pas lorsqu'on le renverse.

Elle se dirige vers la place du notaire et se retrouve aussitôt auprès de Lombaris en train d'essuyer la nappe trempée de vin blanc. Les deux convives s'acharnent de concert, côte à côte, riant bêtement de la situation. Puis leurs gestes deviennent moins dynamiques, et l'un comme l'autre estiment qu'ils ont fait ce qu'ils ont pu, et que la tache séchera sans laisser d'auréole, du moins l'espèrent-ils. En se tournant l'un vers l'autre, le gros ventre de Jeanne effleure le notaire. Feignant la gêne, Jeanne s'excuse. Mais Lombaris se défend du moindre dommage. Le silence s'installe alors, lourd de sens et de confusion.

— Désirez-vous sentir le bébé ? demande Jeanne de sa voix la plus pure.

— Heu... Eh bien... (Lombaris émet quelques notes fluettes d'un rire embarrassé.) Je... Je n'osais vous le demander...

— Mettez votre main ici, murmure-t-elle tout bas.

Et de sa main gauche, elle guide celle du notaire vers son ventre. L'homme d'étude ferme les yeux et suspend son souffle. Jeanne, d'abord appuyée contre la table, se hisse lentement sur celle-ci et se retrouve bientôt assise dessus. Tout aussi discrètement, elle poursuit son mouvement vers l'arrière, et tend son autre bras vers la place où est dressé son couvert afin, de sa main droite, de se saisir du couteau.

Lombaris caresse doucement le ventre de Jeanne.

— C'est étrange... Un petit être vit là-dedans... Mon Dieu, Jeanne, jamais je n'ai ressenti pareille émotion, je...

Lorsqu'elle lève les yeux vers lui, Jeanne remarque avec stupeur que les lunettes de Lombaris sont embuées de larmes.

— Pardonnez-moi... Je suis troublé, je...

« Vraiment, quel crétin ! » pense-t-elle avec mépris.

Mais son visage affiche un sourire compréhensif.

— C'est normal, Édouard, chuchote-t-elle tandis que son autre main trouve le couteau et s'en saisit.

Puis elle se redresse et se cambre vers l'avant dans un mouvement lascif. La main de Lombaris, toujours posée sur son ventre, suit la courbe arrondie. Jeanne ferme les yeux. Son souffle s'accélère et sa poitrine se soulève au rythme de sa respiration. Sa main gauche guide les caresses du notaire tandis que de l'autre, elle cache le couteau derrière son dos. Imperceptiblement, elle pousse la main de Lombaris de plus en plus bas. L'homme n'émet aucune résistance. Et lorsqu'il effleure son bas-ventre, Jeanne soupire de bien-être, troublée. Parvenant à maîtriser la sensation de chaleur qui s'empare d'elle, elle rouvre les yeux et, d'un regard appuyé, invite le notaire à devenir plus entreprenant.

— Jeanne, je... commence-t-il terriblement gêné.

Jeanne délaisse le couteau qu'elle dépose derrière elle, juste à portée de main.

— Taisez-vous, murmure-t-elle en dénouant lentement le nœud papillon du notaire. Nous sommes entre amis... Mettez-vous à l'aise, cher Édouard.

Figé sur place, le pauvre homme se met à suer à grosses gouttes, la gorge nouée par la tournure que prend cette étrange soirée.

— Que... Que faites-vous, Jeanne ? balbutie-t-il dans un murmure terrifié.

— Allons, minaude-t-elle d'une voix câline. Nous sommes adultes, vous et moi. Et cela fait si longtemps que vous en avez envie. N'est-ce pas Édouard ?

— Non ! Euh... Oui. Enfin, c'est si soudain, si...

— Si agréable, l'interrompt-elle, les yeux pétillant de malice.

— Oui, sans doute, mais...

— Alors, laissez-vous faire.

Le nœud papillon gît à terre, tandis que Jeanne déboutonne lascivement la chemise de Lombaris. Celui-ci reste debout devant elle, les bras ballants, l'air penaud, gauche et intimidé, mais néanmoins troublé par la soudaine intimité à laquelle l'invite son hôtesse.

— Détendez-vous, Édouard, murmure Jeanne de sa voix la plus sensuelle.

De ses deux mains, elle caresse le torse imberbe par-dessous la chemisette de coton de Lombaris qui, toujours pétrifié, ne sait plus quelle conduite adopter.

— Votre enfant, Jeanne... Il est là, il nous sent. Je ne puis...

— Ne soyez pas idiot, Édouard ! s'exclame-t-elle en abandonnant brutalement ses minauderies. Il faut y mettre un peu du vôtre ! Je ne peux pas tout faire toute seule.

— Oui... Oui... Pardonnez-moi.

Lombaris tend la main vers la poitrine de Jeanne qu'il malaxe avec maladresse tandis que, reprenant une attitude aguicheuse, elle défait la boucle de son ceinturon.

— Votre raideur serait flatteuse si elle n'affectait qu'une seule partie de votre corps, chuchote-t-elle en gloussant.

Lombaris ferme les yeux pour échapper à l'embarras provoqué par une situation qu'il se sent incapable de maîtriser. Les sensations affluent, délicieusement troublantes, luttant contre la raison qui bataille pour reprendre le dessus. Stopper là cette incursion sauvage faisant renaître des émotions dont le lointain souvenir ne demande qu'à resurgir en toute hâte, sans penser, sans peser le pour et le contre, sans chercher à émettre la plus faible résistance. Un frisson, un tressaillement. Lombaris ravale l'émoi provoqué par ce feu qui envahit sa poitrine et remonte vers sa gorge. Ses jambes mollissent, ses genoux vacillent, ses pieds se dérobent sous lui... Bientôt, perdant tout contrôle de sa personne, il se jette à corps perdu sur Jeanne. Le faux ventre le stoppe net dans son transport et, effrayé par l'éventualité d'avoir pu blesser le bébé, Lombaris se recule d'un pas.

— Pardonnez-moi, Jeanne ! Je... Oh, mon Dieu, j'espère que...

Jeanne soupire en levant les yeux au ciel et, sans ajouter un mot de plus, attire le notaire contre elle. S'ensuit un va-et-vient aussi sauvage que maladroit durant lequel les deux corps s'entrechoquent dans un concert de cris et de grognements. Tout en singeant les effets du plaisir, Jeanne saisit le couteau juste derrière elle et lève le bras droit d'un geste menaçant, l'arme pointée sur Lombaris. Le pauvre homme, trop occupé à sa tâche, ne voit rien de ce que prépare son hôtesse.

Le meurtre qu'elle s'apprête à commettre l'excite davantage que les assauts trop brusques et malhabiles du notaire et Jeanne manque à plusieurs reprises d'abaisser son bras trop tôt. Elle attend le moment propice, celui où l'homme sera privé de toute combativité. Lombaris s'active du mieux qu'il peut, plus fort, plus vite, encouragé par les hurlements surjoués de Jeanne. Et lorsqu'il se tend en elle, incapable de retenir plus longtemps sa jouissance, elle pousse un long cri rauque et éraillé. Un cri de guerre. Un cri de rage. Elle attend encore, jusqu'à la dernière minute puis, profitant de l'abandon du pauvre homme, elle ferme les yeux et abat violemment son bras.

Le regard perdu dans le vide, Jeanne revit une énième fois cette occasion unique qu'elle a eue de se débarrasser de Lombaris. Comment a-t-elle pu rater son coup ? Elle entend encore le cri d'Édouard résonner dans son crâne, ce cri qu'elle assimile à sa jouissance. Les yeux fermés, elle sait que tout sera bientôt fini et attend simplement qu'il se taise enfin, en rendant son dernier soupir. Mais très vite, elle se sent violemment rejetée vers l'arrière. Surprise, elle rouvre brusquement les yeux et voit Lombaris se dresser devant elle, hurlant et vociférant, le couteau planté dans l'épaule. Elle a été bien trop sûre d'elle, déjà persuadée que le notaire était à sa merci. Et elle a frappé beaucoup trop haut...

— Vous êtes complètement folle ! braille-t-il en se tordant de douleur. Salope ! Grosse vache en chaleur ! Espèce de chienne dévergondée ! continue-t-il en se tenant l'épaule tandis que, le pantalon en éventail sur ses pieds, il se dirige déjà à reculons vers la porte de sortie.

Voyant qu'il va lui échapper, Jeanne se jette sur lui et le plaque au sol. Lombaris, handicapé par son pantalon qu'il n'a pas eu le temps de remonter, s'étale de tout son long sur le dos en vociférant de plus belle sous le coup de la souffrance. Jeanne profite de son avantage pour se saisir à nouveau du couteau qu'elle extirpe violemment de l'épaule ensanglantée dans un bruit de bouillie que l'on mélange.

Lombaris pousse un hurlement aigu, tente de se redresser mais ne parvient pas à coordonner ses gestes. Jeanne lève une nouvelle fois le bras, menaçant de son couteau déjà souillé la poitrine du pauvre homme qui se débat à l'aveuglette, les gestes fous, hallucinés par la douleur et la terreur. Dans son affolement, sa main rencontre le visage de Jeanne qu'il saisit avec la force du désespoir et se met à griffer et à maltraiter dans tous les sens.

C'est alors au tour de Jeanne de rugir, aveuglée par les doigts qui tentent de s'introduire dans ses globes oculaires, martyrisant ses yeux et ses paupières. Elle se recule instinctivement afin d'échapper à la poigne de Lombaris... Celui-ci en profite alors pour rouler sur lui-même, ce qui la déséquilibre complètement et la fait basculer sur le côté. Sans perdre un instant, le notaire se redresse aussitôt et détale tout en remontant son pantalon.

Une fois libre de ses mouvements, il court à perdre haleine jusqu'au grand hall d'entrée puis vers la porte. Mais Jeanne est déjà sur ses talons, hurlant comme une furie, brandissant le couteau, le bras levé au-dessus de la tête. Plus que quelques pas et le notaire aura atteint la porte. Il ne faut pas qu'il sorte de la maison, sans quoi tout sera perdu.

Les secondes semblent se figer dans l'éternité d'un moment improbable et Jeanne a l'impression de se mouvoir dans de la gélatine. Elle voit la main de Lombaris qui s'empare de la clenche de la porte, l'abaisse violemment et ouvre le battant d'un coup sec. Dans un ultime effort, elle tente de le rejoindre en quelques enjambées mais on dirait qu'un souffle puissant venant du dehors ralentit encore sa course. Son faux ventre l'encombre, elle a du mal à reprendre sa respiration, hors d'haleine, ses jambes ne suivent que difficilement le rythme qu'elle leur impose, vidées de leur énergie vitale par cet épuisant combat qu'elle ne pensait pas avoir à mener.

Jeanne est obligée de s'arrêter et de se pencher vers l'avant afin de reprendre son souffle. Elle déglutit, hoquette, tente d'avaler une salive inexistante, tousse en faisant encore quelques pas vacillants, relève la tête... La porte des Coquelicots est grande ouverte.

Et Lombaris a disparu.

29

Lorsque Jeanne émerge enfin de ses pensées, elle constate que ses joues sont baignées de larmes. Du revers de sa manche, elle essuie négligemment ses yeux rougis par l'aigreur et l'amertume, et renifle bruyamment. Puis elle relève les yeux vers sa captive. Suzanna la fixe toujours de son regard assassin, dur et implacable. Jeanne hausse les épaules et grommelle.

— Tu peux me regarder comme ça si ça te chante... Ça ne changera rien.

Elle avait été si près de la réussite... Une fois Lombaris écarté, plus personne ne se serait soucié de cette idiote de Portugaise et elle aurait eu une chance de faire valoir son bon droit sur l'héritage de Richard. Il suffisait qu'elle accuse son défunt époux d'avoir eu un coup de folie, personne n'aurait été en mesure de prouver qu'il avait changé les termes de son testament en toute connaissance de cause. Des centaines d'amis et de connaissances étaient à même de témoigner de la bonne entente du couple, puisqu'ils avaient joué cette comédie absurde pendant des années. Richard aurait été pris à son propre piège. Tout aurait été parfait. Parfait...

Mais voilà qu'elle venait de manquer son coup. Lombaris s'était échappé. Il avait couru jusqu'au poste de police le plus proche et avait donné l'alerte.

Vacillant au milieu de son hall d'entrée, Jeanne avait dû réagir dans la précipitation si elle ne voulait pas passer les jours prochains (et sans doute les années) en prison. Prise d'une panique incontrôlable, elle s'était d'abord mis à tourner en rond, sur elle-même, puis tenta d'expulser les affres de la terreur qui s'emparaient d'elle en poussant des lamentations plaintives, se prenant la tête dans les mains, s'arrachant les cheveux et sanglotant comme une éperdue avant de parvenir à maîtriser l'effroi hystérique qui envahissait son esprit, et à ralentir les battements de son cœur.

Il fallait faire vite. Mais où aller ? Où se cacher ? Et Suzanna ? Jeanne n'avait pas d'amie et avait assassiné la seule alliée qu'elle ait jamais eue. Elle ne pouvait faire confiance à personne et ne devait compter que sur elle-même. De plus, le temps pressait. Dans quelques minutes, toutes les forces de police seraient en possession de son signalement et elle ne pourrait plus faire un pas dehors sans prendre d'énormes risques de se voir appréhendée par les autorités judiciaires.

Jeanne alla fermer la porte donnant sur la rue qu'elle verrouilla. Puis elle partit en flèche vers la cuisine et se saisit de la caisse en bois dans laquelle le traiteur avait apporté les plats du soir. Elle y fourra à la hâte tous les aliments, victuailles, plats et nourriture qu'elle trouvait sur son passage.

Le festin destiné à Lombaris, les provisions qu'elle avait achetées pour avoir à sortir le moins possible, des bouteilles d'eau, de vin, de limonade, du pain, des boîtes de conserve, tout ce qui pouvait se manger ou se boire ainsi que des assiettes et des couverts s'entassèrent dans la caisse à l'effigie d'une des meilleures maisons de préparations françaises. N'ayant bientôt plus de place, elle fonça ventre à terre vers la porte de la cave dans laquelle elle descendit en toute hâte. Débouchant comme une furie dans la pièce où se trouvait Suzanna, elle ordonna à Irina de la suivre immédiatement. Si la jeune infirmière ne comprit pas les termes exacts de Jeanne, elle en saisit du moins le sens général. Sautant sur ses pieds, aussi effrayée par l'état de sa patronne qu'intriguée par la cause qui provoquait tout ce remue-ménage, elle suivit Jeanne qui remontait déjà au rez-de-chaussée de la maison. Par signe, celle-ci fit comprendre à la jeune Roumaine qu'elle devait s'emparer de tout ce qui était comestible et le descendre à la cave.

Irina s'exécuta sans chercher à connaître la catastrophe qui, apparemment, s'était abattue sur leurs têtes. Jeanne, quant à elle, fonça au premier étage afin de prendre quelques affaires personnelles desquelles elle ne voulait pas se défaire. Dans sa chambre, elle saisit une valise et y fourra en vrac quelques vêtements, son nécessaire de toilette, deux couvertures et ses papiers d'identité. Puis elle sortit de la pièce, se précipita dans les escaliers et descendit précipitamment à la cave.

Une fois dans la chambre, elle referma hâtivement le mécanisme d'ouverture comme si elle était poursuivie par une horde de chiens sauvages. Suzanna et l'infirmière l'observaient avec curiosité, intriguées par son étrange manège. Jeanne était toujours affublée de son faux ventre, mais une des sangles s'était détachée. La prothèse pendouillait donc d'un côté et donnait ainsi à sa propriétaire une singulière silhouette, à la fois difforme et grotesque.

Suzanna écarquilla les yeux en constatant l'excroissance anatomiquement fausse de Jeanne. On aurait dit qu'elle était effectivement enceinte, mais que son ventre avait été à moitié sectionné. L'image était impressionnante, et Suzanna porta instinctivement son unique main à son propre ventre. Sans s'inquiéter des regards consternés qui pesaient sur elle, Jeanne s'adossa au mur et respira bruyamment dans un soulagement non feint.

C'est la voix d'Irina qui la sortit de son apaisement. La jeune infirmière s'adressait à elle dans sa langue natale, l'exhortant à une chose que Jeanne ne comprenait pas. Mais elle paraissait interloquée et répétait plusieurs fois la même chose comme si elle attendait une réponse. D'une voix sèche, Jeanne la pria de se taire. Irina, sans prendre garde à ce qu'on lui intimait, se dirigea vers le mur et poussa dessus afin de libérer le passage. Jeanne la rejoignit rapidement et, s'emparant de son bras, essaya de l'éloigner de la sortie.

Mais l'infirmière se débattit furieusement, refusant tout net de s'écarter de l'issue. Jeanne, encore sous le coup de l'énervement, perdit rapidement patience et se mit à agresser la jeune Roumaine, d'abord verbalement, puis, la saisissant brutalement par le cou, elle menaça de l'étrangler si celle-ci n'obéissait pas. Irina prit peur. Elle se calma aussitôt et marcha avec docilité jusqu'au lit de Suzanna pendant que Jeanne rabattait le pan de mur vers elle. La jeune Portugaise, qui avait assisté à la scène, se mit à s'agiter. Son regard croisa celui d'Irina et les deux femmes parurent se comprendre.

Jeanne, le visage cramoisi et en sueur, leur fit face.

— Allons, mes belles ! Qu'est-ce que vous me préparez ? Une petite rébellion ? Vous pensez vraiment qu'à vous deux, vous réussircz à vous débarrasser de la mère Jeanne ? Mais venez donc ! Ne vous gênez pas ! Je vous attends ! Et je vous prends toutes les deux en même temps si v...

Elle se tut soudain. Un bruit sourd venant du rez-de-chaussée de la maison lui fit lever les yeux vers le plafond. Les deux jeunes femmes firent de même et comprirent qu'on tentait d'enfoncer la porte d'entrée. Une lueur d'espoir illumina les traits de Suzanna qui, aussitôt, se mit à crier, le visage levé vers le plafond, tout son corps tendu en avant comme si elle allait s'élancer vers la sortie malgré son ventre proéminent et l'état de grande faiblesse dans laquelle elle se trouvait.

Jeanne semblait épuisée et une expression de lassitude s'inscrivit sur son visage. Elle se précipita vers Suzanna afin de la faire taire, plaquant sa main sur la bouche de la jeune fille, mais celle-ci se débattit tout en continuant de pousser des cris stridents, nerveusement insupportables.

Jeanne se tourna vers Irina et, d'une voix hystérique, lui ordonna de venir l'aider. Hésitante, la jeune Roumaine ne bougeait pas, contemplant d'un air horrifié les efforts désespérés de Suzanna pour se dégager de l'emprise de Jeanne. À bout de nerfs, cette dernière hurla en direction de l'infirmière :

— Pauvre conne ! C'est la police qui est en haut ! Tu veux vraiment retourner en Roumanie ?

Au mot « police », Irina sembla sortir d'une torpeur indécise et se précipita vers Jeanne afin de l'aider à neutraliser Suzanna. Elle se saisit du bras de la jeune fille qu'elle ramena dans son dos et la maintint fermement dans cette posture aussi inconfortable que douloureuse. Jeanne lui rejeta la tête en arrière, l'immobilisant de son avant-bras plaqué contre le cou de Suzanna, tandis que de l'autre main, elle la baîllonnait solidement.

Le silence qui suivit parut irréel, rythmé par les respirations haletantes de Jeanne et d'Irina, les yeux grands ouverts, figées dans l'attente d'une catastrophe imminente, telles de pauvres victimes offertes en pâture à une bête impitoyable.

Suzanna retenait son souffle, mine affolée, plaquée sur son lit par les deux femmes. La main de Jeanne l'empêchait de respirer tandis que la prise d'Irina ne lui permettait aucune liberté de mouvement. La gorge nouée, son regard chercha celui de la jeune infirmière, implorant sa pitié, supplication muette chargée d'espoir et de douleur. Et lorsqu'elle le rencontra, la terreur qu'elle y lut la bouleversa si fort qu'elle oublia, l'espace de quelques infimes secondes, le danger qui la menaçait.

Les deux jeunes femmes se regardèrent, longuement, puisant dans l'effroi de l'autre une sorte de force, celle de n'être pas seule, celle de lire la souffrance s'inscrire dans un regard étranger, comme si le malheur avait soudainement décidé de choisir une autre victime. Alors Suzanna relâcha toute résistance avec accablement, se livrant aux mains de ses assaillantes.

Lorsqu'elle la sentit toute molle entre ses mains, lui rejetant en pleine gueule l'absurdité de son geste, Irina détourna le regard et ravala ses larmes. Larmes de peur et de rage à la fois. Larmes de misère... À quoi bon ? Elle avait tout abandonné, sa maison, sa famille, son pays. Son fiancé. Tout cela pour partir à la recherche d'une existence meilleure, d'une vie ouverte sur un avenir prometteur. On lui avait dit que, « là-bas », le travail ne manquait pas et que les gens étaient heureux. Heureux ? Comme cette jeune fille qui avait tenté de mettre fin à ses jours alors qu'elle attendait un enfant ?

Comme cette femme qui possédait une somptueuse maison et qui, pourtant, avait sombré dans la folie ? Heureuses, au fond de cette cave, privées de liberté et de la lumière du jour ? Même dans les moments de misère les plus sombres, elle avait toujours été libre d'aller et de venir au grand air, de voir le soleil apparaître à l'horizon et de lever la tête pour apercevoir la voûte céleste constellée d'étoiles scintillantes... Était-ce là le bonheur qu'elle était venue chercher ?

À quoi bon ?

Irina lâcha Suzanna. Lentement, doucement, elle desserra son étreinte et libéra la jeune fille. Celle-ci tourna vers elle un regard reconnaissant, sans toutefois changer de position afin de ne pas trahir l'infirmière. Elles se regardèrent encore, paraissant décompter d'éternelles secondes dans l'incertitude de ce qu'elles allaient faire...

Irina bondit vers le mur, cherchant de ses mains fébriles l'issue, se pressant contre la cloison, poussant à l'aveuglette en espérant déclencher le système d'ouverture. Interdite, Jeanne la regarda se démener quelques instants sans réagir. Elle libéra la bouche de Suzanna pour se diriger vers Irina, déjà prête à lui faire entendre raison...

Ce n'est que lorsque Suzanna se remit à crier que son corps se figea, raide comme une statue de pierre, comme si un être invisible s'était emparé de sa personne. En entendant les cris de Suzanna, Irina se joignit à elle, appelant à l'aide et hurlant à perdre haleine...

« Mais c'est qu'elle va nous attirer des emmerdes, cette petite conne ! Jeanne, je sais que c'est dur, mais tu n'as pas le choix. Tu vois, même si tu voulais l'épargner, c'est elle qui te demande de la libérer. Fais-la taire, Jeanne, fais-la taire... »

Jeanne était arrivée au niveau d'Irina qui tambourinait toujours contre le mur, son corps collé à la cloison comme si elle cherchait à pénétrer la brique, s'époumonnant à s'en faire éclater les cordes vocales. La jeune Roumaine était si affolée, si concentrée à appeler à l'aide, ses petits poings serrés s'abattant avec rage sur le mur, qu'elle parut ne pas sentir la présence de Jeanne.

Derrière elle, Suzanna criait toujours, implorant l'infirmière de faire attention, de se retourner et de protéger ses arrières. Elle lui disait que Jeanne était dangereuse, qu'elle avait déjà tué. Elle la suppliait de faire face et de se battre, de reporter sur Jeanne toute l'énergie qu'elle dépensait inutilement à frapper ce pan de mur. Et surtout de rester en vie... Mais ses cris se perdaient parmi ceux de l'infirmière.

Irina semblait électrisée, totalement hystérique, comme si son cerveau n'était plus capable que de lui envoyer un seul et unique ordre : taper sur le mur et crier jusqu'à ce qu'elle n'ait plus de voix, jusqu'à ce qu'elle tombe d'épuisement.

Suzanna vit venir le drame. Elle tenta de se redresser avec la seule main qui lui restait, malgré les rondeurs de plus en plus encombrantes de son ventre. Elle comptait sur le fait que Jeanne ne ferait pas de mal à son bébé pour tenter de venir en aide à l'infirmière. Une fois debout, tout se mit à tanguer autour d'elle. Le sol se balança dangereusement de gauche à droite et elle dut prendre appui sur le montant du lit afin de ne pas tomber. Mon Dieu, comme elle se sentait faible ! Elle attendit quelques secondes afin de se maintenir de manière plus stable sur ses pieds, ces secondes si précieuses durant lesquelles Jeanne avait déjà saisi la jeune Roumaine par les cheveux et l'avait violemment projetée par terre.

Irina se mit à sangloter en se redressant, terrorisée par le faciès implacable de Jeanne qui semblait ne ressentir aucune peur, aucun doute, aucune hésitation. Suzanna continuait de crier et d'encourager Irina à faire face et à se battre, l'exhortant à reprendre confiance en elle et à considérer Jeanne pour ce qu'elle était en réalité : une femme déjà vieille, maigre et fragile, qu'il serait pourtant facile de neutraliser. Mais Irina ne l'entendait pas, le regard vissé à celui de Jeanne, comme la proie observe son prédateur, les traits résignés, déjà battue. Déjà morte.

Suzanna tenta de faire un pas en avant, lâcha le montant du lit auquel elle se tenait toujours, puis, de plus en plus assurée, parcouru un mètre ou deux en direction de l'infirmière... Jeanne la regarda venir et éclata d'un rire scabreux. Puis, sans plus attendre, elle se rua sur Irina, paralysée par la peur, et la propulsa contre le mur. La jeune Roumaine s'écrasa brutalement, tête la première, sans même prendre la peine de se protéger de ses bras. Elle n'eut pas le temps de se reculer que Jeanne était déjà sur elle et l'empoignait violemment par les cheveux. D'une fermeté étrangement puissante, elle immobilisa la pauvre infirmière de son autre main, la forçant à se courber vers l'avant, un de ses bras implacablement maintenu dans son dos d'une façon qu'il lui fut impossible de se redresser. Puis, avec une régularité effrayante, elle se mit à lui fracasser le crâne sur la brique rouge.

— Ah tu veux sortir d'ici ! Alors cherche, cherche l'ouverture, grognait-elle en scandant chaque élan qui propulsait la tête d'Irina contre le mur.

Suzanna pressa le pas malgré le voile noir qui l'aveugla quelques instants. Elle sentait de grosses gouttes de sueur couler lentement sur ses tempes, et ça la chatouillait de manière insupportable. Elle tentait alors d'éponger son front de sa main manquante... Le contact du pansement sur son visage lui donna la chair de poule et elle ferma les yeux afin de recentrer sa volonté et continuer d'avancer au secours d'Irina. Dans quelques secondes, il serait trop tard. Dans quelques secondes, Irina serait morte.

Lorsqu'elle arriva à hauteur de Jeanne, rassemblant ses dernières forces, elle l'agrippa de son unique main par la tête dont elle ne voyait que la chevelure blonde, et la tira férocement vers elle afin de lui faire lâcher prise.

Jeanne rugit, se retournant d'un bloc, et abandonna l'infirmière qui s'effondra mollement sur le sol. Lorsqu'elle vit Suzanna debout devant elle, ses yeux prirent une teinte sombre, l'éclat de la haine, et une grimace venimeuse marqua ses traits. Elle leva le bras, prêt à s'abattre sur le crâne de la jeune fille...

Jeanne suspendit son geste en plein mouvement.

Un silence assourdissant s'abattit sur elles. Retenant son souffle, elle tendit l'oreille... Instinctivement, Suzanna recula de quelques pas, tout son corps à l'écoute des voix étouffées qu'elle percevait maintenant derrière les murs de la pièce, là, tout près, à trois ou quatre mètres à peine du lieu où elle se trouvait. Dans un ultime effort, elle pressa le pas en se remettant à hurler de toutes ses forces, avançant cahin-caha vers le pan de mur cachant le système d'ouverture, son moignon battant l'air afin de préservé l'équilibre précaire qui la maintenait debout presque par miracle. Chaque pas la rendait plus solide, plus forte, et ses cris prenaient l'ampleur que l'espoir de voir son calvaire prendre fin leur donnait...

Jusqu'à ce qu'elle se sente brutalement tirée vers l'arrière. Elle bascula en fermant les yeux, persuadée que sa dernière heure était venue. Lorsqu'elle tomba, sa chute fut amortie par Jeanne qui la retint de son propre corps et plaqua aussitôt sa main sur la bouche de la jeune fille. Puis elle pressa le coude de son autre bras sur la glotte de Suzanna, l'empêchant fermement de faire le moindre geste sous peine d'étouffer.

Les voix appartenaient à des hommes. Ils passèrent juste à côté de l'étagère fichée dans le mur, si près de la cache dans laquelle Suzanna croupissait depuis plus d'un mois. Ils parlaient entre eux en fouillant les lieux, et le ton anodin de leurs voix désespéra la jeune Portugaise. Elle tenta de pousser un cri mais la main de Jeanne resserra son étreinte, la faisant suffoquer.

Puis, les voix s'éloignèrent, paisiblement, sans s'attarder davantage. Suzanna ferma les yeux.

Lorsque le silence revint dans la maison, Jeanne libéra Suzanna et se releva. Puis elle se dirigea calmement vers le corps d'Irina qui n'avait pas bougé.

De la pointe du pied, elle bouscula sans douceur les flancs de l'infirmière. Devant l'absence de réaction, elle gloussa en haussant les épaules.

— Bah... Ça fera une bouche de moins à nourrir.

SEPTIÈME MOIS

« La préparation classique à l'accouchement est
indispensable
même si vous envisagez d'accoucher sous péridurale.
Elle est assurée par des sages-femmes,
au cours de huit scéances, remboursées par la
Sécurité sociale.
Elles commencent vers le septième mois de la
grossesse
et le futur père est généralement cordialement invité
à y participer. »

30

Delpierre se tenait au milieu du hall d'entrée de la propriété des Tavier, les mains dans les poches, ruminant toutes les suppositions, toutes les hypothèses, tous les scénarios possibles qui lui traversaient l'esprit. Où donc une bourgeoise complètement cinglée pouvait-elle se cacher après une tentative de meurtre ? Une tentative et sans doute un ou deux meurtres en bonne et due forme.

Les soupçons de l'inspecteur se confirmaient : c'est ici qu'il y avait le plus de probabilités de retrouver le corps d'Edwige Beaulieu, ou du moins un ou plusieurs indices qui témoigneraient de la culpabilité de Jeanne. De même que la disparition de Suzanna Da Costa, citoyenne portugaise arrivée depuis peu en France et légataire universelle de Richard Tavier, s'expliquait à présent facilement suite à la déposition d'Édouard Lombaris, notaire de son état.

Delpierre ne se faisait pas d'illusion : il y avait de fortes chances que l'on retrouve le corps de la jeune fille avec celui d'Edwige Beaulieu. Restait juste à mettre la main sur cette désaxée de Jeanne Tavier et l'affaire serait close. Mais voilà : Jeanne Tavier s'était évaporée dans la nature et, une semaine après sa tentative de meurtre sur le notaire de son défunt mari, plus personne n'avait entendu parler d'elle.

La fouille des Coquelicots n'avait rien donné. Restait maintenant à inspecter de fond en comble le grand parc à l'arrière de la propriété. La tâche se révélait plus ardue, car les endroits où Jeanne aurait pu ensevelir les corps ne manquaient pas. Pendant que Delpierre tentait de faire le point à l'intérieur de la maison, Dubroux et son équipe s'étaient dispersés dans le parc et fouillaient chaque talus, chaque massif de fleurs, chaque buisson, de même que le petit sous-bois et les alentours de l'étang. Si l'on ne trouvait rien, il allait falloir sonder le point d'eau et cette perspective ne plaisait absolument pas aux deux inspecteurs. Perdu dans ses pensées, Delpierre reprit une à une les différentes informations qu'il avait recueillies au cours de son enquête.

— Installez-vous, je vous en prie.

Devant le visage dignement outré de son interlocutrice, Delpierre esquissa un discret sourire de satisfaction.

— Ce ne sera pas long, promit-il faussement affable.

— Je l'espère.

— Quels sont vos nom, prénoms, âge et qualité ?

— Marie-Bérengère Beaucarmé.

Delpierre attendit la suite qui ne vint pas.

— Âge ?

L'élégante dame lui jeta un regard courroucé.

— En quoi cela vous regarde-t-il, inspecteur ?

— Répondez à ma question, lui intima-t-il sèchement.

Le ton de Delpierre la choqua et ses lèvres se pincèrent avec colère.

— Quarante-cinq ans, mentit-elle avec un aplomb teinté d'une dignité outragée.

— Qualité ?

— Sans profession.

Un silence pesant envahit la pièce exiguë du commissariat de police. Delpierre prit son temps, relisant les quelques feuillets qui se trouvaient devant lui. Puis, lorsqu'il sentit que son interlocutrice ne tenait plus en place sur sa chaise, il releva brusquement la tête.

— Quand avez-vous vu pour la dernière fois Mme Edwige Beaulieu ? demanda-t-il à brûle-pourpoint.

— Je n'ai rien avoir avec la disparition d'Edwige, et je ne vois absolument pas ce que je fais ici !

— Quand avez-vous vu pour la dernière fois Mme Edwige Beaulieu ? répéta-t-il sans sourciller.

— N'essayez pas de jouer au plus fin avec moi, mon grand ! Vous vous casseriez les dents.

— Mme Beaucarmé, répondit-il froidement. Je n'essaye pas de jouer au plus fin avec vous. Deux femmes ont disparu et sont très certainement mortes, et une troisième est recherchée par les forces de police. Il se fait que vous étiez en contacts étroits avec deux d'entre elles. Alors au plus vite vous répondrez à mes questions, au plus vite vous sortirez d'ici. Ma grande.

Marie-Bérangère foudroya l'inspecteur du regard.

— Il est vrai que je connaissais Edwige... Mais tout le monde connaissait Edwige, je ne vois pas pourquoi...

— Parce qu'il m'a été rapporté que vous faites partie des personnes qui l'ont vue juste avant sa disparition.

Marie-Bérengère poussa un énorme soupir de lassitude.

— C'était lors d'une de nos petites réunions hebdomadaires. Nous nous réunissons de temps à autre pour boire le thé et deviser de choses et d'autres. Cette fois-là, cela se faisait chez Edwige. C'est tout.

— Quand était-ce ?

— D'après ce qu'on m'a raconté, c'était la veille du jour où elle a disparu.

— De quoi avez-vous parlé ?

Marie-Bérengère hésita.

— Cela remonte à plusieurs semaines...

— Faites un effort, l'encouragea Delpierre d'un ton faussement complice.

— Eh bien... Je... Je crois que nous avons parlé de Jeanne... Oui, cela se peut bien.

— Et qu'est-ce qui s'est dit à propos de Mme Tavier ?

— Eh bien... Certaines d'entre nous émirent de sérieux doutes quant à la réelle filiation de l'enfant qu'elle attend de son défunt mari. Du reste, l'incertitude demeure toujours de mise.

Marie-Bérengère, dont la langue se déliait à une rapidité surprenante, poursuivit sur le ton de la confidence :

— Vous ne trouvez pas cela étrange de vivre durant vingt longues années avec un homme et de se retrouver enceinte de lui au moment de son décès ? Pour moi, la chose est claire : Jeanne avait un amant, dont elle est tombée enceinte. Edwige, avec laquelle elle entretenait des rapports déviants, lui a reproché son infidélité et elles se sont disputées. Elles se sont quittées en très mauvais termes et Edwige a voulu se venger de Jeanne. Alors elle est partie en voyage. Seulement voilà, personne ne sait où elle s'est rendue ni pour combien de temps. Et sans doute que là-bas...

— Attendez, attendez, l'interrompit Delpierre qui ouvrait de grands yeux au fur et à mesure que Marie-Bérengère lui exposait ses suppositions. Vous prétendez que Mme Tavier et Mme Beaulieu avaient une relation intime ?

— Intime est un faible mot, inspecteur !

300

— Mais elles sont toutes les deux mariées, n'est-ce pas ?

— Edwige n'a jamais aimé son mari, c'est de notoriété publique. Quant à Jeanne... Il est vrai qu'il fut un temps où elle était fort proche de Richard... Mais comment expliquez-vous que celui-ci l'ait déshéritée ? Lorsque nous avons évoqué les problèmes de Jeanne durant notre petite réunion, Edwige a pris sa défense de manière tout à fait passionnée. C'est ce qui m'a mis la puce à l'oreille. Pour moi, l'affaire est claire : Richard s'est désintéressé de Jeanne et lui a très certainement préféré quelques tendres jeunettes.

Jeanne s'est donc consolée dans les bras d'Edwige. Lorsque j'ai émis l'hypothèse qu'elle avait eu un amant avec lequel elle a conçu son enfant, Edwige s'est sentie trahie. Elle pouvait accepter que Jeanne la trompe avec son mari, mais en aucun cas avec un autre homme ! Elle s'est donc rendue chez elle pour lui reprocher son infidélité et s'est ensuite volatilisée dans la nature, autant pour faire peur à Jeanne que pour panser ses blessures. Dieu sait ce qui lui est arrivé là où elle s'est rendue !

Marie-Bérengère se tut, satisfaite de ses révélations. Delpierre l'observa quelques instants, dubitatif. Puis, il hocha la tête et se leva.

— Ce sera tout, Mme Beaucarmé. Merci beaucoup de votre aide.

Surprise, Marie-Bérangère se leva à son tour.

— Mais c'est tout naturel, inspecteur, rétorqua-t-elle en affichant un sourire rayonnant. Si je puis vous être utile en quoi que ce soit...

Émergeant de ses pensées, Delpierre entendit au loin les voix de ses agents dispersés dans le parc, ainsi que l'aboiement des chiens que l'on avait fait venir sur place pour flairer l'odeur d'un éventuel cadavre. Apparement, il n'y avait rien de neuf de ce côté-là. Puis, toujours immobile au milieu du grand hall d'entrée, l'inspecteur se repassa mentalement le film de la première perquisition, quelques instants après la déposition de Lombaris.

Chaque étage avait été pris d'assaut par son équipe qui inspectait le moindre recoin de la propriété. Les armoires avaient été ouvertes et systématiquement vidées de leur contenu. On avait retourné les lits, éventré les matelas, fouillé minutieusement chaque meuble...

Les effets personnels des Tavier n'eurent bientôt plus aucun secret pour Delpierre et ses agents. En perquisitionnant la maison, l'inspecteur eut d'ailleurs l'impression de visiter une maison témoin, meublé comme dans un catalogue de maison ancienne, sans personnalité ni chaleur.

La fouille d'un domicile lui apprenait souvent beaucoup de choses sur son propriétaire grâce au choix du mobilier, à la couleur des murs, à l'ordre ou au désordre de l'endroit, aux objets exposés ou non, et surtout grâce aux photos qu'il ne manquait jamais de trouver dans un tiroir. Mais ici, il eut la grande surprise de constater que la plupart des tiroirs étaient vides, que le mobilier semblait tout droit sorti d'un magazine de décoration et qu'il n'existait aucune photo témoin de la vie des Tavier. Seule la chambre de Jeanne laissait deviner que sa propriétaire avait été dans l'obligation d'effectuer un départ précipité.

La plupart de ses vêtements gisaient par terre dans la penderie ou sur le lit encore défait. Une valise manquait, ainsi que les affaires de toilette que l'on aurait normalement dû retrouver dans la salle de bains attenante à la chambre, de même que le sac à main de Jeanne comportant ses papiers et toutes ses cartes de crédit. De toute évidence, celle-ci avait pris la poudre d'escampette pour ne pas revenir de sitôt. Delpierre avait prévenu tous les aéroports, les gares et les ports, faxant en même temps un portrait-robot de Jeanne. Dès qu'elle utiliserait une de ses cartes de crédit, elle serait immédiatement repérée. Elle ne pouvait pas aller bien loin.

Pourtant, depuis une semaine, l'enquête piétinait.

L'inspecteur se rendit dans la salle à manger. La table comportait encore les traces d'un repas interrompu par ce qui semblait avoir été un corps à corps sanglant.

— Nous étions en train de nettoyer une tache de vin blanc que j'avais renversé sur la nappe lorsqu'elle s'est jetée sur moi comme une furie et m'a poignardé à l'épaule...

Delpierre revit Lombaris assis sur son lit d'hôpital tandis que le médecin de garde pansait sa blessure. Son visage était défait, ses petites lunettes rondes glissant régulièrement le long de son nez sous l'effet de la sueur qui ne cessait de recouvrir sa figure d'une fine pellicule luisante. Lombaris était encore tout tremblant et racontait pour la énième fois comment s'étaient déroulés les événements dont il accusait Jeanne.

— Que s'était-il passé auparavant pour provoquer pareille démence chez Mme Tavier ? avait demandé Delpierre.

— Rien, absolument rien, je vous l'assure !

— Pour quelles raisons Mme Tavier souhaitait-elle votre mort ?

— C'est à cause de l'héritage, j'en suis persuadé ! continua le notaire d'une voix suraiguë. Moi seul était au courant qu'elle avait été déshéritée par son mari. Et que celui-ci avait agi en parfaite possession de ses moyens. Elle ne m'a invité que pour se débarrasser de moi ! poursuivit-il en réalisant l'horreur de la situation et le danger qu'il avait encouru. Et c'est lorsqu'elle a appris que j'en avais parlé avec une de ses amies qu'elle est devenue folle.

— Avec qui en avez-vous parlé ? Quel est le nom de cette amie ?

— Mais qu'est-ce que cela peut bien faire ? s'insurgea Lombaris au bord de l'hystérie. Je vous dis que Mme Tavier a essayé de me tuer et qu'elle se trouve peut-être encore chez elle ! Qu'est-ce que vous attendez pour aller la cueillir ?

— Répondez à ma question, je vous prie.

— Elle s'appelle Marie-Bérangère Beaucarmé. De bonne fois, j'étais persuadé que Mme Tavier s'était confiée à elle et que je ne trahissais donc aucun secret. La réaction de Mme Beaucarmé m'a prouvé le contraire et je lui ai demandé de n'en parler à personne.

— Mais sachant que vous n'étiez donc plus la seule personne à savoir qu'elle était ruinée, pourquoi Mme Tavier s'est-elle entêtée à vouloir vous tuer ?

— Elle est folle vous dis-je ! répondit le notaire en s'énervant, la voix cassée par un sanglot. Déjà lorsqu'elle est venue en mon étude prendre connaissance du testament de son mari, j'avais remarqué qu'elle... Qu'elle avait un comportement bizarre.

Le médecin releva la tête et demanda à Delpierre de laisser son client tranquille.

— Je n'en ai plus pour longtemps, docteur...

Puis, se retournant vers Lombaris :

— Quel genre de comportement bizarre ?

— Bizarre, enfin ! Elle considérait que son mari lui avait fait une sorte de farce... Comme si le fait de se retrouver sans un sous du jour au lendemain ressemblait à une plaisanterie... Que voulez-vous que je vous dise ? s'énerva Lombaris en perdant complètement les pédales. Cette femme est folle, complètement folle ! Elle a essayé de me tuer ! Alors je ne vois pas pourquoi vous vous acharnez sur moi !

Le notaire se mit à sangloter nerveusement. Delpierre lui jeta un regard en biais qui signifiait qu'il n'avait aucune estime pour ce genre de personnage trop faible. Puis il se retourna vers Dubroux.

— OK ! Nous allons vérifier tout cela chez Mme Tavier.

Lorsqu'il était arrivé chez les Tavier, Jeanne s'était déjà volatilisée. Et depuis, plus de nouvelle.

La machine policière s'était mise en marche. Après s'être rendu à l'appartement de Suzanna, l'inspecteur découvrit que, le loyer n'ayant plus été payé depuis plus de trois mois, les lieux avaient été reloués à un couple de retraité. Le propriétaire avait entreposé les affaires de la jeune fille dans un garde-meuble dont il divulga l'adresse de mauvaise grâce.

La fouille ne donna rien et, dépité, Delpierre mit Interpol sur l'affaire afin de retrouver les parents de la jeune fille. Da Costa étant un nom courant au Portugal, une semaine s'écoula avant d'identifier la famille de Suzanna. Au moment où il se mettait en route pour la propriété des Tavier, Delpierre reçut le fax tant attendu d'Interpol, l'avertissant qu'il allait bientôt recevoir la photo de la jeune femme qu'il recherchait.

— C'est pas trop tôt, avait-il grommelé entre ses dents. Comment voulez-vous que je retrouve une fille dont je n'ai même pas un portrait-robot.

L'inspecteur sortit de la salle à manger et monta aux étages. Il régnait dans chaque pièce un grand désordre suite aux fouilles un peu trop zélées de ses agents. Rien n'avait été laissé au hasard. Et rien n'avait été trouvé. Du moins, rien d'intéressant. Par acquit de conscience, il passa une tête distraite par la porte de chaque pièce, jusqu'à la chambre personnelle de Jeanne dans laquelle il entra.

Delpierre parcourut des yeux l'immense pagaille disséminée pêle-mêle à même le sol, le lit défait, les tiroirs retournés et leur contenu éparpillé sur le tapis, tous les effets personnels de Jeanne dispersés dans toute la pièce. Au milieu du fouillis, l'inspecteur ratissa d'un large regard l'ensemble de l'amoncellement qui jonchait le sol, enjamba un amas de lingerie fine, puis alla s'asseoir sur le lit, la mine absorbée. Au bout de quelques minutes, il redressa la tête et fit une grimace excédée qui trahissait l'inefficacité de ses recherches.

— On perd son temps, ici...

Sur la table de nuit, une trousse de toilette renversée avait répandu son contenu de produits de maquillage, parmi lesquels Delpierre remarqua un petit rectangle de carton. Distraitement, il s'en empara et retourna le feuillet... C'était une carte à jouer représentant une dame de pique. L'incongruité de la présence de cette carte lui fit lever un sourcil étonné. Il la tint quelques instants entre son pouce et son index, la tapotant en rythme contre la paume de son autre main, le regard perdu dans ses pensées... Puis tapa la carte avec indifférence sur la table de nuit et se leva en prenant appui sur ses genoux.

Il descendit ensuite jusqu'au hall d'entrée. Il n'avait plus rien à faire ici. L'inspecteur poussa un grand soupir dans lequel se mêlaient déception et irritation. Puis, à regret, il se dirigea vers la porte-fenêtre qui donnait directement dans le parc à l'arrière des Coquelicots. L'état actuel de l'affaire commençait sérieusement à l'enquiquiner. Car en somme, tout était déjà résolu : il savait que Jeanne était l'assassin d'Edwige Beaulieu et très certainement celui de Suzanna Da Costa.

Le mobile du meurtre de Suzanna était limpide : l'héritage de Richard Tavier. Celui de Mme Beaulieu l'était un peu moin, mais Delpierre supposait que l'amie de Jeanne avait fourré son nez là où elle n'aurait pas dû. Ou peut-être que ce qu'avançait Marie-Bérengère Beaucarmé n'était pas tout à fait faux... Jeanne Tavier et Edwige Beaulieu étaient amantes. Jeanne entretenait une double relation avec son mari et un autre homme dont elle se retrouve enceinte. Edwige le devine et lui en fait le reproche. La dispute prend une tournure plus agressive et Jeanne tue son amie... Accidentellement ? Peut-être. Ou peut-être également qu'en se disputant avec Jeanne, Edwige découvre que celle-ci a déjà tué Suzanna Da Costa...

Non, ça ne tenait pas la route. Et d'ailleurs, Jeanne et Edwige avaient-elles été réellement amantes ? Fallait-il donner le moindre crédit aux élucubrations d'une vieille bourgeoise dont l'oisiveté quotidienne enflammait l'imagination ? Mais Delpierre avait coutume d'appliquer le proverbe : « Il n'y a pas de fumée sans feu. »

Qu'elle ait eu un amant ou non, que l'enfant soit de Richard ou d'un autre, cela ne changeait finalement pas grand-chose. Jeanne avait tué Edwige, de cela, Delpierre en était certain. Avait-il des preuves de tout cela ? Certes non, du moins pas de preuves tangibles, mais son instinct lui murmurait que la pauvre Edwige Beaulieu avait prononcé une parole de trop. Ce que Jeanne avait fait des corps ? Il n'en savait rien mais il existait tellement d'hypothèses possibles qu'il serait plus simple à présent de la retrouver et d'obtenir des aveux complets.

Lorsqu'il atteignit la porte du jardin pour rejoindre Dubroux dans le parc, Delpierre frissonna. D'un mouvement machinal, il rabattit le col de son imper contre sa nuque. Cette maison était vraiment glaciale. Trop grande. En ce mois d'octobre, le temps était pourtant encore clément, et il faisait bien meilleur à l'extérieur qu'à l'intérieur de la maison.

Delpierre ouvrit la porte-fenêtre et la douceur du temps le réchauffa instantanément. L'inspecteur n'avait jamais compris pourquoi des gens richissimes comme les Tavier, qui avaient largement les moyens de s'offrir tout l'agrément qu'ils désiraient, s'évertuaient à choisir des matières certes nobles, mais si peu confortables. Et puis le marbre n'avait jamais été à son goût : c'était un matériau froid, austère, trop clair, trop propre, alors que personnellement, il aimait les ambiances feutrées, chaudes, un peu mystérieuses, pas très nettes.

Delpierre sortit dans le parc et fit quelques pas sur la terrasse lorsque quelque chose d'indistinct le retint. Une impression de doute. Comme une idée qui ne se décidait pas à faire surface. Cette sensation de froid... Il n'avait pas toujours ressentit la fraîcheur désagréable qui régnait habituellement à l'intérieur de la maison. Au contraire...

L'inspecteur ne se décidait pas à refermer le battant avant de s'enfoncer dans le parc à la recherche de Dubroux. Il resta quelques instants sur le seuil, fermant les yeux afin de se concentrer sur ce sentiment d'incertitude... Froid, chaud...

— Bordel ! jura-t-il tout haut en repénétrant brutalement à l'intérieur de la maison. La chaudière !

Puis il traversa le hall au pas de course jusqu'à la porte de la cave, l'ouvrit et y descendit à toute vitesse. En arrivant dans les couloirs souterrains de la propriété, il fonça jusqu'à la pièce centrale, dans laquelle se trouvait la vieille chaudière. Sans hésitation, il posa ses mains dessus : elle était froide. Mais en l'ouvrant, il constata avec une sorte de satisfaction intérieure que le fond était recouvert d'un tapis de cendres.

— Évidemment, murmura-t-il tout bas.

Il resta quelques instants devant l'imposante machine, perdu dans ses pensées.

« Comment se fait-il qu'une chaudière n'ayant plus servi depuis des années, et ayant été nettoyée de fond en comble... Comment se fait-il qu'il y reste pourtant des cendres ? »

Il afficha un sourire victorieux, puis il sortit de

la pièce. Après avoir remonté les escaliers quatre à quatre, il déboucha dans le hall et se dirigea vers la terrasse. Alors qu'il s'apprêtait à traverser le grand parc pour rejoindre Dubroux et lui faire part de sa découverte, il vit son adjoint au milieu de la pelouse, à une bonne centaine de mètres de lui, faisant de grands signes lui indiquant qu'il arrivait. Sans attendre plus longtemps, Delpierre se précipita à sa rencontre.

— Arrêtez les recherches ! cria-t-il tandis que Dubroux se rapprochait de lui.

L'adjoint lui fit comprendre qu'il n'entendait rien. Delpierre parcouru au pas de course les quelques mètres qui les séparaient encore.

— Arrêtez les recherches, répéta-t-il lorsqu'ils se furent rejoints. Je sais où se trouve Edwige Beaulieu. Et très certainement Suzanna Da Costa.

— Suzanna Da Costa ? s'exclama Dubroux hors d'haleine. Impossible ! Nous venons de retrouver son corps dans le sous-bois, à moitié enterré sous les feuilles.

31

La distance que parcourut Delpierre pour rejoindre l'endroit où l'on avait retrouvé le corps lui parut s'étendre sur plusieurs kilomètres. Se pouvait-il qu'il se soit trompé dans ses déductions et que les cendres retrouvées dans la vieille chaudière ne soient pas celles d'Edwige ni celles de Suzanna ? Et si l'on avait effectivement retrouvé le corps de Suzanna, où donc se trouvait celui d'Edwige Beaulieu ? À moins que Jeanne n'ait pas pris les mêmes précautions pour faire disparaître la jeune Portugaise...

Lorsqu'ils arrivèrent sur les lieux, Dubroux mena Delpierre devant le corps d'une jeune fille totalement nue, et dont l'état de décomposition était déjà fort entamé. Ses cheveux blonds mi-longs maculés de sang cachaient une partie de son visage et des nuées de mouches s'étaient déjà attaquées au cadavre.

— A-t-on prévenu le légiste ? s'enquit Delpierre en considérant le corps d'un œil froid.

— Il sera là dans un quart d'heure.

— Parfait.

Puis il fit quelques pas autour de la dépouille, inspectant le sol d'un air soucieux.

— À votre avis, Dubroux, de quand date la mort de cette jeune fille ?

— Plusieurs jours, ça va sans dire.

— Mmmmh... Ça va peut-être sans dire, mais ça ira encore mieux en le disant. Vous ne pourriez pas être plus précis ?

Dubroux soupira.

— Le légiste arrive le plus rapidement possible, Delpierre. Inutile de s'énerver.

L'inspecteur ne répondit pas. Il poursuivit son inspection aux alentours du cadavre pendant que deux agents tendaient un ruban rouge dans un périmètre assez large, encerclant les lieux du drame. Puis Delpierre revint se planter devant le cadavre.

— Vous trouvez que ça ressemble à une Portugaise ?

Dubroux leva un regard étonné vers l'inspecteur.

— Qui voulez-vous que ce soit ?

— Prévenez les parents de Suzanna. Je veux qu'ils viennent identifier le corps le plus rapidement possible.

À la fin de la journée, l'enquête n'avait pas autant avancé que Delpierre l'espérait. Entre-temps, une photo de la jeune Portugaise était arrivée sur son bureau et l'inspecteur sut que le corps découvert dans le parc des Tavier n'était pas celui de Suzanna. Les cendres retrouvées dans la chaudière pouvaient donc bien appartenir à Beaulieu et à la jeune fille, mais une question supplémentaire vint s'ajouter aux nombreuses interrogations que Delpierre se posait déjà : qui était la femme nue dont la dépouille avait été enfouie dans le sous-bois ? Et combien de cadavres allait-il encore trouver ?

Ce soir-là, lorsque l'inspecteur rentra chez lui, il s'affala dans son vieux fauteuil de cuir rapiécé, sans même prendre la peine de se dévêtir de son éternel imperméable beige. La vie lui apparut soudain grinçante et terriblement compliquée. Il n'avait rien, juste des suppositions et des hypothèses. Mais rien de concret, aucun élément sérieux à ajouter à un dossier déjà désespérément vide. La tête appuyée contre le dossier du fauteuil, Delpierre poussa un soupir de découragement. De sa main droite, il extirpa la photo de Suzanna qu'il avait glissée dans la poche intérieur de son imper et scruta le visage souriant de la jeune fille. Quel gâchis ! La fraîcheur et la jeunesse de Suzanna le frappèrent, ainsi que sa grande beauté. Elle avait très certainement été la maîtresse de Richard Tavier, et devant tant d'attraits, de charme et de grâce, Jeanne Tavier n'avait eu aucune chance de retrouver les faveurs de son époux. Avait-elle tué son mari ?

Delpierre commençait à le croire. L'inspecteur fit mentalement le compte des meurtres commis par Jeanne : Richard, Edwige, Suzanna, la femme dans le parc... Plus une tentative ratée sur le notaire, cela faisait déjà pas mal de cadavres pour quelqu'un qui n'avait, à priori, aucune raison de devenir une criminelle.

Revenant à la photo, Delpierre se plongea dans les grands yeux noirs de la jeune Portugaise.

— Pauvre petite, murmura-t-il avec tristesse.

Il y avait tant d'hommes de par le monde, pourquoi avait-il fallu que Suzanna s'amourache d'un Richard Tavier ? À cause de son argent ? Le tableau était classique, tellement banal... « Ce n'est pas ma femme qui aurait été jalouse de toi, petite Suzanna. Au contraire, elle t'aurait dit : allez-y, prenez-le, je vous l'offre ! » Delpierre ricana tout bas. « Mais ce n'est pas de moi que tu serais tombée amoureuse... »

32

Suzanna est couchée sur son lit. Elle contemple le plafond en somnolent, les yeux mi-clos. Respire doucement, avec régularité, et emmagasine tout le repos dont elle a besoin. Que peut-elle faire d'autre ? Elle attend son bébé. Jamais cette expression ne fut employée avec autant d'à-propos. Chaque minute, chaque seconde de ses journées est vouée à cette attente... Et au repos absolu.

La jeune fille ne peut plus se permettre de miser sur une hypothétique aide de l'extérieur. Elle sait maintenant qu'elle va devoir survivre seule à ce véritable cauchemar. Elle sait qu'elle ne peut compter que sur elle-même.

Elle sait qu'elle va devoir tuer Jeanne.

Une petite bosse apparaît sur le côté gauche de son ventre. Suzanna ferme les yeux et sourit. Est-ce un pied ? Une main ? Cela semble plus gros et plus rond. Un petit derrière qui se frotte avec bonheur contre le flanc de sa maman ? De l'autre côté, elle ressent trois petits coups donnés avec vigueur. On dirait que bébé prend ses aises...

Lorsqu'elle sent son enfant se manifester en elle, la jeune maman ne doute plus un seul instant qu'elle sortira gagnante de cette véritable épreuve. Cette petite existence qui s'agite au plus profond de ses entrailles est devenue pour elle la certitude inéluctable que la vie est plus forte que tout. Mais pour combattre la mort, il est indispensable qu'elle reprenne des forces. Qu'elle se soigne. Et qu'elle endorme la méfiance de sa geôlière.

Depuis combien de temps se trouve-t-elle là, cloîtrée dans cette pièce sans fenêtre ? Son ventre est déjà bien gros, bien rond, et les nombreux assauts de son bébé lui font supposer qu'elle n'est plus très loin de la délivrance. La délivrance...

Son enfant n'est-il pas la meilleure arme pour déjouer les pièges de la mort ? Comme lui, elle doit à présent se reconstruire. Comme lui, elle doit consacrer la totalité de son temps à stocker toute la force dont elle a besoin pour sortir de cet endroit. Comme lui, elle se prépare patiemment à cet instant où tous deux pourront enfin offrir leur visage aux rayons du soleil.

Durant trois semaines, Suzanna n'a fait que manger, boire et dormir. Après avoir accepté l'idée que personne ne viendra à son secours, elle promit muettement à son bébé de le mener elle-même à la surface du monde. Mais la mort d'Irina lui a démontré qu'il était vain d'affronter Jeanne dans l'état de faiblesse qui était le sien.

Suzanna se sentait au bout du rouleau, physiquement et moralement épuisée, et son bras manquant lui rappelait chaque jour la terrifiante épreuve qui l'attendait. Jeanne ne reculerait devant rien. Pour la combattre, Suzanna allait devoir changer, devenir aussi brutale et impitoyable que sa rivale.

Au bout de trois semaines, la jeune fille se sentit mieux, plus solide, moins vulnérable. Elle avait profité au maximum des provisions que Jeanne avait accumulées pour tenir le plus de temps possible sans avoir à sortir en prenant le risque de se faire arrêter.

Jeanne, quant à elle, s'était réjouie de voir sa jeune captive revenir à des dispositions plus raisonnables et soigner le bébé comme il se devait. Les menus qu'elle servait à Suzanna étaient simples et basiques, mais elle veillait à ce que chaque repas contienne toutes les vitamines indispensables à la croissance du fœtus. Elle avait ainsi la sensation de participer activement à la fabrication de cet enfant qui allait la rendre riche... Et qu'elle aimait déjà plus que tout au monde.

Suzanna avait pris la décision de ne plus rien tenter pour s'évader. Les premiers jours de leur cohabitation forcée, Jeanne se tenait loin d'elle, ne l'approchant que pour lui tendre d'une main distante ses repas. Suzanna était alors obligée de s'emparer de l'assiette de son unique main, de la porter à sa bouche et de happer les aliments avant de les engloutir.

Puis, au fil du temps, et la solitude ayant eu raison de sa prudence exacerbée, Jeanne se mit de plus en plus souvent à nourrir elle-même Suzanna, lui donnant à manger comme on fait pour un petit enfant, afin, disait-elle, de s'épargner le spectacle navrant de cette jeune fille mutilée qui ressemblait à présent plus à un animal qu'à un être humain. En vérité, les journées lui semblaient bien longues. Elle ne savait que faire de son temps et l'heure pendant laquelle elle s'occupait de Suzanna lui paraissait moins lourde d'ennui et de désœuvrement.

La toilette des deux femmes se déroulaient chaque jour de la même façon. La pièce était munie d'un robinet encastré dans le mur. Jeanne remplissait un seau d'eau froide et y trempait un chiffon avec lequel elle se frictionnait sommairement. Ensuite, elle tendait le seau à Suzanna qui faisait de même, se dévêtant le moins possible mais pourtant assez pour conserver une hygiène acceptable.

La chaîne qui faisait le tour de son thorax et l'empêchait de s'écarter à plus d'un mètre du mur la gênait dans ses mouvements, autant que son gros ventre qui ne lui permettait plus d'atteindre ses pieds. Jeanne l'observait toujours à la dérobée, avec une pointe de dédain dans le regard. Le beau corps de Suzanna s'était transformé. Elle était devenue maigre, ses jambes et son bras avaient perdu leur aspect dodu et mordoré qui faisait autrefois son charme de femme généreuse et méditerranéenne. En revanche, son ventre et sa poitrine étaient tendus à l'extrême, donnant ainsi plus l'impression d'une difformité que d'une grossesse. Son membre manquant achevait de renvoyer cette image d'infirme qui dégoûtait tant Jeanne. Le pansement de Suzanna était devenu crasseux et commençait à se défaire.

Au bout des trois semaines, Suzanna défit ellemême les quelques lambeaux qui tenaient encore à son bras et agita son demi-membre en direction de Jeanne. Surmontant son aversion, celle-ci se décida enfin à changer la compresse. Mais à la vue du moignon rougi par la cautérisation, elle faillit se sentir mal et dut s'y reprendre à plusieurs reprises pour désinfecter la blessure et remettre le pansement.

Lorsqu'elle vit son membre atrophié, Suzanna ressentit tant de haine et de rancune à l'encontre de Jeanne qu'elle dut se faire violence pour ne pas lui sauter à la gorge. Pas maintenant. Elle n'était pas encore tout à fait rétablie. Pas encore assez forte pour venir à bout de cette folle enragée qui avait déjà fait preuve d'une force surprenante pour une femme de son gabarit.

Suzanna ravala donc sa fureur et sa haine, et parvint à reprendre cette expression résignée et effacée qu'elle avait adoptée depuis qu'elle partageait sa cellule avec sa geôlière. Comme si elle avait abandonné tout espoir.

Une fois la toilette terminée, Jeanne reprenait le seau qu'elle vidait dans le sterfput, au centre de la pièce. C'est également là qu'elles faisaient leurs besoins : elle ôtait la plaque de protection et s'accroupissait au-dessus du trou ainsi découvert.

Puis elle remplissait le seau d'eau et le vidait dans l'étroit conduit. Lorsque Suzanna éprouvait ce genre d'envie, Jeanne détachait la chaîne de l'anneau fiché dans le mur et l'accompagnait ainsi, « en laisse », jusqu'au sterfput. Il fut un temps, cette promiscuité de chaque instant aurait révulsé Suzanna. Mais après tout ce qu'elle avait enduré, déféquer sous les yeux de Jeanne ne lui paraissait même plus gênant.

Outre le repos qu'elle emmagasinait chaque jour davantage, Suzanna se forçait à effectuer de discrets exercices physiques afin de fortifier certaines parties de son corps. Ainsi, elle contractait régulièrement les muscles de ses jambes pour les tonifier. De même, elle crispait son seul poing restant, stimulant ainsi les muscles de son bras. Elle accomplissait ces exercices sans relâche, jusqu'à ce qu'elle ressente des crampes si douloureuses qu'elles empêchaient le moindre mouvement supplémentaire. Alors elle relâchait sa tension musculaire et attendait que la douleur disparaisse.

Chaque jour, elle gagnait en force et en endurance.

Chaque jour, elle retrouvait au fond d'elle-même une énergie qu'elle avait cru à jamais disparue.

Le temps passait au ralenti. Suzanna demeurait dans un état de somnolence constant, ce qui lui permettait non seulement de reprendre des forces mais également d'éviter tout contact avec Jeanne.

Durant ses moments de veille, elle restait étendue sur son lit, les yeux mi-clos, et observait subrepticement chaque geste de Jeanne, ses attitudes, la manière dont elle bougeait et même cette façon singulière qu'elle avait de rester immobile pendant de longues minutes, les yeux grands ouverts et fixant un point imaginaire, remuant les lèvres comme si elle réfléchissait tout haut. Ou comme si elle répondait à quelqu'un. Quelqu'un qui n'existait pas. Ou qui n'existait que dans sa tête. Quelle étrange femme ! Suzanna ne parvenait naturellement pas à ressentir la moindre compassion pour elle, mais elle décelait chez Jeanne une souffrance si vive, un tourment tellement enraciné au plus profond de son être qu'elle mesurait toute la détresse et le désarroi que celle-ci avait dû ressentir au long de sa vie gâchée par quelques circonstances inconnues.

Jeanne avait dû être belle lorsqu'elle était jeune... Comment était-elle devenue cette femme sèche et égarée au plus profond d'une folie de laquelle elle ne parvenait plus à sortir ? Ses traits étaient tombants et crispés en permanence, sa peau avait une teinte éternellement pâle et tâchée de couperose qu'autrefois elle cachait sous un épais maquillage.

Mais à présent qu'elle n'avait plus l'occasion de se dissimuler sous les nombreux fards que la société de consommation mettait d'ordinaire à sa disposition, Jeanne ressemblait à une démente, les yeux hagards la plupart du temps, la chevelure en désordre et sans charme, et les quelques onéreux vêtements qu'elle avait emportés dans sa fuite — des toilettes qui nécéssitaient une coup de fer à repasser ou du moins une certaine mise en forme — devinrent rapidement sales et sans aucune apparence. Une bourgeoise perdue au milieu de la réalité d'un monde qui n'était pas le sien. Qui n'était plus le sien.

Et puis, il y avait ce ventre. Cette prothèse grotesque qu'elle ne quittait plus et à laquelle elle parlait longuement, cette fois sans aucune retenue, d'une voix stupidement douceureuse et trop aiguë, imitant un ton qui se voulait maternel.

Jeanne tentait de reproduire la manière très particulière dont les femmes enceintes se déplacent ou se tiennent en général. Mais ce pastiche ridicule avait pour seul effet de la faire ressembler à une poupée maladroitement animée par quelques marionnettistes amateurs. Parfois, délaissant toute logique, elle détachait le faux ventre de sa taille et le nettoyait tendrement avec le même chiffon qui servait à sa toilette, sans cesser de lui parler, lui murmurant des mots apaisants comme si elle cherchait à le rassurer sur son avenir. Et lorsqu'elle le repositionnait autour de son propre ventre, elle affectait une mine outrageusement sereine, rayonnant d'un bonheur figé et caricatural.

À certains moments, Suzanna était prise d'une peur panique. Comment allait-elle parvenir à neutraliser sa geôlière ? À quel moment devait-elle agir ? Et surtout, comment être certaine que Jeanne détenait encore la clé du cadenas qui resserrait sa chaîne à la dimension exacte de son thorax ? Car si elle parvenait à la tuer et qu'ensuite elle se retrouve dans l'impossibilité de dérouler la chaîne qui l'enserrait, Suzanna imaginait sans peine le sort qui l'attendait : elle périrait à petit feu, affamée et déshydratée, sans pouvoir atteindre la nourriture qui se trouvait à l'autre bout de la pièce. Cette perspective la terrifiait. Comme celle d'accoucher toute seule, sans personne pour l'aider, et sans aucune infrastructure salubre et hygiénique pour accueillir son petit.

Le dilemme se posait dans sa tête, aussi cruel qu'insoluble : tuer Jeanne avant la naissance du bébé et accoucher seule, avec tous les risques que cela comportait, ou accepter l'aide de Jeanne pour mettre au monde son enfant et être promise à une mort certaine. Suzanna n'avait jamais accouché, mais elle imaginait sans peine qu'après une telle épreuve, elle serait bien trop épuisée pour opposer la moindre résistance. Jeanne n'aurait aucune difficulté à se débarrasser d'elle.

Lorsqu'elle ne parvenait plus à maîtriser les angoisses qui l'assaillaient de toutes parts, toutes les questions qu'elle se posait et auxquelles elle ne trouvait pas de réponse se bousculaient dans sa tête, et chacune d'entre elles en amenait d'autres, à tel point que Suzanna se mettait à trembler de la tête aux pieds, si effrayée par la perspective de mourir sans avoir pu serrer son enfant dans ses bras qu'elle désirait encore parfois s'endormir pour ne plus jamais se réveiller.

Tuer Jeanne ? Elle n'avait pas le choix. Comment ? Elle n'en savait rien. Quand ? Peu de temps avant l'accouchement. Mais quand allait-elle accoucher ?

Suzanna ne savait même pas à combien de mois de grossesse elle se trouvait. Toutes ses interrogations la laissaient dans un état fébrile, lui rappelant qu'elle n'avait que très peu de chance de sortir vivante de la situation alarmante dans laquelle elle se trouvait.

Puis, au prix d'un immense effort de maîtrise, elle parvenait à se contrôler et à dominer les spasmes d'égarement qui lui faisaient dresser les cheveux sur la tête. L'angoisse n'arrangeait rien à son état et chaque sensation de frayeur était mauvaise pour le bébé.

Suzanna devait s'obliger à rester le plus sereine possible car toute sensation néfaste nuisait à la santé de son petit. Son corps ne lui appartenait plus entièrement. Elle devait le partager avec un être qu'elle chérissait aveuglément, et agir en conséquence.

Elle donnait la vie à son enfant. Et son enfant la maintenait en vie.

Au fil du temps, Jeanne, quant à elle, trouva au fond de cette cave un refuge dont elle s'accommodait le mieux du monde. Elle ressentait une sorte de bien-être, d'apaisement qui lui apportait un repos dont elle avait été privée depuis de longues semaines de torture mentale.

Ici, personne ne pourrait plus la confondre, ni l'ennuyer avec des questions idiotes dont elle ne connaissait pas la réponse. Ou même l'entretenir de divers sujets dont elle n'avait cure. Ici, tout était calme. Lorsqu'elle se réveillait le matin, elle savait exactement quels seraient les événements qui égrèneraient sa journée. Elle décidait dc tout et n'avait plus à craindre les nombreux imprévus qui manquaient à chaque instant de faire écrouler ses plans. Tout était devenu simple. Elle pouvait enfin être elle-même et attendre son enfant avec bonheur et sérénité.

Mais bientôt les provisions s'épuisèrent. Jeanne s'en aperçut avec agacement. Elle allait devoir sortir de son refuge et se trouver une nouvelle fois confrontée aux multiples dangers du monde extérieur. Elle qui, après avoir traîner le corps d'Irina jusque dans le sous-bois, en pleine nuit, s'était promis de ne plus quitter sa cave !

Mais les vivres diminuaient à vue d'œil. À plusieurs reprises, elle remit à plus tard cette indispensable expédition de ravitaillement. Puis, un matin, devant la nécessité de plus en plus pressante de trouver de la nourriture, Jeanne s'approcha de Suzanna qu'elle bâillonna avec un drap afin de l'empêcher de crier durant son absence, et menotta son unique poignet au montant latéral du lit afin qu'elle ne puisse défaire son bâillon. Ensuite, après avoir fait l'inventaire de l'argent qui lui restait dans son portefeuille, elle constata avec soulagement qu'elle possédait assez de billets pour acheter toute la nourriture dont elle avait besoin.

Elle poussa avec force contre la cloison murale et le pan de mur se découpa avant de s'élever vers l'avant. Une fois dans les couloirs souterrains de la propriété, elle remit en place le système d'ouverture et elle avança prudemment vers l'escalier qu'elle gravit en silence afin de s'assurer que personne ne se trouvait encore dans la maison. Apparemment, Delpierre ne la recherchait pas au sein même de son domicile.

Jeanne se félicita d'avoir machinalement rempli

sa valise comme si elle partait en voyage. Qui aurait pu supposer un seul instant qu'elle se trouvait toujours chez elle, à attendre patiemment que l'affaire se tasse ? Sûrement pas ce Delpierre qui se croyait plus malin que tout le monde et qui la recherchait dans toute la France. Jeanne ricanna en elle-même. Arrivée au rez-de-chaussée, elle hésita sur la marche à suivre. Devait-elle se rendre dans une grande surface où, perdue dans la foule, elle avait peu de chance de se faire repérer ? Mais où elle risquait également de tomber sur quelqu'un qu'elle connaissait et qui aurait l'opportunité de donner l'alarme...

En revanche, si elle allait se ravitailler chez des commerçants particuliers, elle avait en effet moins de risque de rencontrer une de ses connaissances, mais s'exposait, car ces petits commerçants gardaient plus longtemps en mémoire le visage de leurs clients...

Jeanne traversa le grand hall jusqu'à la porte d'entrée qu'elle entrebâilla tout doucement. Son geste fut très vite stoppé par un scellé collé de part et d'autre de l'ouverture. Elle referma le battant en jurant tout bas puis marcha d'un pas pressé jusqu'à l'une des grandes fenêtres à croisillons qui donnaient directement dans la rue. Après avoir débloquer le système de sécurité, elle en entrouvrit une et y passa discrètement la tête.

La rue était déserte. Alors elle l'ouvrit toute grande, enjamba l'appui de fenêtre et atterrit maladroitement sur le trottoir. Elle repositionna la vitre contre le châssis et s'éloigna rapidement de chez elle en adoptant une attitude faussement décontractée. Lorsqu'elle tourna, elle poussa un soupir de soulagement : à première vue, personne ne la suivait.

Par où devait-elle aller ? Il n'y avait que très peu de commerces dans ce quartier résidentiel et elle ne s'était jamais préoccupée de ces questions purement matérielles. Jeanne ne savait même pas s'il existait une grande surface à proximité de chez elle. Après avoir pris quelques rues au hasard, elle croisa un vieux monsieur qui promenait son chien. Elle hésita quelques secondes avant de s'approcher de lui.

— Pardon, monsieur, l'apostropha-t-elle poliment. Où pourrais-je trouver de la nourriture ?

L'homme la considéra de la tête aux pieds d'un œil dédaigneux et poursuivit son chemin en grommelant :

— Si c'est pas malheureux...

Étonnée, Jeanne le regarda s'éloigner sans oser le suivre ni réitérer sa demande. Elle ne voulait prendre aucun risque, et surtout pas celui de se faire remarquer. Elle continua donc son chemin au hasard des rues, relativement désertes dans ce quartier de riches propriétés bourgeoises. Enfin, au bout d'une demi-heure d'errance, elle déboucha sur une avenue plus fréquentée.

La première personne qu'elle croisa fut une mère poussant sa petite fille dans une poussette. Jeanne se dirigea vers elles afin d'obtenir le renseignement dont elle avait besoin. Mais alors qu'elle s'approchait, la jeune maman fit un écart en pressant le pas. Tandis qu'elles s'éloignaient déjà, Jeanne entendit l'enfant demander à sa mère :

— Elle était malade, la madame, maman ?

— Oui, ma chérie, répondit celle-ci d'un ton didactique. Si tu ne manges pas tes légumes, tu deviendras comme ça quand tu seras plus grande.

Jeanne les regarda disparaître derrière un tournant, immobile au milieu du trottoir, un peu hébétée, un peu perdue. Le regard que la mère lui avait jeté à la dérobée la fit frissonner de la tête aux pieds. Elle ne connaissait que trop bien ce regard, avec cette lueur de dégoût teinté de mépris et d'une pointe de pitié. Et aussi cette façon de passer à côté d'elle, comme si elle n'existait pas, comme si elle blessait le regard de ceux qui s'approchaient d'un peu trop près de sa misère. Sa misère ? Elle n'était pas misérable du tout ! Au contraire, elle était riche, très riche. Alors pourquoi tous ces gens se comportaient-ils comme s'ils avaient affaire à une mendiante ? « *Si c'est pas malheureux...* » La phrase du vieux monsieur qui promenait son chien lui revint en mémoire. De quel malheur parlait-il ?

Jeanne se remit en marche, à la recherche d'une vitrine ou du carreau d'une voiture stationnée qui lui permettrait de vérifier son apparence dans le reflet de la vitre. Quelques mètres plus loin, elle s'arrêta devant la devanture d'une galerie d'art qui exposait quelques toiles d'un jeune peintre débutant. Mais Jeanne ne prêta aucune attention aux œuvres exhibées à l'étalage. Elle se posta en face de la vitrine à l'endroit où celle-ci dévoilait une peinture aux teintes plus sombres, ce qui lui permit de découvrir sa dégaine à travers le reflet.

L'image qu'elle découvrit en face d'elle la consterna. Son tailleur ressemblait plus à des haillons qu'à un ensemble de haute couture, avec son ourlet défait et les tâches de gravats, de graisse et de sang qui le maculait. Une partie de sa manche avait été déchirée et les deux boutons qui tenaient encore à la veste pendaient lamentablement au bout de leur fil. Son chemisier était gris, déchiré également en certains endroits. Et par-dessus le tout, une poche de latex pendouillait sur son ventre, tel un sac-banane que l'on cache sous son pull pour le mettre à l'abri des pickpockets.

Mais le plus atterrant semblait être son visage, cette figure si pâle qui ouvrait de grands yeux ahuris cernés de noir, et ces plaques rouges sur ses joues, et ces cheveux sans forme qui revenaient en mèches désordonnées sur son front... La femme qui lui faisait face en transparence lui apparut comme un fantôme surgi de son passé. Elle la reconnut sans peine, cette image qu'elle avait enfouie au plus profond de sa mémoire, et sur laquelle elle avait entassé vingt années de vie bourgeoise, d'apparences sauves quel qu'en soit le prix, et de comédies assassines.

Bonheurs en forme de cartes de crédit.

Amours glacées et nuits solitaires.

Jeanne se sentit foudroyée. C'était impossible ! Cette femme était morte depuis longtemps ! Ses lèvres se mirent à trembler. Elle tendit la main vers le reflet qui semblait l'inviter à la rejoindre derrière la vitrine...

« Maman... Maman... Maman... »

La tête lui tourna et un tourbillon de honte, de frayeur et de regrets bloqua sa gorge dans un sanglot retenu. Jeanne ferma les yeux, espérant ainsi stopper le flot d'images disparates qui défilaient malgré elle sur la vitrine de la galerie d'art, douloureuses réminiscences d'une enfance qu'elle avait subie, et de laquelle elle avait voulu sortir au plus vite. Mais au lieu de disparaître totalement, le film ralentit dans sa tête et s'arrêta sur cette petite fille aux cheveux blonds, assise sur un matelas posé à même le sol, pleurant au milieu d'une pièce presque vide, sale et sinistre.

C'est la nuit, il fait sombre. L'enfant grelotte, sanglote, regarde autour d'elle, sait qu'elle est seule. Sait que personne n'entend ses pleurs. Sait que personne ne viendra. Mais elle ne peut s'empêcher d'appeler. Comme la nuit précédente. Et comme celle d'avant. Elle a fait un mauvais rêve et lorsqu'elle s'est réveillée, son cauchemar lui paraît bien terne face à la solitude qui l'assaille. Alors elle appelle. Elle demande qu'on vienne, qu'on la prenne dans les bras et qu'on l'apaise. Elle a froid. Elle a peur. Alors elle appelle.

« Maman... Maman... Maman... »

— Maman !

Jeanne rouvrit brutalement les yeux, effrayée par son propre cri. Le reflet a disparu. Devant elle, un tableau aux teintes sombres lui fait face. Jeanne se rapprocha de la vitrine et observa la peinture de plus près. Sur la toile, un pantin de bois est assis sur une chaise, inanimé, la tête penchée sur le côté, jambes et bras ballants dans une position d'abandon total. Son visage est finement sculpté, avec de grands yeux ouverts et figés, ne regardant rien, n'exprimant rien si ce n'est une sorte de vide sépulcral. Les fils reliant ses membres à une croix de bois gisent par terre, emmêlés. Et de la bouche du pantin coule un mince filet de sang.

Dans le coin inférieur droit, Jeanne lut machinalement la signature de l'artiste, une certaine Élise Toussaint. Ce nom ne lui évoqua rien mais elle ne cessa de le lire et de le répéter tout bas afin de reprendre pied dans la réalité qui, semblait-il, tentait constamment de lui échapper. Elle ne voulait plus voir cet affreux fantôme revenu des Enfers de sa triste vie pour la tourmenter. Alors elle répéta inlassablement le nom de l'artiste, Élise Toussaint, Élise Toussaint, Élise Toussaint, même si elle ne la connaissait pas, juste pour se raccrocher à la réalité de quelqu'un qui existe vraiment, fait de chair et de sang, qui parle, qui mange, qui dort, qui peint...

Bientôt les images disparurent de sa tête et Jeanne se retrouva dans la rue, en face d'une galerie d'art exposant les œuvres d'une jeune peintre encore inconnue. Du revers de sa manche, elle essuya les fines gouttelettes de sueur qu'elle sentait couler le long de ses tempes. Puis, reprenant peu à peu ses esprits, elle s'éloigna de la vitrine d'un pas hésitant, avant de s'enfuir en courant droit devant elle.

33

Suzanna est seule au fond de la cave, bâillonnée, menottée, affamée et terrifiée. Voilà presque deux jours que Jeanne est partie en la laissant là, sans aucun moyen de survivre si on ne vient pas très vite lui apporter de la nourriture. Elle tente de dormir le plus souvent possible afin de conserver le peu de forces qu'elle a réussi à reprendre. Elle ne veut pas perdre son acquis. Mais au fil du temps qui passe, Suzanna craint le pire. Et si Jeanne s'était fait arrêtée et qu'elle refusait de divulguer l'endroit où elle la retenait prisonnière ?

La police avait déjà fouillé la maison, personne ne les avait trouvées. Et si Jeanne était morte ? Avec angoisse, Suzanna prie le Seigneur pour que son bourreau revienne, elle qui a tant souhaité sa mort, elle qui a tant souhaité ne plus jamais la revoir.

La position dans laquelle elle se tient depuis deux jours, sans pouvoir bouger, la fait abominablement souffrir. Elle a la sensation que la chaîne lui rentre dans la peau, que chacun de ses muscles ont été broyés dans un étau, que sa tête va exploser. Elle fait de la rétension d'eau, chose assez banale chez une femme enceinte, et ses pieds sont si gonflés qu'elle les sent à peine. Elle devrait continuer ses exercices, mais à présent elle tente surtout de conserver le peu d'énergie qu'il lui reste. La sensation de faim a disparu. Reste juste cet état d'intense faiblesse qui la fait délirer de temps à autre. Avoir endurer tout ce qu'elle a vécu, la douleur, la frayeur, le désespoir, l'humiliation, et mourir seule, abandonnée et ignorée de tous, en plein Paris, si près de tant de gens qui, chaque soir, s'attablent autour d'un repas afin de se sustenter...

Dans son ventre, Suzanna sent son enfant prendre chaque jour un peu plus de force, un peu plus de poids, un peu plus de vigueur. Sans se préoccuper des carences de sa mère, bébé se sert de tout ce dont il a besoin pour parvenir au terme de sa croissance prénatale. Il remue de plus en plus, et Suzanna le sent à présent si bas dans son ventre qu'elle craint que l'heure de l'accouchement soit plus proche qu'elle ne l'avait imaginée. Serait-elle déjà dans son neuvième mois de grossesse ?

Suzanna en doute mais elle sait que dans certains cas où la maternité ne s'est pas bien déroulée, les risques de naissance avant terme sont accrus. Et un nouveau-né prématuré nécessite des soins particuliers.

« Tiens bon, mon petit, par pitié ! Reste en moi. Là où tu es, tu ne manques de rien. La vie est parfois si lourde pour un être si petit et si fragile qu'elle risque de te broyer. Je t'en conjure, profite de mes ressources, de ma chaleur, de l'abri que je t'offre. Reste là encore un peu. »

Il fait blanc. La lumière de l'halogène perpétuellement allumée irrite Suzanna. Elle aimerait un peu de pénombre, un peu de chaleur. Un peu d'eau. Sa gorge sèche lui fait mal. Sa bouche pâteuse la dégoûte. Ses lèvres sont gonflées et collent l'une à l'autre sous son bâillon. La chaîne qui l'enserre la fait souffrir d'heure en heure. Elle ne sent plus ses pieds et encore moins ses orteils. En tentant de bouger son corps afin de le soulager des terribles crampes qu'elle lui inflige malgré elle, elle sent une odeur fétide et âcre. Sent ses fesses baignant dans ses propres défécations. Suzanna se trémousse alors pour faire remonter ses excréments jusqu'au milieu de son dos, lui servant ainsi de « coussins » qui amortissent la rudesse de la chaîne pénétrant dans sa chair. Et lorsqu'elle ouvre les yeux, elle aperçoit devant elle une montagne de chair qui s'agite furieusement. Une contraction, encore faible et peu douloureuse, lui fait reprendre ses esprits.

« Non ! Pas maintenant ! Ne sors pas. Reste là, par pitié ! Je n'ai pas le courage de t'accueillir maintenant. Je me sens trop faible. Reste encore un peu. »

Puis le ventre s'immobilise. Alors Suzanna soupire avant de basculer dans le néant.

Une odeur de thon. En ouvrant les yeux, Suzanna découvre Jeanne devant elle, le visage décomposé, les yeux rougis par des larmes qui coulent abondamment le long de ses joues. Elle est libérée de son bâillon.

Jeanne tient une boîte de conserve à la main, ouverte. De l'autre, elle enfonce un peu du contenu de la boîte à l'intérieur de la bouche de Suzanna. La jeune fille sourit faiblement, et accepte avec soulagement la nourriture qu'on lui offre. Jeanne puise dans la boîte, à main nue, avant d'enfouir ses doigts couverts de thon dans la bouche de sa captive. Elle pleure, sans pouvoir s'arrêter, sans chercher à se cacher.

Suzanna tend la main vers le visage de Jeanne, découvre qu'elle est libérée de sa menotte. Essuie les larmes de son bourreau. Devant tant de douceur, les pleurs de Jeanne redoublent. Puis elle s'empare d'une deuxième boîte de thon, l'ouvre, et en présente une poignée à Suzanna. La jeune fille lèche les doigts de Jeanne. Celle-ci sanglote douloureusement, son maigre corps hoquetant par intermittence.

La poche de latex a disparu.

Lorsqu'elle se sent mieux, Suzanna balaie la pièce du regard et aperçoit, à côté de la couche de Jeanne, un monceau de boîtes de conserve. Il doit y en avoir plus de cent. Intriguée, la jeune fille l'interroge du regard. Honteuse, Jeanne baisse la tête :

— C'est tout ce que j'ai trouvé.

Puis elle se redresse et dans ses yeux, un regard fiévreux éclaire son visage d'une étrange lueur.

— Jamais plus je ne te laisserai seule. Je te le promets. Désormais, nous serons inséparables. Chaque minute que la vie nous accordera nous verra ensemble, unies à jamais. Je prendrai soin de toi, tu verras !

Elle sourit tristement à Suzanna et recommence à pleurer, hoquetant à gros sanglots, inconsolable.

— Pardon de t'avoir laissée seule si longtemps. Je... Je me suis perdue. J'ai erré sans savoir où j'allais, j'ai dormi dans le métro... J'avais si peur qu'on me prenne ! Et puis, il y avait cette femme qui me harcelait, cette femme que je hais... (Son visage se crispe dans un rictus haineux.) Cette salope ! Elle est revenue d'entre les morts pour me tourmenter. Elle me poursuit ! Elle veut m'emmener avec elle ! (Sa voix se casse soudain et Jeanne poursuit sur un ton plus grave.) Mais elle ne m'aura pas. Elle ne m'aura jamais. Je resterai près de toi. Toujours. À présent, plus rien ne peut nous séparer. Nous sommes liées jusqu'à la mort. Mon enfant sera le tien, je te permettrai de t'en occuper.

Suzanna regarde Jeanne. Sans comprendre ce qu'elle lui dit, la jeune fille mesure néanmoins l'immense cassure qui ébranle la femme qui lui fait face. Qui la fragilise. Instinctivement, elle tend la main vers elle, et lui caresse la joue. Jeanne ferme les yeux.

— Oh Suzanna ! poursuit-elle dans un murmure. Tu es la mère que j'aurais tant voulu avoir. Tu es l'enfant que j'ai attendu si longtemps. Je me sens si seule loin de toi ! (Elle se tait quelques secondes, puis reprend avec exaltation, les yeux brillant d'espoir.) Quand mon bébé sera là, nous formerons une vraie famille. Nous partirons loin d'ici et nous recommencerons tout à zéro. Avec l'argent de Richard, nous ne manquerons de rien. Tu verras, Suzanna, la vie sera belle, et nous serons heureuses. Heureuses....

Jeanne se tait et sourit à Suzanna. Celle-ci, instinctivement, lui rend son sourire. Puis, de sa main unique, elle s'empare de la chaîne et indique à Jeanne qu'elle souhaiterait être libérée.

— Oh non, ma chérie ! lui répond celle-ci d'une voix douce. Pas tout de suite. D'abord, il faut que tu apprennes à me connaître. Il faut que tu m'aimes, ma toute belle. Alors seulement je te délivrerai. Mais d'abord, j'ai besoin de ton amour.

HUITIÈME MOIS

« *Pendant votre congé de maternité, reposez-vous*
le plus possible.
Évitez toute activité ou imprudence
qui pourrait déclencher un accouchement prématuré.
Si la nature a décidé que la gestation est de neuf mois,
c'est qu'il faut neuf mois à votre bébé pour une
maturation complète de ses organes.
Plus il naîtra tardivement et plus il aura de chances
de son côté
pour réussir une bonne entrée dans la vie. »

34

Cela s'est passé un matin. Durant la nuit, Suzanna avait ressenti quelques contractions plus douloureuses que les précédentes et elle sut que dans les heures qui suivraient, plus rien ne serait comme avant. Jeanne dormait sur sa couche, le lit de camp sur lequel Irina avait passé les dernières nuits de son existence. Elle ronflait en inspirant l'air par les narines, dans un rythme irrégulier, et le bruit de sa respiration dénotait qu'elle était en proie à quelques rêves agités.

Suzanna ne dormait pas, surveillant les mouvements de son ventre, ainsi que cette douleur nouvelle, profonde et incontrôlable qu'elle ressentait au plus profond de sa chair. Le moment était venu. Elle aurait bien voulu attendre encore un peu, et même ne pas avoir à vivre cet instant effrayant, terrifiant, pour lequel personne ne l'avait préparée... Mais elle savait également qu'elle n'avait pas le choix. Il en allait de la vie de son enfant.

Pourtant, depuis deux semaines, depuis qu'elle était rentrée de son escapade de ravitaillement, Jeanne paraissait avoir déposé les armes. On aurait dit qu'implicitement elle avait décidé d'accorder une sorte de trêve à la jeune fille, comme si elle désirait lui concéder quelques moments de paix et de repos avant l'issue fatale de leur cohabitation. Le temps passait, monotone et ennuyeux, mais durant ces deux semaines, Jeanne s'était appliquée à soigner Suzanna du mieux qu'elle le pouvait. Certes, la future mère n'avait été nourrie que de boîtes de conserve, thon, ananas, petits pois, pêches au sirop, maïs, haricots, asperges, épinards, carottes, lentilles, tout ce que Jeanne avait pu trouver dans une supérette qu'elle avait littéralement dévalisée, invoquant au commerçant qui louchait sur ses achats une randonnée de plusieurs jours en forêt...

Celui-ci avait haussé les épaules en signe d'indifférence, non sans avoir tout d'abord détaillé sa cliente avec suspicion. « C'est pas mes affaires, ma p'tite dame ! », avait-il rétorqué sur un ton qui trahissait son incrédulité. Puis il avait rangé toutes les conserves dans une dizaine de sacs en plastique et s'était assuré que Jeanne serait à même de les emporter. « Ça ira comme ça ? » Il regarda disparaître cette petite femme déguenillée, dont l'apparence si frêle contrastait avec l'énergie qu'elle déploya en s'emparant des sacs.

Jeanne était devenue douce, souriante, attentionnée, prévenante. Chaque jour, elle passait de longs moments à laver Suzanna, à la nourrir, à soigner sa blessure, à refaire son lit, à s'assurer qu'elle n'avait pas froid, à la regarder dormir. De plus en plus, elle se laissait aller à des gestes tendres envers la jeune fille, passant la main dans ses cheveux, lui caressant la joue. Puis elle prenait la main de Suzanna et la portait à sa propre joue, attendant d'elle les mêmes marques d'affection qu'elle lui manifestait.

Cette abnégation nouvelle gênait terriblement la jeune Portugaise, mais Suzanna se gardait bien de rechigner. Elle avait trop besoin de tous ces soins afin d'être au mieux de sa forme pour assumer l'épreuve qui l'attendait. Et puis, elle ne voulait en aucun cas anéantir cette curieuse complicité naissante : la confiance de Jeanne lui était absolument nécessaire pour survivre à la terrifiante situation qui était la sienne. Alors elle ravalait la haine qu'elle ressentait à l'encontre de cette femme qui avait brisé sa vie et, surmontant son dégoût, effectuait les gestes qu'on attendait d'elle.

De temps à autre, Jeanne s'isolait dans un coin et murmurait longuement dans le vide, la tête baissée. Intriguée, Suzanna tentait de comprendre ce qu'elle disait, et surtout de savoir à qui elle s'adressait.

La disparition du faux ventre la déconcertait et elle ne savait pas si elle devait y voir le signe d'une amélioration de l'état psychologique de sa geôlière. Malgré la gentillesse et les nombreuses attentions que Jeanne lui témoignait quotidiennement, la jeune fille restait sur ses gardes, sachant qu'à tout moment elle pouvait se révéler mortellement dangereuse. Un jour pourtant, n'y tenant plus, elle demanda en pointant du doigt le ventre de Jeanne :

— Ton bébé... où ?

Jeanne parut surprise par sa question. Elle affi- cha un sourire sage et réfléchi, comme pour dissi- per l'embarras provoqué par la question d'un enfant un peu trop curieux. Puis elle s'installa aux côtés de Suzanna.

— Mais il est là, ma chérie, répondit-elle en caressant le gros ventre arrondi de la jeune fille. Je te l'ai confié, tu ne t'en souviens pas ? Nous étions d'accord là-dessus...

Elle attendit la réaction de Suzanna qui, compre- nant à demi-mot la signification de cette réponse, se força à sourire d'un air entendu.

— Si, si... Bébé, là, dit-elle en effectuant le même geste que Jeanne.

Celle-ci hocha la tête d'un air satisfait.

— Alors, tout va bien.

À d'autres moments, Jeanne parlait longuement à la jeune fille, d'une voix étrangement sereine. Parfois, son visage s'éclairait tandis qu'elle paraissait évoquer quelques propos d'espoir. Suzanna ne comprenait pas grand-chose à ces interminables monologues, mais elle reconnaissait des mots comme « bonheur », « heureuses », « bébé », ou encore « argent ». Et puis, il y avait un mot qui revenait régulièrement, un mot qui la faisait terriblement souffrir : ce mot, c'était « Richard ».

Richard... S'il la voyait telle qu'elle était aujourd'hui, reconnaîtrait-il la flamboyante jeune fille qu'il avait adorée ? Cette infirme maigre et résignée, aux cheveux courts et sans forme dont l'horrible teinture jaune colorait encore le bout des mèches desséchées, cette malheureuse jeune femme dont le visage était désormais marqué par l'effroi et le malheur...

Souvent encore, l'image de son amant perdu la faisait hoqueter à gros sanglots. Son cœur se serrait si fort dans sa poitrine qu'elle avait la sensation d'étouffer de chagrin. Ce n'était qu'au prix d'un immense effort qu'elle parvenait alors à maîtriser les accès de découragement qui lui faisait perdre tout espoir. Suzanna serrait les dents en refoulant ses larmes. Il n'était plus temps de s'apitoyer sur son sort. Pour lui, pour leur enfant, elle devait vivre. Coûte que coûte.

Suzanna appela Jeanne. D'une voix plaintive, elle émit quelques longs gémissements douloureux, puis haleta furieusement comme si elle manquait d'air. Jeanne se réveilla en sursaut et, en deux enjambées, fut auprès d'elle.

— Qu'est-ce qui se passe ? Qu'est-ce que tu as ? demanda-t-elle inquiète.

Suzanna la dévisagea de ses grands yeux implorants.

— Bébé, répondit la jeune fille dans un souffle presque inaudible.

— Le bébé ? Il arrive ? s'exclama Jeanne, cette fois complètement affolée. Mon Dieu ! tu es sûre ?

Pour toute réponse, Suzanna poussa un hurlement significatif. Jeanne se prit la tête entre les mains et fit trois fois le tour de la pièce.

— Mon Dieu ! Ça y est ! Il est là ! Mon bébé... Il arrive ! Que faut-il faire ? Il est là ! répétait-elle en tournant en rond.

Puis elle revint auprès de Suzanna.

— Ma belle, tu vas devoir te débrouiller toute seule ! lui dit-elle sans cacher l'effroi qui la gagnait. Parce que moi, je n'ai jamais mis d'enfant au monde. Alors il va falloir assumer, tu comprends ? Tu comprends ce que je dis ?

Sans cesser de gémir, Suzanna la supplia du regard.

— Manger, murmura-t-elle avant que son corps ne se contracte.

— Manger ? Tu veux manger maintenant ?

— *Si ! Por favor...* Manger !

Jeanne se précipita vers les boîtes de conserve, rangées de manière très ordonnée à côté de son lit. Elle en saisit une bonne dizaine à bras-le-corps et les transporta tout près de Suzanna. Puis elle s'empara de l'ouvre-boîtes qu'elle conservait perpétuellement dans une de ses poches et en ouvrit une au hasard, fébrilement.

C'était des cœurs d'artichauds, dont elle entreprit de porter chaque morceau à la bouche de la jeune fille. Celle-ci en avala trois avec soulagement puis fit comprendre à sa geôlière qu'elle préférait les garder auprès d'elle afin de pouvoir se servir quand elle en aurait envie.

Perplexe, Jeanne lui ouvrit quelques boîtes qu'elle laissa à sa portée. Puis elle se redressa et resta debout devant elle, se dandinant d'un pied sur l'autre sans trop savoir que faire. Brusquement, Suzanna arbora une expression de souffrance intense, accompagnée d'un cri rauque et pathétique, suivi d'une série de râles épuisés. Épouvantée, Jeanne lui saisit la main.

— Suzanna, ce n'est pas le moment de flancher ! ordonna-t-elle sur le ton d'un général préparant ses troupes au combat. Tu as été magistrale jusqu'à aujourd'hui, je compte sur toi pour le rester jusqu'au bout. Je suis tout à fait désolée, ma belle, mais je n'ai rien d'une infirmière, ajouta-t-elle sur un ton trahissant la panique qui s'emparait d'elle. C'est peut-être injuste, mais c'est la nature qui en a décidé ainsi. Alors, du cran !

Puis elle caressa le front moite de la jeune fille et poursuivit d'une voix plus douce :

— Mais je resterai près de toi. Je te le promets.

Suzanna se mit à souffler énergiquement tout en relevant sa chemise de nuit jusqu'à la taille. Sans pudeur, elle écarta les jambes, exposant ainsi son sexe à Jeanne qui, gênée, détourna le regard. Aussitôt, la jeune Portugaise l'apostropha agressivement, l'exortant à quelques faits dont Jeanne ne comprit pas le moindre mot. À bout de nerfs, cette dernière se retourna et fit face à la situation.

— OK ! Qu'est-ce que tu veux que je fasse ? aboya-t-elle d'une voix hystérique. Mais je te préviens, je ne supporte pas la vue du sang ! Alors si tu ne veux pas que je tombe dans les pommes, tu as intérêt à faire vite.

Suzanna agrippa le bras de Jeanne et la poussa devant elle, juste en face de son entrejambe. Horrifiée, celle-ci inspira une grande bouffée d'air. Elle parut se donner mentalement du courage, puis dégagea violemment son bras de la poigne de la jeune Portugaise.

— Écoute... Je crois qu'il vaut mieux que je fasse bouillir de l'eau, balbutia-t-elle. Oui, j'ai déjà vu cela dans des films : il faut faire bouillir de l'eau et préparer des linges propres.

Et, tournant rapidement les talons, elle s'empara d'une casserole qu'elle remplit d'eau et la posa sur le réchaud d'appoint. Suzanna poussa un rugissement qui la fit tressaillir.

— Mon Dieu, gémit-elle d'une voix plaintive en enfouissant la tête entre les mains. On n'y arrivera jamais ! Je crois qu'on va avoir besoin d'aide... Peut-être est-il plus prudent que j'aille chercher quelqu'un...

Elle hésita, revint vers Suzanna et considéra d'un œil horrifié la jeune fille qui se tordait de douleur devant elle...

— On n'y arrivera pas toutes seules, Suzanna ! répéta-t-elle, haletante. Je... Je reviens tout de suite !

Jeanne, en proie à une panique qu'elle ne parvenait plus à maîtriser, se précipita vers la cloison murale qu'elle poussa vers l'avant. Dans un déclic sonore, le mur s'ouvrit devant elle.

De son lit, Suzanna avait arrêté de se tortiller et l'observait d'un regard plein d'espoir.

« *Jeanne, ma toute belle. Ne sois pas idiote ! Tu ne feras pas deux pas dehors sans te retrouver en prison. Calme-toi et reprends le contrôle de la situation. Après tout, n'est-ce pas le moment que tu attends depuis si longtemps ? Ton calvaire touche à sa fin, Jeanne. Tu vas avoir un fils ! Un beau petit garçon qui te donnera tout ce que tu souhaites. Allons... Cesse de t'acharner sur cette armoire et retourne auprès de cette petite sotte. Va accueillir ton enfant. Il est là pour toi. Il vient à ta rencontre. Ne le déçois pas...* »

Jeanne s'était soudainement immobilisée et écoutait, affolée, cette voix au timbre ricanant qui résonnait dans sa tête.

— Oui... Oui, murmura-t-elle en reculant lentement à l'intérieur de la pièce. C'est vrai. Mon bébé... Mon bébé va arriver. Il faut que je sois là pour l'accueillir.

Gravement, elle fit demi-tour et réintégra la

pièce, en omettant de refermer la cloison murale derrière elle. Le retour de Jeanne glaça le sang dans les veines de Suzanna. La jeune fille ferma les yeux et poussa une longue plainte éraillée. Puis, les larmes aux yeux, elle se mit à vociférer vers Jeanne qui, se rapprochant d'elle, tentait de la calmer.

— Tout ira bien, ma chérie. Je suis là. On y arrivera, tu verras. Ça ne va pas être si terrible que ça, j'en suis sûre. Allons, courage. Courage.

« *Courage, Jeanne. Courage.* »

Un bruit attira son attention vers un coin de la pièce. L'eau bouillait dans la casserole, et elle se dirigea vers le réchaud dont elle éteignit le feu. Puis elle s'empara de ses draps et amena le tout auprès du lit de Suzanna.

— OK ! On a tout ce qu'il faut, tu vois ? dit-elle d'une voix qui se voulait rassurante. Maintenant, c'est à toi de jouer.

Suzanna saisit à nouveau le bras de Jeanne et la poussa pour la seconde fois face à son entrejambe.

— Je sais ! hurla celle-ci en se dégageant violemment de l'emprise de la jeune fille. Je sais qu'il faut que je me mette là ! Alors, laisse-moi faire, d'accord ?

Le visage en sueur, elle se posta en face des jambes écartées de Suzanna et s'épongea le front.

— Bon. Voilà ! J'y suis ! Tu es contente ? poursuivit-elle, agressive. Comme si ça allait faire venir le bébé plus vite...

Suzanna lui fit signe de se rapprocher plus près. De mauvaise grâce, Jeanne s'exécuta en soupirant douloureusement, le visage à présent situé entre les cuisses de sa captive.

— Ça pue, c'est dégoûtant ! se plaignit-elle en faisant la moue. On dirait que tu ne t'es jamais lavée à cet endroit-là ! Bon Dieu, c'est une véritable infec...

Elle s'interrompit brusquement.

Le regard ahuri, Jeanne dévisagea Suzanna en hoquetant sans parvenir à reprendre son souffle.

D'un mouvement foudroyant, la jeune fille lui avait saisi le cou entre les cuisses, et serrait, serrait, serrait de toutes ses forces. De son unique main, elle agrippait fermement la chaîne qui remontait vers l'anneau de fonte fiché dans le mur, tandis que son moignon plaqué contre le matelas maintenait son équilibre afin de ne pas basculer d'un côté ou de l'autre du lit.

La nuque prise en étau, Jeanne ne semblait pas vraiment comprendre ce qui se passait. Elle battait l'air de ses bras, tandis que tout le reste de son corps restait étrangement inactif, suivant les mouvements de bassin de Suzanna, sans opposer de véritable résistance.

« *Aide-toi de tes mains, bon sang ! Tu ne fais rien de tes mains... Sers-toi de tes mains !* » hurlait la voix dans la tête de Jeanne.

Suffoquant, elle attrapa les cuisses de Suzanna et tenta désespérément de se dégager de son emprise. Son visage vira au rouge, puis au mauve, tandis qu'avec une force stupéfiante, les jambes de la jeune Portugaise s'enroulaient autour de ses épaules, sans laisser un seul instant leur étreinte décliner en force et en puissance.

Suzanna se contractait de plus belle tandis que ses phalanges blanchissaient autour des maillons de la chaîne qu'elle n'aurait lâché pour rien au monde. Elle venait de saisir sa chance, trop consciente que cette énième tentative était également l'ultime occasion qui lui serait donnée de vaincre son ennemie et de garder la vie sauve. Si Jeanne en réchappait, elle était promise à une mort certaine.

La jeune fille ferma les yeux et banda ses muscles, encore et encore, trop effrayée par la perspective de voir sa geôlière parvenir à se dégager et prendre le dessus de la bataille. Lorsqu'elle rouvrit les yeux, la tête de Jeanne entre ses cuisses lui apparut dans toute son absurdité, tel un enfant monstrueux

343

auquel elle donnait le jour. Et tandis qu'elle repro-
duisait le simulacre grotesque d'un accouchement,
Suzanna sentit la mort rôder entre ses jambes. Elle
poussa un hurlement strident, un cri de rage qui
sortit du tréfonds de ses entrailles, et resserra
encore sa pression.

— *Frappe-la au ventre ! Frappe-la au ventre ! Elle
te lâchera si tu menaces son bébé ! Fous-lui un grand
coup dans le ventre !*

— Non ! grogna Jeanne dans un souffle étranglé.
Pas mon bébé... Pas mon bébé...

Jeanne étouffait en râlant, perdant le contrôle de
son corps sous les spasmes et les convulsions qui
la faisaient éructer, et ses gestes devinrent plus
désordonnés. Bientôt ses mains lâchèrent les
cuisses de Suzanna et battirent l'air alentour, tentant aveuglément de se raccrocher à une prise qui
n'existait pas. Ses yeux se révulsèrent et elle se mit
à baver en ouvrant la bouche d'où sortit une langue
molle et gonflée.

« *Jeanne, tu vas mourir... Tu va mourir très bien-
tôt, Jeanne,* continuait la voix dans un timbre sépul-
cral, comme un disque que l'on passe au ralenti...
*Redresse-toi d'un coup sec, et tu la déséquilibreras...
Regarde, elle est en train de faiblir. Redresse-toi,
Jeanne...* »

Suzanna haletait, à bout de force, attendant que
Jeanne rende son dernier soupir. Mais elle sentait
qu'elle allait bientôt lâcher prise, qu'elle n'aurait
plus la force de maintenir son étreinte encore bien
longtemps. Au prix d'un effort surhumain, Jeanne
releva la tête et vit Suzanna, exténuée, le visage
contracté sur l'énorme pression physique qu'elle
infligeait à son corps. Son gros ventre la gênait dans
sa lutte, et son bras manquant lui faisait furieusement défaut pour venir à bout de son bourreau. Elle
était à deux doigts de céder à l'épuisement.

Au bord de l'étouffement, Jeanne parvint néanmoins à prendre appui sur le matelas. Elle en saisit chaque bord de ses deux mains et, réunissant ses dernières forces, poussa fermement sur ses bras afin de se redresser d'un coup sec. Elle se propulsa avec tant de violence que le bassin de Suzanna fut entraîné dans son élan.

La jeune fille ne lâcha pas prise, mais ses jambes se décroisèrent sous la force de la poussée et, en retombant, s'abattirent violemment sur le dos de Jeanne alors que les cuisses étaient toujours fermement enserrées autour de son cou.

« Jeanne, ma chérie... Je ne te vois plus... Il fait tout mauve... C'est dommage... J'étais si fière de toi, si impressionnée par ta force, par ta beauté, par ta grandeur. On s'est bien amusées toutes les deux, n'est-ce pas ? On a vécu des sacrés moments ! Mais je ne t'oublierai jamais, tu peux en être sûre. Tu es ma création, mon édifice, mon œuvre, et cela c'est irremplaçable... »

La nuque de Jeanne se brisa d'un coup net.

« Je me sens toute légère, je flotte entre les nuages... C'est moche ! La lumière est trop forte, et puis je préfère être sur terre... Elle t'a bien eue, la salope ! Tu ne pensais pas qu'elle serait si forte, dans son état ! Ah ça, je dois dire, elle a bien joué ! On n'aurait jamais cru qu'elle essaierait encore de s'enfuir, hein ? Il faut reconnaître qu'elle a eu du cran... Oh Jeanne ! je ne pensais pas que ça me ferait autant de peine de te quitter... Adieu, Jeanne, adieu... »

Devant elle, tout près de son visage, Richard se tenait debout et lui souriait amoureusement. Puis il tendit la main vers son front et lui remit en place une mèche rebelle, avant de terminer son geste en lui caressant la joue avec une infinie tendresse... Derrière lui, une gondole flottait paisiblement sur une eau noire et opaque, dans un silence palpable, sans air et sans souffle.

Un flot de sang jaillit de la bouche de Jeanne.

Autour d'elle, des effluves d'amour virevoltaient comme des volutes de fumée, l'invitant à une danse lente et sensuelle à laquelle elle prit part en riant...

Quelques secondes plus tard, sa tête s'affala de tout son poids sur la toison noire de Suzanna.

35

La jeune Portugaise resta immobile durant quelques longs instants, les cuisses toujours serrées autour du cou de Jeanne. Elle ne parvenait pas à détourner son regard de la tête inerte affaissée entre ses jambes, comme si elle s'attendait à tout moment à la voir ouvrir les yeux et se redresser violemment devant elle. Un sang épais se mêlait à sa toison, et coulait à présent le long de ses cuisses.

Il régnait dans la pièce un silence irréel, à peine perturbé par son souffle rauque, respiration brûlante qu'elle tentait de reprendre petit à petit. C'était un silence intense, aérien, comme si un immense espace s'était instantanément déployé autour d'elle. Et là, tout au bout du néant, de petits échos cristallins chantaient quelques notes aiguës, claires et pures, bruits infiniment célestes aux résonances aquatiques.

Suzanna mit encore plusieurs minutes avant de desserrer ses doigts toujours refermés autour de la chaîne. Puis elle s'effondra sur son matelas, parvenant avec peine à avaler les résidus d'une salive pâteuse et salée qui collaient au fond de sa bouche. Après avoir repris son souffle, elle regarda autour d'elle, inspectant d'un œil hagard chaque recoin de cette pièce dans laquelle elle avait passé de nombreuses semaines, et la solitude qu'elle ressentit

soudain la fit pleurer doucement d'une joie indicible. Chaque sanglot libérait l'angoisse, l'humiliation, la peur, le chagrin, la haine et le désespoir
accumulés depuis si longtemps, et une sensation
nouvelle s'insinua dans le cœur de la jeune fille. Elle
venait de tuer. Elle venait de donner la mort. Elle
qui, bientôt, allait donner la vie.

Suzanna desserra les jambes. Le corps de Jeanne
roula sur le sol et s'immobilisa à ses pieds. Elle
s'empara ensuite d'un des draps posés à côté d'elle
et, après l'avoir trempé dans la casserole d'eau
bouillante, entreprit de nettoyer le sang qui maculait son pubis et ses cuisses. Puis elle s'allongea sur
le matelas et, la main caressant tendrement son
ventre arrondi, scruta le signe que le bébé se portait bien. Quelques instants plus tard, elle sentit un
mouvement furtif sous sa chair tendue et poussa un
soupir de soulagement.

Il était temps de quitter cet endroit infernal. La
jeune fille se redressa et tendit le bras afin
d'atteindre la dépouille de Jeanne. La chaîne
l'empêchait de se pencher trop en avant, et le corps
ayant roulé au pied du lit, Suzanna dut s'y prendre
à plusieurs reprises, se penchant vers le bas au
risque d'écraser son bébé contre le matelas.

Ses doigts s'approchèrent à quelques centimètres
à peine de Jeanne, sans parvenir à la rejoindre. Elle
se redressa afin de reprendre son souffle, puis fit
une nouvelle tentative, se risquant un peu plus loin,
tendue de tout son être avant d'attraper un bout
d'étoffe et de tirer le cadavre jusqu'à elle. Aussitôt,
elle entreprit de fouiller les vêtements de Jeanne, à
la recherche de la clé qui ouvrirait le cadenas fixant
la chaîne au diamètre de son thorax.

La poche de droite contenait l'ouvre-boîtes que
Suzanna rangea à côté d'elle, ainsi qu'un paquet de
mouchoirs en papier. Dans la poche gauche, elle
trouva un trousseau de clés. Son cœur battait à tout

rompre. L'ouverture béante que Jeanne avait omis de refermer derrière elle la rassura et de savoir qu'elle pourrait sortir de la pièce sans trop de difficultés lui redonna le sursaut d'espoir dont elle avait besoin pour ne pas céder à l'angoisse qui sourdait en elle.

Le trousseau contenait plusieurs clés, mais deux seulement avaient la dimension qui semblait, à vue d'œil, correspondre au calibre de la serrure du cadenas.

Suzanna saisit la première clé de son unique main et, faisant un demi-tour sur elle-même en maintenant la chaîne dans le même axe, elle se trouva ainsi face au mur, le cadenas reposant à présent sur l'arrondi de son gros ventre. Puis elle passa de longues minutes à tenter de le coincer dans une position qui lui permettrait de le manipuler sans qu'il ne bouge, le bloquant entre sa poitrine et son ventre. De son unique main, elle parvint ainsi à introduire la première clé dans le verrou, mais ne put la tourner ni dans un sens, ni dans l'autre. Sans perdre de temps, elle tenta d'engager la seconde clé dans la minuscule fente du cadenas...

Celle-ci refusa tout net de s'y insérer. Nerveusement, elle reprit la première clé. Une fois introduite dans le verrou, la jeune fille se mit à la manipuler de toutes les manières possibles, de plus en plus fiévreuse. Il fallait qu'elle tourne, qu'elle ouvre le cadenas qui la libérait de sa chaîne.

Suzanna sentait son calme la quitter, et cette panique sourde et intolérable reprendre possession de ses nerfs, de son corps, de son esprit. Elle ne voulait pas rester là, immobilisée sur ce matelas infâme, et accoucher toute seule au fond de cette cave sinistre avec pour seule compagnie le cadavre immonde de cette folle qui, dans quelques heures, allait se mettre à sentir et à se décomposer. Mais la clé restait désespérément fichée, refusant de pivoter sur elle-même du moindre millimètre. De plus en plus affolée, Suzanna perdit patience et força sur la petite clé... Celle-ci se brisa d'un coup sec. Hébétée, elle considéra le bout de métal qu'elle tenait entre les doigts. Machinalement, elle replaça la tête de la clé à l'entrée du verrou, comme si, par magie, les deux morceaux allaient se ressouder... Il lui fallut quelques instants encore avant de réaliser que, même si elle trouvait la bonne clé, le cadenas était désormais inutilisable.

Ce fut comme une chape de béton qui lui tomba sur le crâne. Elle ressentit une forme indicible de terreur mêlée à une profonde détresse, la sensation qu'un abîme infini s'ouvrait sous elle. D'une voix larmoyante, Suzanna se mit à implorer le ciel de lui venir en aide, frissonnant de tout son être.

Hagarde, elle parcourut une nouvelle fois la pièce des yeux et prit conscience que chaque meuble, chaque élément, chaque ustensile dont elle avait besoin pour sa survie était définitivement inatteignable. Elle perçut dans un brouillard opaque les quelques conserves que Jeanne avait laissées à côté d'elle, ainsi que la casserole dans laquelle elle avait trempé son linge souillé et dont l'eau, mélangée au sang de Jeanne, s'était teintée d'un rouge sombre. Même si elle parvenait à ingérer cette sinistre infusion.

Suzanna calcula mentalement qu'elle pourrait tenir trois à quatre jours, tout au plus. Les contractions qu'elle avait ressenties annonçaient-elles réellement la venue du bébé ? La jeune maman n'ignorait pas qu'il pouvait se passer plusieurs jours, et même deux à trois semaines avant que le processus de l'accouchement ne se déclenche pour de bon.

Définitivement anéantie, elle s'effondra sur sa couche. Elle était prise au piège, s'étant elle-même condamnée à périr lentement de faim, de soif et de peur. Suzanna regretta presque la présence de

Jeanne qui, malgré tout, s'était occupée d'elle et l'avait préservée de la famine et de la solitude. Aussi pâle qu'une morte, l'esprit égaré au plus profond d'une épouvante insurmontable, la jeune fille contempla le corps sans vie qui gisait à côté d'elle. Et tandis qu'elle observait d'un œil horrifié les traits livides de Jeanne, la singulière sérénité de son visage, le sourire qui s'affichait indiciblement sur ses lèvres ainsi que l'expression de quiétude tranquille qui émanait d'elle, frappèrent la jeune Portugaise.

Amère, Suzanna détourna les yeux. Le visage paisible de Jeanne lui était tout simplement intolérable. Comme si, là où elle se trouvait à présent, elle venait enfin de découvrir le chemin du bonheur...

36

Cinq jours ont passé dans l'espoir de sentir venir une délivrance que Suzanna devine de plus en plus improbable dans l'immédiat. Les boîtes de conserve gisent sur le sol, au pied du lit. Vides. Il n'y plus rien à manger. Et plus rien à boire. Désormais, leur vie dépend de cette naissance très prochaine. Dans les heures qui suivent. Maintenant.

Sentant ses forces décliner, la jeune Portugaise se sent chaque instant de moins en moins apte à subir l'ultime épreuve de force dans laquelle elle sait qu'elle y laissera beaucoup. Peut-être même trop. Et si l'enfant vivait et qu'elle-même périssait au terme de son accouchement ? Comment survivrait-il dans cet endroit dénué de toute chaleur, sans les soins appropriés que demande un nouveau-né ?

Le mur béant. Au-delà de la pénombre qui envahit les couloirs de la cave, c'est la liberté. Si près qu'elle pourrait presque la toucher. Suzanna ne parvient pas à détourner son regard de l'ouverture rectangulaire découpée dans le mur. L'évasion à portée de main, le chemin menant tout droit au grand air. Vers la lumière du jour. Quelques jours, quelques heures encore privée d'eau et de nourriture, et elle mourra.

Le bébé puise dans ses dernières réserves et elle se sent si faible, à bout de force, si épuisée par ce combat de chaque seconde que, bientôt, elle capitulera. Malgré elle. Que peut-elle espérer ? Elle attend la délivrance, celle de son enfant, seule issue qui laisse l'ultime espoir de survivre à ce cauchemar. Une fois qu'elle aura accouché, son ventre dégonflé lui permettra de se dégager de la chaîne.

Mais si l'enfant n'arrive pas très vite, Suzanna sait qu'elle ne résistera pas au manque de nourriture. Qu'arrivera-t-il alors ? Qui, de la mère ou du bébé, périra le premier ? Elle, assurément. Mais après ? Combien de temps restera-t-il à l'enfant pour survivre ?

Puisant sa nourriture et son oxygène dans le sang de sa mère, que se passera-t-il lorsqu'elle aura rendu son dernier soupir ? Et même si l'accouchement se déclenche aujourd'hui, aura-t-elle la force de mettre son enfant au monde toute seule ?

Les images s'entrechoquent dans sa tête, reflet morbide d'une réalité qui semble si concrète, si proche de ce qui l'attend. Elle voit son corps inanimé, une pâleur mortelle marquant ses traits, la peau froide, les lèvres sans teint, la silhouette rigide. Et durant quelques minutes, peut-être même une ou deux heures, son ventre s'agitant furieusement en tous sens, sous les assauts de son petit, tandis que l'asphyxie le gagne lentement. Ou peut-être sera-ce par empoisonnement, tandis que l'enfant se nourrira du sang déjà froid et périmé de sa maman ? Souffrira-t-il ? Agonisera-t-il aussi longtemps qu'elle, expulsant de son petit corps aquatique le cri muet qu'il n'aura jamais l'occasion de pousser à l'air libre ?

Suzanna secoue la tête. Il n'est plus question d'attendre. La vie est là, tout près, en elle et pourtant si proche de la mort... Son enfant doit naître aujourd'hui, maintenant, trouver le chemin qui le conduira vers le monde. Alors sans se donner le moindre répit, elle se met à pousser, contractant son ventre, reprenant son souffle, bloquant sa respiration et poussant encore.

« *Sors, mon bébé. Délivre-nous tous les deux de notre prison. Cours au-devant de la vie, n'attends pas qu'elle vienne te chercher.* »

Épuisée. Au bord de l'évanouissement. La jeune femme a de plus en plus de mal à coordonner ses mouvements. Bientôt, elle pousse de manière désordonnée, s'essouffle vite, perd de l'énergie en haletant trop fort, trop vite.

L'hyperventilation la gagne et ses membres se raidissent, sa main se fige, tendue jusqu'au bout des doigts dont le picotement ne cesse de s'accentuer. Les sensations s'estompent, s'engourdissent, disparaissent. Elle se sent moite, grelotte en claquant des dents puis a l'impression de mourir de chaud.

Elle rabat alors la couverture à ses pieds et se met aussitôt à trembler de froid. Pousse toujours, le plus fort possible, expulsant de force l'enfant vers l'extérieur. Renifle bruyamment. Et a tellement envie de pleurer, coupable de contraindre son bébé à quitter la chaleur de son nid pour être éjecter vers ce monde dans lequel la souffrance et la cruauté l'attendent de pied ferme.

Pantelante, Suzanna abandonne soudain tout effort. Après tout, pourquoi fait-elle tout cela ? Pour connaître l'angoisse de voir son enfant vivre dans un univers de pervers, de sadiques, de fous, de malades mentaux ? Le souffle court, elle se laisse mollement aller, en nage, et pourtant tressaille encore sous le coup du mal qu'elle vient de se donner.

Frissons.

Fatigue.

Mon Dieu, comme elle se sent fatiguée ! Ce serait si facile de fermer les yeux et d'attendre tout simplement la suite, sans plus rien tenter, sans plus rien espérer. Qu'on vienne la délivrer ? Tant mieux.

Qu'elle trépasse lentement, engourdie par la faim, la soif, le froid, la peur... Tant mieux aussi.

Mettre un enfant au monde...

Cela en vaut-il vraiment la peine ?

37

En troisième page d'un hebdomadaire à sensation, une photo de Jeanne Tavier posant aux côtés de son mari illustrait l'article suivant :

« *Voilà plus d'un mois que la police est sans nouvelle de Jeanne Tavier, épouse du diplomate Richard Tavier, qui s'est révélée être la meurtrière de plusieurs membres de la classe dominante. Dans un parfum de scandale, cette femme apparemment sans histoire a trouvé dans le crime la solution idéale pour se débarrasser de quelques encombrants, à commencer par son mari qui l'avait déshéritée peu de temps auparavant.*

Pourtant, et d'après de nombreuses sources fiables, les Tavier formaient un ménage heureux et uni dont personne n'aurait soupçonné la plus petite mésentente. Jeanne Tavier, que nous voyons ci-dessus en compagnie de son mari lors du mariage de la jeune comtesse de Valendreux, n'avait donc en apparence aucune raison d'assassiner son époux. C'est pourquoi quelle ne fut pas la surprise de l'entourage de ces époux modèles d'apprendre l'immense fossé qui s'était creusé entre eux depuis sans doute des années : en effet, après avoir découvert la relation homosexuelle que sa femme entretenait avec une de ses plus proches amies, Mme Edwige Beaulieu portée disparue depuis maintenant deux mois, Richard Tavier décide d'entamer une procédure de divorce et modifie son testament en faveur d'une jeune Portugaise de vingt-cinq ans, Suzanna Da Costa, dont on suppose qu'elle fut sa maîtresse.

Le décès prématuré du diplomate français qui survint au mois d'avril dernier ne connut, à l'époque, aucune suite judiciaire. Pour rappel, Richard Tavier s'était brutalement éteint à l'issue d'une mauvaise chute dans l'escalier de sa demeure parisienne, chute dont personne ne mit en doute la cause accidentelle. Mme Tavier ne fut donc pas inquiétée.

Mais cette version des faits est aujourd'hui fortement contestée par les inspecteurs Delpierre et Dubroux, chargés de l'enquête, qui émettent d'énormes soupçons quant à la thèse de l'accident. Car une fois son mari enterré, celle que tout le monde nomme aujourd'hui la "veuve enceinte" annonce à son entourage sa grossesse dont elle attribue la paternité à son défunt mari.

Ce dernier point reste une énigme et, à l'heure actuelle, nul n'est en mesure d'affirmer si oui ou non Richard Tavier est bien le père de l'enfant. Du reste, et malgré des rumeurs sans fondement, personne ne connaît d'autres relations intimes que celle que Jeanne Tavier entretenait avec sa maîtresse, Edwige Beaulieu. Mais ce que l'on sait de source sûre, c'est qu'après lecture du testament de son mari, Jeanne Tavier découvre qu'elle est totalement ruinée au profit d'une jeune fille dont elle n'a jamais entendu parler. Et par le plus grand des hasards, quelques jours après cette fracassante nouvelle, Suzanna Da Costa, citoyenne portugaise arrivée depuis peu en France aux frais de Richard Tavier, disparaît mystérieusement sans laisser de traces.

On subodore qu'avec la complicité de sa maîtresse, Jeanne Tavier a froidement assassiné la jeune étran-

gère, espérant ainsi reprendre possession des biens qu'elle estimait lui revenir de droit. Mais quelques semaines plus tard, c'est au tour d'Edwige Beaulieu de s'évanouir dans la nature. On ignore encore ce qu'est devenue cette riche héritière dont la fortune personnelle s'élève à plusieurs millions d'euros. À ce jour, aucune demande de rançon n'a été formulée et les inspecteurs Delpierre et Dubroux craignent le pire.

Chose étrange, on a retrouvé la voiture d'Edwige Beaulieu à quelques mètres à peine du domicile de Jeanne Tavier. De là à imputer la disparition de Mme Beaulieu à la "veuve enceinte", il n'y a qu'un pas.

Chantage ?

Menaces ?

Crime passionnel ?

La police ne désire pas confirmer ou infirmer ces hypothèses. Pourtant, la folie meurtrière de Jeanne Tavier ne s'arrête pas là. Au cours d'un repas auquel elle convie en toute intimité le notaire de son défunt mari, maître Lombaris, celui-ci se voit sauvagement agressé par son hôtesse qui, d'après lui, avait la ferme intention de l'assassiner au moyen d'un couteau.

Il soutient qu'étant la seule personne à savoir que Jeanne Tavier était déshéritée par son mari, celle-ci n'aurait pas hésité à vouloir faire taire définitivement ce témoin gênant. Avait-elle ensuite l'intention de subtiliser le testament olographe de son mari et de faire valoir la précédente version qui léguait l'immense fortune du défunt en sa faveur ? Il semble en effet que Mme Tavier aurait fait croire à son entourage qu'elle héritait de tous les biens de son époux. Quoi qu'il en soit, à l'issue de ce sanglant repas, maître Lombaris n'aura la vie sauve que grâce à son sang-froid et son excellente condition physique, n'ayant d'autre alternative que celle de prendre ses jambes à son cou.

Ce sont les déclarations de maître Lombaris qui ont mis la police sur les traces de la "veuve enceinte". Mais

*lorsque les inspecteurs Delpierre et Dubroux — qui
enquêtaient alors sur la disparition d'Edwige Beaulieu — se sont rendus au domicile de Jeanne Tavier
afin de l'appréhender, celle-ci avait déjà plier bagage
pour une destination inconnue. Les choses se com-
pliquent encore lorsque, après avoir exploré la propriété de fond en comble, les policiers découvrent dans
le parc le cadavre d'une jeune inconnue qui se révélera
être une ressortissante roumaine entrée illégalement en
France. Irina Siona est morte des suites d'une hémorragie crânienne après qu'elle s'est violemment fait fracasser la tête contre une surface rigide. L'horreur et la
cruauté de ce crime mettent la police sur le pied de
guerre, car le lien entre cette jeune roumaine et la
"veuve enceinte" reste encore inconnu. »*

S'ensuivait une série d'allégations et d'interrogations sur les compétences de la police que Delpierre
n'eut pas le courage de lire. L'affaire avait fait son
petit scandale et il venait de s'être fait tirer les
oreilles par son supérieur hiérarchique, un homme
froid comme la mort et totalement insensible aux
difficultés que ses hommes pouvaient rencontrer au
cours d'une enquête criminelle.

Delpierre balança le journal sur son bureau et
poussa un soupir irrité. L'analyse des cendres retrouvées dans la chaudière n'avait rien donné. Elles pouvaient aussi bien appartenir à un être humain qu'à
un animal, et aucun indice sérieux ne permettait
d'affirmer qu'il s'agissait des restes d'Edwige Beaulieu et de Suzanna Da Costa. En revanche, l'autop-
sie du cadavre d'Irina Siona était formelle : la jeune
fille avait été tuée à main nue et ce nouvel élément
contrariait fortement l'inspecteur. Car jusqu'ici, il
était parvenu à trouver un mobile pour chacun des
meurtres imputés à Jeanne Tavier.

Mais la raison pour laquelle la « veuve enceinte »
avait assassiné cette jeune Roumaine — dont la

situation illégale ajoutait encore au mystère de leur relation — Delpierre était bien incapable d'avancer la moindre hypothèse logique et rationnelle.

Affalé dans son fauteuil, l'inspecteur alluma une cigarette sur laquelle il tira nerveusement. D'après ses calculs, la grossesse de Jeanne touchait à sa fin et il allait bien falloir qu'elle accouche quelque part. Alors peut-être aurait-il une chance de mettre la main sur cette femme qui semblait s'être littéralement évaporée dans les airs. Toutes les cliniques et hôpitaux de France ainsi que tous les gynécologues répertoriés avaient été informés de la possible visite d'une femme arrivée au terme de sa grossesse et recherchée par les forces de police.

La photo de Jeanne trônait dans tous les halls d'admission des centres hospitaliers et chaque naissance était minutieusement contrôlée. Enfin, l'inspecteur était persuadé à quatre-vingt-dix-neuf pour cent que Jeanne Tavier n'avait pas quitté la France.

Delpierre estimait qu'il avait fait tout ce qui était en son pouvoir pour retrouver cette criminelle en col blanc, et il n'avait plus qu'à prier le Seigneur pour que le ciel lui apporte le petit coup de pouce dont il avait maintenant besoin.

« Parce que moi, je ne sais plus à quel saint me vouer ! ronchonna-t-il en rejetant bruyamment la fumée de sa cigarette. Alors si Vous pouviez me faire un petit signe, ou alors juste m'indiquer la piste à suivre... Mais si, voyons, Vous savez bien ! Une de Vos petites fulgurances dont Vous avez le secret et qu'il Vous est si facile de m'envoyer sous la forme d'une idée lumineuse... Ou même d'un rêve, tiens ! Je Vous promets de faire attention à la moindre élucubration qui me sortira du crâne durant les prochaines nuits... Allons ! Faites un effort... »

Son monologue bougon fut interrompu par la

tête d'un agent qui dépassait de l'entrebaîllement de sa porte.

— Dites, inspecteur... On vient de recevoir une lettre anonyme. C'est à propos de l'affaire de la « veuve enceinte » et on s'est dit que peut-être ça vous intéresserait.

Delpierre se redressa énergiquement sur son siège et jeta un petit regard complice en direction du plafond.

— Qu'est-ce que vous attendez pour me l'apporter ! aboya-t-il à l'adresse de l'agent qui lui tendait une enveloppe déjà décachetée.

Dès qu'il fut seul, l'inspecteur ouvrit la lettre dont il extirpa une feuille tapuscrite qui pouvait provenir de n'importe quel traitement de texte. Sachant déjà que si le papier ne contenait pas d'empreinte digitale, il lui serait impossible de retrouver l'expéditeur, Delpierre se plongea dans la lecture du message.

« *Je vous écris à propos de l'affaire de la "veuve enceinte". Ma situation ne me permet pas de parler à visage découvert, c'est pourquoi j'ai préféré vous envoyer cette lettre. Je suis chirurgien et je travaille dans une clinique privée dont je tairai le nom pour les mêmes raisons.*

Il y a de cela trois mois, j'ai soigné une jeune femme enceinte qui venait de faire une tentative de suicide. Elle s'était poignardé le ventre, signe pour le moins explicite qu'elle ne désirait pas poursuivre une grossesse sans doute non désirée. La blessure était superficielle et j'ai réussi sans trop de mal à sauver la mère et le fœtus.

Cette jeune femme devait avoir une vingtaine d'années et avait un type méditerranéen reconnaissable, malgré ses cheveux blonds dont je pense qu'ils étaient teints. Je suis à présent persuadé qu'elle a été inscrite sous un faux nom et sa véritable identité ne m'a pas été communiquée. Mais elle était accompagnée par une femme, plus âgée, qui n'était autre que Jeanne Tavier et qui se disait être sa tante. De cela, j'en suis persuadé. J'ai reconnu son visage sur les photos parues dans la presse, et je peux vous assurer qu'elle n'était nullement enceinte. J'espère que ces renseignements vous aideront dans votre enquête. J'ai longuement hésité à vous les communiquer, mais je ne peux garder ces informations plus longtemps. N'essayez pas de me retrouver, je nierai tout. »

La lettre s'achevait ainsi, sans autre forme de procès et, bien évidemment, sans signature. Delpierre relut une seconde fois l'entièreté du message et, perplexe, le reposa sur son bureau. Qu'est-ce que tout cela pouvait bien signifier ? Et quelle importance devait-il accorder à ces révélations ?

Instinctivement, l'inspecteur sentait que ces nouvelles informations qui lui tombaient du ciel contenaient une part de vérité et qu'elles allaient remettre en question une grosse partie de l'enquête. Mais pour l'heure, il ne parvenait pas à faire le lien entre ces nouveaux indices et la situation actuelle du dossier.

— Ma première erreur a peut-être été de rechercher des cadavres plutôt que des femmes en vie, murmura-t-il tout bas, le regard perdu fixant la pointe de ses souliers. Et si Suzanna n'était pas morte, comme je le crois depuis le début ? S'il s'agissait effectivement de la jeune femme que ce chirurgien a soignée il y a trois mois, c'est-à-dire trois mois après sa disparition... Peut-être reste-t-il encore une petite chance de la retrouver vivante ?

De nombreuses pensées s'entrechoquaient dans la tête de Delpierre : les suppositions se mêlaient aux certitudes qui s'effritaient aussitôt, suivies d'hypothèses bancales n'ayant ni queue ni tête...
« J'ai reconnu son visage sur les photos parues dans

*la presse, et je peux vous assurer qu'elle n'était nulle-
ment enceinte. »*

Pourtant, il l'avait vue, Jeanne Tavier, de ses
propres yeux, et sa grossesse ne faisait aucun
doute ! Tout cela ne tenait pas la route. Cette lettre
avait été écrite par un désaxé qui voulait foutre la
merde dans son enquête. Ou alors, peut-être était-
ce Jeanne elle-même qui avait envoyé ce message
anonyme dans le but de brouiller les cartes... Par
acquit de conscience, mais sans vraiment y croire,
Delpierre fit transmettre l'enveloppe et la lettre au
labo afin de déceler d'éventuelles empreintes digi-
tales. Puis il saisit le combiné de son téléphone et
composa le numéro de Lombaris. Après avoir
décliné son identité et sa profession à la secrétaire
du notaire, l'inspecteur obtint rapidement son cor-
respondant à l'autre bout du fil.

— Dites-moi, Lombaris, quel bénéfice
Mme Tavier tirerait-elle de sa grossesse puisque
l'héritage de son mari revient entièrement à une
tierce personne ?

Trois minutes plus tard, Delpierre sortait en
trombe de son bureau tout en enfilant son imperméable à l'envers. Il passa par le bureau de
Dubroux qu'il apostropha d'une voix aussi toni-
truante qu'excitée :

— Dubroux ! On file chez les Tavier. Suzanna Da
Costa est toujours vivante... Et elle est sur le point
d'accoucher.

38

Cela faisait quatre longues heures que les contractions s'intensifiaient en force et en nombre. Et la douleur devenait d'heure en heure plus profonde, plus dense, plus aiguë... Et chaque fois un peu plus interminable. Comme si une main puissante s'était introduite dans le ventre de Suzanna et tiraillait ses entrailles de long en large.

Jeanne était morte depuis une semaine lorsque les premières contractions s'étaient manifestées. La jeune fille avait souvent entendu parler des douleurs de l'enfantement, mais ce qu'elle ressentait au fin fond de ses entrailles n'avait rien avoir avec ce qu'elle s'était imaginée. Et elle n'était qu'au début du travail !

Chaque contraction s'annonçait de manière lente et supportable, puis s'amplifiait inexorablement pour laisser place à une douleur tenace, violente, au cours de laquelle elle avait la sensation que le moindre de ses viscères, le moindre de ses boyaux et toute la partie inférieure de son ventre étaient vigoureusement broyés dans un étau. Cela se poursuivait pendant quelques longues secondes qui lui paraissaient durer une éternité, puis la souffrance disparaissait pendant une dizaine de minutes, la laissant haletante et déjà épuisée. Elle aurait voulu pouvoir se lever et faire quelques pas dans la pièce, afin d'accélérer le travail car, pensait-elle, l'enfant descendrait plus vite si elle se tenait debout. Elle tenta de se redresser, mais le poids de la chaîne pesant sur son ventre lui était de plus en plus insupportable.

Suzanna fut surprise par le contraste des nombreuses sensations qu'elle ressentait dans tout son corps, l'absence totale de souffrance à laquelle succédait en un rien de temps un mal puissant et brutal, corrosif, implacable. La jeune fille avait envie de crier, mais elle avait entendu dire qu'il était vain de dépenser son énergie en hurlements inutiles. Elle qui, déjà, se sentait si faible. Elle ne put toutefois s'empêcher de gémir longuement d'une voix mourante, comme pour se donner l'illusion de n'être pas seule.

Le silence dans lequel elle était plongée depuis sept jours lui tapait sur les nerfs et l'immense solitude à laquelle elle était soumise devenait à présent insupportable. L'odeur nauséabonde qui se dégageait du corps de Jeanne juste à côté d'elle ajoutait encore à son supplice, ainsi que la vision morbide et abjecte qu'elle avait constamment sous les yeux. Du fin fond de son calvaire, Suzanna se prit presque à envier ce corps inanimé, débarrasser à tout jamais des insoutenables souffrances que la vie exigeait en échange de son présent.

Suzanna pensa avec dépit aux nombreux moyens dont disposaient les femmes qui menaient leur grossesse à terme dans des conditions normales : la préparation à l'accouchement, les exercices de kinésithérapie prénatale, le contrôle de la douleur par la respiration et surtout, surtout, cette satanée péridurale qui endormait toutes les souffrances inévitables de l'enfantement.

La jeune fille ricana en elle-même : appartenir au troisième millénaire et accoucher comme au Moyen Âge... Elle se souvint de ces histoires qu'au temps du lycée, son professeur d'histoire s'amusait à raconter sur les conditions de vie à ces époques barbares. Des histoires dont l'horreur la faisait aujourd'hui frémir de terreur : en ces temps où la césarienne n'était pas pratiquée, des femmes, dont la largeur du bassin ne permettait pas à l'enfant de passer, agonisaient durant des jours entiers dans d'atroces souffrances, tandis que l'enfant trépassaient à l'intérieur de leur matrice... Qu'allait-il se passer si le bébé restait coincé à mi-chemin entre son bassin et la sortie ? Suzanna ferma les yeux et se força à ne plus penser à rien.

Delpierre conduisait rapidement à travers les rues de Paris, le girophare hurlant sur le toit de sa voiture de fonction. Il était midi et le trafic, loin d'être fluide, circulait au ralenti.

— Je peux savoir ce qui se passe ? demanda Dubroux pour la troisième fois en se cramponnant à la poignée fichée au-dessus de la vitre de sa portière.

— Trop long à t'expliquer, répondit Delpierre sans quitter la route des yeux.

— Parfait !

Le ton était pincé et Dubroux serra les dents, mimant le désintérêt total. Quelques secondes plus tard, il réattaquait.

— Sans vouloir t'importuner, je ne vois vraiment pas pourquoi on retourne chez les Tavier ! Tout a déjà été passé à la loupe.

— Parce qu'à l'époque, on recherchait des cadavres. Aujourd'hui, on cherche des femmes en vie.

Les contractions ne se succédaient plus qu'à deux minutes d'intervalle. Deux minuscules petites minutes de repos et de soulagement avant que la matrice de Suzanna ne se crispe férocement dans une souffrance chaque fois plus intense. Son bas-ventre était dur comme de la pierre, tendu à l'extrême, comme prêt à exploser. C'est d'ailleurs ce qu'elle crut qui allait se produire, désormais persuadée que le bébé était beaucoup trop gros pour sortir de manière naturelle.

Le front moite, le visage recouvert d'une sueur glacée, Suzanna tentait tant bien que mal de contrôler sa respiration d'une manière qui lui parut totalement anarchique. Comment s'y prenait-on pour faire disparaître la douleur rien qu'en respirant ? Elle soufflait bruyamment, comme elle avait vu faire dans les films, sans pour autant trouver l'apaisement qu'elle recherchait avec désespoir.

Étendue sur sa couche, de plus en plus exténuée, la jeune fille envisagea l'espace d'un instant la mort comme la seule issue salutaire à son calvaire... « Je n'y arriverai jamais, pensait-elle hors d'haleine. C'est trop dur, ça fait trop mal... Pourquoi... Pourquoi faut-il vivre tout cela ? »

L'image du poupon rose et gracile auquel elle avait tant de fois rêvé avait complètement disparu de son esprit. Restait juste cet intolérable tiraillement, ce boulet de plomb qui se frayait un passage forcé à l'intérieur de sa matrice, fonçant droit devant sans s'occuper des organes qui l'entouraient, avec cette sensation infernale que tout se déchirait sur son chemin.

« Oui, bien sûr, un accouchement, ce n'est pas agréable. Mais cinq minutes après, on a tout oublié ! Lorsqu'on tient son enfant dans ses bras, les douleurs sont déjà si loin... »

Combien de fois n'avait-elle pas entendu les amies de sa mère parler de leur accouchement comme d'une lointaine expérience un peu sensible, se souvenant avec une certaine nostalgie des quelques malaises passagers qu'elles avaient endurés dans le bonheur et la sérénité !

« Le plus beau jour de ma vie ? C'est le jour de la naissance de mon enfant ! Mon Dieu, quel jour merveilleux, quelle expérience inoubliable... »

Comment pouvait-on oublier pareille torture ? Comment pouvait-on se souvenir de ce moment comme d'une magnifique expérience ? Jamais elle ne parviendrait à effacer de son esprit ces instants effrayants où son ventre tout entier semblait se rebeller d'une manière totalement indépendant de sa volonté. Son corps ne lui appartenait plus. Il n'était plus qu'un organisme infernal se contractant en tous sens dans l'unique but d'expulser un corps étranger.

Arrivé devant la porte de l'hôtel particulier, Delpierre brisa les scellés sans aucune hésitation et s'engouffra dans le hall d'entrée. Dubroux le suivit en jurant.

— Tu sais ce que ça va nous coûter, tes lubies de dernière minute ? J'espère que tu sais ce que tu fais, parce que moi,...

— La ferme ! lui intima sèchement Delpierre en se dirigeant vers l'escalier qui montait aux étages. On commence par le grenier et on passe chaque pièce au crible.

— Pourquoi le grenier ? interrogea Dubroux comme pour avoir son mot à dire.

— Pourquoi pas ? rétorqua Delpierre sur le même ton.

— Mais qu'est-ce qu'on cherche, bon sang ? s'énerva Dubroux.

— J'en sais foutrement rien, Dubroux ! On cherche un indice, un objet, un cagibi qui nous aurait échappé, ou peut-être même une pièce dérobée... On cherche le moindre poil de cul de fourmi qui prouverait que Suzanna Da Costa et Edwige Beaulieu sont passées par ici... Et qu'elles sont toujours vivantes, ajouta-t-il tout bas.

Suzanna ne put retenir un cri que lui arracha la douleur lorsqu'elle sentit tout l'intérieur de sa matrice se dilater sous la force de la poussée du bébé. La tête rejetée en arrière, trempée de la racine des cheveux jusqu'à l'extrémité des pieds, elle sentit que le moment était venu de pousser pour aider l'enfant à avancer vers la lumière. Elle se donna un infime moment de sursis, se promettant mentalement qu'à la prochaine contraction, elle entamerait les poussées. Petite supplication muette pour que l'expulsion se fasse le plus rapidement possible...

La jeune femme ne sentait plus son corps, ses muscles lui parurent aussi mous que du marshmallow, et elle se crut au bord de l'évanouissement, tant elle avait mal et se sentait épuisée. Vidée de toute énergie vitale. Comment faire pour stopper l'inéluctable, l'infernale progression du temps qui, de seconde en seconde, intensifie le mal, accentue le tourment toujours plus puissamment, sans toutefois offrir la possibilité de s'extraire de son corps pour rejoindre un état céleste, aérien, dénué de toute sensation ? Car le plus terrible, le plus impensable, n'est-il pas de savoir que la douleur présente, dans tout ce qu'elle a de plus intolérable, n'est rien en comparaison de celle qui arrive ?

Les contractions se succédaient maintenant à un rythme affolant, ne laissant plus à la jeune mère que quelques secondes de répit entre chacune d'elle. Et son calvaire atteignait des sommets de souffrances intolérables, lui faisant perdre la tête durant de longs instants au cours desquels, aussi terrifiée qu'anéantie, elle se sentait lentement partir vers une dimension immatérielle.

Lorsqu'elle reprenait conscience, elle réunissait à grand-peine les quelques forces qui lui restaient et se remettait à pousser, désespérément, sentant venir la déchirure aussi brutale qu'insoutenable, manquant à chaque instant de basculer dans le néant. Mais Suzanna tenait bon. Car son enfant arrivait, elle le sentait. Elle le savait par-delà l'infernal tourment qui écartelait son corps, écrasait ses entrailles, comprimait ses tissus internes. À bout de force, elle relâcha la pression, pantelante et égarée au plus profond de sa douleur.

Tout son ventre n'était plus à présent qu'une immense contraction, éternelle et infinie tandis que la tête du bébé se pressait tout contre la paroi vaginale. Suzanna poussa un long cri perçant, un cri de rage, un appel désespéré, un rugissement féroce. Et alors que le bébé, écrasé à quelques centimètres à peine de la vie, forçait les derniers obstacles qui l'empêchaient de passer, la rebelle Portugaise, la sauvage Suzanna reprit son souffle, bloqua sa respiration et décocha une puissante poussée qu'elle tint longtemps, longtemps, encore et encore, sans relâche, toujours plus fort, expulsant son enfant vers le monde malgré son corps qui se disloquait, déchirant sa chair et la vidant de son sang.

Au premier étage, les deux inspecteurs entendirent le cri en même temps. Foudroyés, ils relevèrent la tête et se dévisagèrent, la mine ahurie.

— Ça venait d'en bas, murmura Dubroux dans un souffle.

Delpierre se précipita dans le corridor et descendit les escaliers à toute vitesse, Dubroux sur les talons. Arrivés au rez-de-chaussée, ils foncèrent vers le salon et la cuisine en hurlant le nom de Suzanna ainsi que celui d'Edwige, surgisant dans chaque pièce qu'ils exploraient rapidement, sans cesser d'appeler les deux femmes à s'en faire éclater les cordes vocales. Après avoir constaté qu'il n'y avait personne, ils revinrent sur leurs pas jusqu'au grand hall d'entrée, l'oreille aux aguets, espérant entendre un autre signe, un autre cri.

— On n'a pas rêvé tout de même ! s'insurgea Dubroux, visiblement déçu.

— Ça venait peut-être de dehors, murmura Delpierre avec regret.

Mais en passant devant la porte de la cave, ils l'entendirent distinctement, ce bruit si particulier, ce miaulement à la fois fragile et puissant, cette plainte prodigieuse et singulière du nouveau-né qui pousse son premier cri.

NEUVIÈME MOIS

« *Rentrée chez vous avec votre bébé,*
vous retrouvez votre mari et votre maison avec
bonheur.
Tout est pour le mieux.
Ou du moins pourrait être pour le mieux car,
chose incompréhensible et inexplicable,
vous n'avez pas le moral et voyez tout en noir.
Vous avez envie de pleurer sans raison et n'avez plus
de goût à rien.
Pour un peu, même le bébé, pourtant si désiré, vous
indifférerait.
C'est le post-partum, c'est-à-dire la dépression des
accouchées. »

39

Le nez collé à la cloison vitrée de la couveuse, Suzanna ne se lassait plus de contempler avec ravissement et inquiétude le petit corps rose et fripé qui respirait doucement devant elle, les yeux fermés, la mine un peu boudeuse.

Pieds nus, vêtue d'une chemise de nuit à l'effigie de l'hôpital dans lequel elle avait été admise dix jours auparavant, elle pouvait rester ainsi des heures entières, immobile devant la cage de verre dans laquelle son bébé achevait sa croissance fœtale.

Comme chaque jour, l'infirmière allait devoir s'armer de patience et de gentillesse pour convaincre la jeune maman de rejoindre sa chambre afin de prendre le repos qu'exigeait son état.

Les yeux vissés sur son enfant, Suzanna entendit des pas s'approcher d'elle.

« Ça y est, elle m'a repérée. Je vais devoir te quitter, mon bébé. Cette infirmière n'est pas méchante, tu sais. Elle fait son travail. Elle ne peut pas savoir que... »

La voix de Delpierre interrompit le monologue muet que Suzanna adressait à son enfant.

— Suzanna ! s'exclama l'inspecteur du ton le plus doux dont il était capable. Vous n'êtes pas raisonnable. Allons, venez avec moi, je vais vous raccompagner à votre chambre. Vous avez de la visite.

La jeune femme se tourna vers lui et lui adressa un maigre sourire plein de gratitude. Elle aimait toujours quand Delpierre venait lui rendre visite ; ce visage marqué par la vie qu'elle associait invariablement à la fin de son cauchemar, ce bonhomme un peu rustre, un peu fatigué qui trimbalait avec une sorte de grâce maladroite son imposante carrure éternellement revêtue de son imperméable beige.

Jamais elle ne pourrait oublier l'apparition presque miraculeuse de l'inspecteur, encadré dans la découpe murale béante, avec cette expression à la fois soulagée et horrifiée lorsqu'il la vit gisante sur son lit, tenant, lové dans son bras, le minuscule petit être qu'elle venait de mettre au monde.

Delpierre s'était précipité vers elle tandis que, derrière lui, un autre homme composait déjà un numéro sur le clavier de son téléphone portable. Cinq minutes plus tard, Suzanna était précipitamment évacuée sur une civière pendant qu'une infirmière et une sage-femme prodiguaient les premiers soins de survie à son bébé. Lorsqu'elle émergea à la lumière du jour, l'intense luminosité la frappa de plein fouet et, après avoir demandé pour la énième fois si son enfant allait vivre, elle perdit connaissance.

Delpierre lui rendit son sourire et répéta ce qu'il venait de lui dire en y ajoutant les gestes concordants afin de se faire comprendre de la jeune Portugaise. À regret, Suzanna jeta un dernier coup d'œil à son bébé et suivit l'inspecteur.

— Allons... Plus qu'une semaine et vous pourrez serrer votre enfant contre vous. Ce n'est pas long, une semaine, quand on a attendu huit mois.

Tout en marchant dans le couloir aux côtés de Suzanna, il esquissa un geste amical en direction des épaules de la jeune fille, puis se ravisa et poursuivit son mouvement vers sa propre nuque qu'il gratta gauchement.

— Vous savez qu'on parle de vous dans les journaux ? Tenez, celui-ci date du lendemain de votre libération. Je vous ai gardé tous les articles qui vous concernent.

Il lui tendit un quotidien qu'il sortit de la poche intérieure de son imperméable et qui titrait en première page : LA VEUVE ENCEINTE NE L'ÉTAIT QUE PAR PROCURATION ! Suivait une photo de Suzanna à son entrée à l'hôpital, étendue sur une civière et sans connaissance. En médaillon, un cliché de Jeanne et de Richard Tavier souriant tous deux au photographe dans une pose de parfaite complicité. Du bout du doigt, Suzanna effleura le visage de Richard puis détourna les yeux de l'article.

— Cette affaire a fait grand bruit, vous savez ! poursuivit Delpierre. Les choses commencent seulement à se tasser un peu. J'espère qu'ils vous laisseront en paix lorsque vous sortirez d'ici...

Sans plus accorder de réelle attention au journal que l'inspecteur lui montrait, Suzanna lui saisit le bras sur lequel elle prit appui jusqu'à la porte de sa chambre, que Delpierre poussa de sa main libre. Puis il s'effaça pour la laisser passer.

À son entrée, deux hommes se levèrent et vinrent au-devant d'elle pour la saluer. L'inspecteur fit les présentations :

— Je vous présente Miguel Ferreira. Miguel est interprète, d'origine portugaise, et traduira tout ce qui se dira aujourd'hui dans cette pièce.

Sans attendre, l'interprète traduisit ce que Delpierre venait de dire. Suzanna hocha la tête en souriant et ses yeux s'illuminèrent d'un éclat humide. Entendre parler le portugais l'émut jusqu'au fond du cœur, et elle dut se retenir pour ne pas éclater en sanglots.

— Et voici maître Lombaris. Maître Lombaris est notaire et s'occupe de la succession de M. Tavier.

Édouard Lombaris tendit la main vers Suzanna. Celle-ci le dévisagea avec gravité et, après lui avoir laissé le temps de s'apercevoir de son handicap, tandis que le notaire attendait toujours la main de son interlocutrice, elle lui tendit hostensiblement son moignon. Rougissant, il balbutia quelques mots d'excuses et rabaissa précipitamment son propre bras.

— C'est à vous, maître Lombaris, enchaîna Delpierre en considérant l'homme d'étude d'un air navré.

Non sans ébaucher un petit sourire rusé à l'adresse de Delpierre, Suzanna s'installa sur son lit et écouta avec attention ce que Miguel lui traduisait au fur et à mesure.

— J'aimerais tout d'abord vous dire à quel point nous sommes heureux de vous avoir retrouvée, commença le notaire. Nous vous avons cherchée partout, croyez-moi, et votre disparition n'a pas laissé de nous inquiéter. Et je profite également de cette occasion pour...

— Abrégez, Lombaris ! l'interrompit Delpierre qui, décidément, ne supportait pas cet homme trop mièvre et trop politiquement correct à son goût. Mlle Da Costa est particulièrement éprouvée par les derniers mois qu'elle vient de vivre.

— Oui, bien sûr, bien sûr... (Lombaris se racla la gorge tout en remontant du doigt ses petites lunettes rondes le long de son arête nasale. Puis il sortit de sa mallette un dossier qu'il ouvrit d'un air concentré.) Je suis en possession du testament olographe de M. Richard Tavier. Ce dernier vous lègue purement et simplement toute sa fortune ainsi que tous ses avoirs. Le montant qui vous revient aujourd'hui s'élève exactement à 995636 euros et 8 centimes. À cela nous devons ajouter les biens de M. Tavier, comprenant sa demeure parisienne dénommée Les Coquelicots et tout ce qu'elle contient, dans laquelle se trouvent deux toiles de maître, un appartement à Cannes et son mobilier, un petit voilier amaré au port de Cannes, ainsi que le contenu d'un coffre à la banque dont voici la clé.

Le notaire tendit une petite clé à Suzanna. La jeune fille mit quelques secondes avant de s'en saisir.

— Cette énumération n'est pas exhaustive, poursuivit Lombaris. Je ne vous ai cité que les pièces les plus conséquentes. Vous pourrez prendre connaissance de l'entièreté de votre capital grâce à cette liste que je vous ai préparée.

Les yeux écarquillés, Suzanna considéra le notaire comme si elle avait affaire à un dément. De plus en plus mal à l'aise, Lombaris déposa le document sur la table de nuit qui jouxtait le lit.

— Qu'est-ce que je vais faire de tout cela ? murmura la jeune fille, tétanisée.

Delpierre et Lombaris se tournèrent vers Miguel qui leur traduisit la stupeur de Suzanna.

— Je ne doute pas que vous saurez faire bon usage de ces biens, répondit le notaire dans un gloussement emprunté.

Puis il se racla une nouvelle fois la gorge et poursuivit :

— Il y a autre chose dont je dois vous entretenir... Mais auparavant, je... Suite aux dernières volontés du père de M. Tavier, il est de mon devoir de...

Delpierre leva les yeux au ciel avant de voler au secours du notaire.

— Ce que maître Lombaris aimerait savoir, c'est le sexe de votre enfant.

Suzanna sourit avec tendresse.

— C'est une petite fille... Une adorable petite fille qui ressemble à son papa.

Un court silence s'installa dans la pièce, pendant lequel Lombaris dévisagea Delpierre en quête d'une nouvelle aide de la part de l'inspecteur. Sentant le trouble qui embarrassait l'homme d'étude, Suzanna demanda :

— En quoi cela concerne-t-il les dernières volontés du papa de Richard ?

— À vrai dire... (Lombaris s'empara de ses lunettes qu'il essuya avec un mouchoir tout droit sorti de la poche de son veston.) M. Tavier senior avait émis le souhait que la seconde partie de son héritage revienne à son petit-fils. Je veux dire par là qu'une importante somme d'argent ne serait débloquée d'un compte bancaire qu'à la condition que M. Tavier junior ait un enfant de sexe masculin.

Suzanna considéra le notaire d'un air grave.

— Vous voulez dire que le fait d'être une fille n'autorise pas mon enfant à prendre possession de l'héritage de son grand-père ?

— C'est cela même.

Après quelques secondes d'un silence consterné, Suzanna éclata de rire. C'était un rire gai et franc, qui fit retomber toute la tension régnant dans la pièce. Surpris par cette réaction pour le moins inattendue, Lombaris gloussa faiblement d'un rire embarrassé.

— Quelle sorte d'homme était-il pour émettre de telles conditions ? demanda Suzanna avec une sorte de consternation amusée mêlée de pitié.

— Eh bien... Je ne l'ai pas connu personnellement, mais on dit que...

Lombaris s'interrompit. Suzanna avait soudainement pris un air grave et sa gaieté était retombée d'un seul coup. Elle était pâle et paraissait en proie à d'affreuses pensées. Remarquant son brusque changement d'humeur, Delpierre se rapprocha d'elle.

— Que se passe-t-il, Suzanna ? Vous vous sentez mal ?

La jeune fille leva vers lui un regard horrifié.

— Vous... Vous pensez que c'est à cause de cette clause que la femme de Richard m'a séquestrée pendant tout ce temps ? Elle... Elle voulait me prendre mon bébé, elle voulait que mon enfant soit à elle...

Suzanna éclata en sanglots. Le pourquoi de son calvaire lui était brutalement apparu, dans toute l'horreur de sa simplicité et de sa banalité. Une histoire de fric. Juste une histoire de fric.

La jeune femme secoua lentement la tête, les sourcils froncés, la mine fermée, comme si la raison de son enlèvement, ces mois entiers de torture physique et mentale, l'interminable attente d'une délivrance dans laquelle elle avait laissé des bouts d'elle-même, tout ce qu'elle avait enduré dans la terreur et le chagrin ne pouvait se résumer à une banale histoire d'argent. Elle revit le visage décalé de Jeanne lorsque, revenant d'un après-midi de shopping, celle-ci lui faisait découvrir les nombreuses layettes et pyjamas choisis avec soin et achetés dans des boutiques de luxe...

Le visage de la folie dans les traits duquel la convoitise se lisait à livre ouvert. Cet enfant, Jeanne l'avait attendu, de tout son être. Elle l'avait protégé du monde extérieur qui rugissait autour d'elle, menaçant de ses règles et de ses lois l'infime espoir de voir un jour son vœu le plus cher se matérialiser. Comme ces contes de fées dans lesquels une sorcière au faciès grimaçant promet la réalisation d'un rêve en échange de ce qu'il est impossible de donner.

Et le prix est toujours exorbitant.

Delpierre caressa doucement la tête de la jeune maman. Ses cheveux avaient retrouvé leur teinte noire ébène et une jolie coupe très courte qui faisait revenir quelques mèches savamment désordonnées sur son front était venue réparer les dégâts commis par Jeanne, en attendant que Suzanna retrouve sa crinière sauvage.

— N'y pensez plus, Suzanna. C'est fini, maintenant. Jeanne est morte, elle ne vous fera plus jamais de mal, murmura l'inspecteur.

Parvenant à maîtriser ses sanglots, Suzanna se tourna vers Lombaris.

— Rassurez-vous, maître. Même si mon enfant avait été un garçon, je n'aurais pas voulu de cet argent.

Le notaire hocha la tête en baissant les yeux.

— Je... Je vais vous laisser vous reposer, mademoiselle, balbutia-t-il. Lorsque vous serez totalement remise, téléphonez-moi. Voici ma carte. Nous règlerons ensemble toutes les paperasseries administratives.

Suzanna prit la petite carte que Lombaris lui tendait et le remercia tristement. Comme l'interprète s'apprêtait à sortir à la suite du notaire, Delpierre le retint.

— Pouvez-vous rester encore quelques instants ? J'aimerais juste poser une ou deux questions à Mlle Da Costa.

L'interprète répondit par l'affirmative et Delpierre se tourna vers Suzanna.

— Je voulais seulement savoir... Vous n'êtes pas obligée de me répondre, bien évidemment mais... Allez-vous retourner au Portugal ?

Suzanna mit une longue minute avant de répondre.

— Non, je ne pense pas. J'ai une revanche à prendre sur cette ville. Elle m'a montré de quoi elle était capable. À moi, maintenant, de lui faire découvrir ma véritable nature.

Delpierre hocha la tête, posant sur la jeune femme un regard encourageant.

— Et... Qu'allez-vous faire ?

Suzanna afficha un sourire confiant.

— Je vais vivre, inspecteur. Ma fille et moi, nous allons vivre.

*« Après l'aventure magique de la grossesse
que vous venez de vivre pendant neuf mois,
vous ne serez plus jamais la même.
Vous avez donné la vie et, de cette vie,
vous êtes à présent responsable.
Votre enfant est là
et votre rôle auprès de lui ne fait que commencer. »*

Références des citations

1. *J'attends un enfant*, Laurence Pernoud, éd. Horay, 1999, p. 116.
2. *Guide pratique de la femme enceinte*, Marie-Claude Dela-haye, Marabout, 2000, p. 27.
3. *Guide pratique de la femme enceinte, Idem*, p. 50.
4. *J'attends un enfant, op. cit.*, p. 121.
5. *Guide pratique de la femme enceinte, op. cit.*, p. 86.
6. *Guide pratique de la femme enceinte, Idem*, p. 95.
7. *Guide pratique de la femme enceinte, Idem*, p. 120.
8. *Guide pratique de la femme enceinte, Idem*, p. 127.
9. *Guide pratique de la femme enceinte, Idem*, p. 158.
10. *Guide pratique de la femme enceinte, Idem*, p. 161.

Composition réalisée par JOUVE
IMPRIMÉ EN FRANCE PAR BRODARD ET TAUPIN
La Flèche (Sarthe).
Imp : 12217 – Dépôt légal : 20190 - 04/2002

ISBN : 2 - 7024 - 3074 - 0

H 52/1245/1